O AMANTE JAPONÊS

Da autora:

Afrodite: Contos, Receitas e Outros Afrodisíacos
O Amante Japonês
Amor
O Caderno de Maya
Cartas a Paula
A Casa dos Espíritos
Contos de Eva Luna
De Amor e de Sombra
Eva Luna
Filha da Fortuna
A Ilha sob o Mar
Inés da Minha Alma
O Jogo de Ripper
Meu País Inventado
Paula
O Plano Infinito
Retrato em Sépia
A Soma dos Dias
Zorro

As Aventuras da Águia e do Jaguar

A Cidade das Feras (Vol. 1)
O Reino do Dragão de Ouro (Vol. 2)
A Floresta dos Pigmeus (Vol. 3)

ISABEL ALLENDE
O AMANTE JAPONÊS

9ª edição

Tradução
Joana Angélica d'Avila Melo

Rio de Janeiro | 2025

Copyright © 2015, Isabel Allende
Copyright © 2015, Penguin Random House Grupo Editorial, S. A. U.

Título original: *El Amante Japonés*

Imagem de capa: © Chrissie White

Capa: adaptação da capa original / Penguin Random House Grupo Editorial / Marta Borrell

Editoração: Futura

Texto revisado segundo o novo
Acordo Ortográfico da Língua Portuguesa

2025
Impresso no Brasil
Printed in Brazil

Cip-Brasil. Catalogação na publicação.
Sindicato Nacional dos Editores de Livros, RJ.

A428a Allende, Isabel, 1942-
9ª ed. O amante japonês / Isabel Allende; tradução Joana Angélica D'Avila Melo. —
        9ª ed. — Rio de Janeiro: Bertrand Brasil, 2025.
        294 p: 23 cm.

        Tradução de: El amante japonés
        ISBN 978-85-286-2027-6

        1. Ficção chilena. I. Melo, Joana Angélica D'Avila. II. Título.

15-23465   CDD: 868.99333
                                   CDU: 821.134.2(83)-3

Todos os direitos reservados pela:
EDITORA BERTRAND BRASIL LTDA.
Rua Argentina, 171 — 3º andar — São Cristóvão
20921-380 — Rio de Janeiro — RJ
Tel.: (21) 2585-2000

Não é permitida a reprodução total ou parcial desta obra, por
quaisquer meios, sem a prévia autorização por escrito da Editora.

Atendimento e venda direta ao leitor:
sac@record.com.br

*A meus pais, Panchita e Ramón,
sábios anciãos*

Detente, sombra de mi amor esquivo,
imagen del hechizo que más quiero,
bella ilusión por quien alegre muero,
dulce ficción por quien penosa vivo.

Sóror Juana Inés de la Cruz

Lark House

Irina Bazili começou a trabalhar em Lark House, na periferia de Berkeley, em 2010, com vinte e três anos feitos e poucas ilusões, porque vinha quicando por vários empregos, de uma cidade a outra, desde os quinze. Não podia imaginar que encontraria seu nicho perfeito nessa residência da terceira idade, e que nos três anos seguintes chegaria a ser tão feliz como na infância, antes que seu destino se desarrumasse. Lark House, fundada em meados do século vinte para abrigar dignamente anciãos de baixa renda, atraiu desde o princípio, por razões desconhecidas, intelectuais de esquerda, esotéricos decididos e artistas de pouca fama. Com o tempo, foi mudando em vários aspectos, mas continuava cobrando mensalidades ajustadas à renda de cada residente, para fomentar, em teoria, alguma diversidade econômica e racial. Na prática, eram todos brancos de classe média, e a diversidade consistia em sutis diferenças entre livres-pensadores, buscadores de caminhos espirituais, ativistas sociais e ecológicos, niilistas e alguns dos poucos hippies que iam sobrevivendo na área da baía de São Francisco.

Na primeira entrevista, o diretor dessa comunidade, Hans Voigt, tentou convencer Irina de que ela era jovem demais para um emprego de tanta responsabilidade, mas, como precisavam preencher com urgência uma vaga no departamento de administração e assistência, ela poderia servir de suplente, enquanto procuravam a pessoa adequada. Irina pensou que o mesmo se podia dizer dele: parecia um garoto bochechudo com calvície prematura, para quem seguramente era pesada a tarefa de dirigir aquele estabelecimento. Com o tempo, a moça constataria que a aparência de Voigt enganava a certa distância e com má iluminação, pois, na realidade, ele havia completado cinquenta e quatro anos e demonstrava ser excelente administrador. Irina lhe assegurou que sua falta de estudos era compensada com a experiência no trato com anciãos na Moldávia, seu país natal.

O tímido sorriso da candidata abrandou o diretor, que se esqueceu de pedir a ela uma carta de recomendação e passou a enumerar as obrigações do posto, que podiam ser resumidas em poucas palavras: facilitar a vida dos hóspedes do segundo e do terceiro nível. Os do primeiro não incumbiam a Irina, pois viviam de forma independente, como inquilinos em um edifício de apartamentos, e tampouco os do quarto, apropriadamente chamado Paraíso, porque estavam aguardando sua passagem para o céu, cochilando a maior parte do tempo, e não requeriam o tipo de serviço que ela deveria prestar. Caberia a Irina acompanhar os residentes às consultas a médicos, advogados e contadores, ajudá-los a preencher formulários de saúde e de impostos, levá-los às compras e outros misteres. Sua única relação com os do Paraíso seria a de planejar seus funerais, mas quanto a isso receberia instruções detalhadas segundo o caso, disse-lhe Hans Voigt, porque os desejos dos moribundos nem sempre coincidiam com os dos respectivos familiares. Entre as pessoas de Lark House havia diversas crenças, e os funerais tendiam a ser cerimônias ecumênicas um tanto complicadas.

Voigt explicou que somente o pessoal doméstico, de cuidados e de enfermagem era obrigado a usar uniforme, mas existia um código tácito de indumentária para o restante dos empregados; respeito e bom gosto era o critério em matéria de roupa. Por exemplo, a camiseta com a imagem de Malcolm X, que Irina vestia, mostrava-se imprópria para a instituição, disse ele enfaticamente. Não se tratava de Malcolm X, e sim de Che Guevara, mas a moça não esclareceu o equívoco porque supôs que Hans Voigt não tinha ouvido falar do guerrilheiro, o qual, meio século depois de sua epopeia, continuava sendo venerado em Cuba e por um punhado de radicais em Berkeley, onde ela morava. A camiseta lhe custara dois dólares numa loja de roupas usadas e estava quase nova.

— Aqui é proibido fumar — avisou o diretor.
— Eu não fumo nem bebo, senhor.
— Tem boa saúde? Isso é importante, no trato com anciãos.
— Sim.
— Alguma peculiaridade que eu deva saber?
— Sou viciada em videogames e romances do gênero fantástico. Sabe, Tolkien, Neil Gaiman, Philip Pullman, autores assim.
— O que a senhorita fizer em seu tempo livre é assunto seu, mas, no trabalho, não pode se distrair.
— Claro. Olhe, se me der uma oportunidade, o senhor verá que tenho muito boa mão com pessoas idosas. Não se arrependerá — disse a jovem, com fingida circunspecção.

Concluída a entrevista formal em seu escritório, o diretor mostrou a ela as instalações, que abrigavam duzentas e cinquenta pessoas, com uma média etária de oitenta e cinco anos. Lark House havia sido a magnífica propriedade de um magnata do chocolate, o qual a doou à cidade e deixou uma generosa dotação para financiá-la. Consistia na mansão principal, um palacete pretensioso no qual ficavam os escritórios, áreas comuns, biblioteca, refeitório e oficinas, e numa série de agradáveis edificações de placas de madeira, que se harmonizavam com o parque de dez acres, aparentemente selvagem, mas na realidade bem-cuidado por uma tropa de jardineiros. As edificações dos apartamentos independentes e as que abrigavam o segundo e o terceiro nível se comunicavam por meio de amplos corredores cobertos, para possibilitar a circulação em cadeiras de rodas a salvo dos rigores do clima, e envidraçados de ambos os lados, a fim de que se pudesse apreciar a natureza, o melhor bálsamo para padecimentos de qualquer idade. O Paraíso, uma construção separada de concreto, destoaria do resto se não fosse totalmente revestido de hera. A biblioteca e o salão de jogos estavam disponíveis a qualquer hora; o salão de beleza tinha horário flexível e nas oficinas se ofereciam diversas aulas, de pintura a astrologia, para aqueles que ainda esperavam surpresas do futuro. Na Loja de Objetos Esquecidos, como rezava o letreiro acima da porta, que era atendida por damas voluntárias, vendiam-se roupas, móveis, joias e outros tesouros descartados pelos residentes ou deixados para trás pelos defuntos.

— Temos um excelente clube de cinema. Projetamos filmes três vezes por semana na biblioteca — disse Hans Voigt.

— Que tipo de filmes? — perguntou Irina, com a esperança de que fossem de vampiros ou de ficção científica.

— São selecionados por um comitê, e eles dão preferência aos de crimes, especialmente os de Tarantino. Aqui há uma certa fascinação com a violência, mas não se assuste: todos entendem que é ficção e que os atores reaparecerão em outros filmes, sãos e salvos. Digamos que é uma válvula de escape. Vários de nossos hóspedes fantasiam assassinar alguém, geralmente uma pessoa da própria família.

— Eu também — replicou Irina, sem vacilar.

Acreditando que a jovem estivesse brincando, Hans Voigt riu, comprazido; apreciava o senso de humor entre seus funcionários, quase tanto quanto a paciência.

No parque, de árvores antigas, circulavam tranquilamente esquilos e um número pouco usual de cervos. Hans Voigt explicou a ela que as fêmeas vinham parir e criar os filhotes até que estes pudessem se arranjar sozinhos, e que a propriedade era também um santuário de pássaros, especialmente cotovias, das quais provinha o nome: Lark House, casa de cotovias. Havia várias câmeras colocadas estrategicamente para espiar os animais na natureza e, de passagem, os anciãos que pudessem se perder ou se acidentar, mas Lark House não contava com medidas de segurança. De dia, as portas permaneciam abertas, e só havia dois guardas desarmados, que faziam ronda. Eram policiais aposentados, de setenta e setenta e quatro anos respectivamente; não eram necessários outros, porque nenhum delinquente iria perder seu tempo assaltando velhos sem renda. Passaram por algumas mulheres em cadeiras de rodas, por um grupo equipado com cavaletes e estojos de tinta para uma aula ao ar livre e por alguns hóspedes que levavam a passeio cães tão estropiados quanto eles. A propriedade se limitava com a baía, e, quando a maré estava alta, podia-se passear de caiaque, como faziam alguns dos residentes que ainda não tinham sido derrotados pelos achaques. "Assim é que eu gostaria de viver", suspirou Irina, enchendo os pulmões com o doce aroma de pinheiros e loureiros e comparando essas agradáveis instalações com os refúgios insalubres por onde havia deambulado desde os quinze anos.

— Por último, senhorita Bazili, devo mencionar os dois fantasmas, porque seguramente essa será a primeira coisa de que o pessoal haitiano lhe falará.

— Não acredito em fantasmas, senhor Voigt.

— Parabéns. Eu também não. Os de Lark House são uma mulher jovem, com um vestido de véus cor-de-rosa, e um menino de uns três anos. É Emily, filha do magnata do chocolate. A pobre Emily morreu de pesar quando seu filho se afogou na piscina, no final dos anos 1940. Depois disso, o magnata abandonou a casa e criou a fundação de Lark House.

— O menino se afogou na piscina que o senhor me mostrou?

— Essa mesma. Porém, mais ninguém morreu ali, que eu saiba.

Irina logo mudaria sua opinião sobre fantasmas, porque descobriria que muitos dos anciãos eram acompanhados pela presença permanente de seus mortos; Emily e o filho não eram os únicos espíritos residentes.

No dia seguinte, na primeira hora, Irina se apresentou no emprego com sua melhor calça jeans e uma camiseta discreta. Comprovou que o ambiente de Lark House era descontraído sem cair na negligência; parecia colégio universitário, mais do que asilo de anciãos. A comida equivalia à de qualquer restaurante respeitável da Califórnia: orgânica dentro do possível. O serviço doméstico era eficiente e o de cuidados e enfermagem era tão amável quanto se pode esperar nesses casos. Em poucos dias, ela aprendeu os nomes e as manias de seus colegas e dos residentes a seu cargo. As frases em espanhol e francês que conseguiu memorizar lhe foram úteis para ganhar o apreço do pessoal de serviço, proveniente quase exclusivamente do México, da Guatemala e do Haiti. O pagamento que recebiam não era muito para o trabalho duro que faziam, mas pouquíssimos andavam de cara feia. "Temos que mimar as vovozinhas, mas sem lhes faltar com o respeito. O mesmo com os vovozinhos, mas a eles não convém dar muita trela, porque ficam abusados", recomendou-lhe Lupita Farías, uma gorducha baixinha com cara de estátua olmeca, chefe da equipe de limpeza. Como estava havia trinta e dois anos em Lark House e tinha acesso aos quartos, Lupita conhecia intimamente cada ocupante, sabia como era a vida deles, adivinhava seus mal-estares e os acompanhava em suas dores.

— Atenção à depressão, Irina. Aqui é muito comum. Se você notar que alguém está isolado, anda muito triste, fica na cama sem motivo ou deixa de comer, venha correndo me avisar, entendeu?

— E o que você faz nesse caso, Lupita?

— Depende. Faço carinho, isso eles sempre agradecem, porque os velhos não têm quem os toque, e os atraio com uma série de televisão;

ninguém quer morrer antes de ver o final. Alguns se consolam rezando, mas aqui há muitos ateus, e esses não rezam. O mais importante é não os deixar sozinhos. Se eu não estiver por perto, fale com Cathy; ela sabe o que fazer.

A doutora Catherine Hope, residente do segundo nível, havia sido a primeira a dar as boas-vindas a Irina em nome da comunidade. Aos sessenta e oito anos, era a mais jovem dos residentes. Desde que estava numa cadeira de rodas, havia optado pela assistência e pela companhia oferecidas pela Lark House, onde já vivia desde alguns anos antes. Nesse período, transformara-se na alma da instituição.

— As pessoas idosas são as mais divertidas do mundo. Viveram muito, dizem o que lhes dá na telha e não estão nem aí para a opinião alheia. Você nunca vai se entediar aqui — disse ela a Irina. — Nossos residentes são instruídos e, se estiverem com boa saúde, continuam aprendendo e experimentando. Nesta comunidade há estímulo, e é possível evitar o pior flagelo da velhice: a solidão.

Irina sabia do espírito progressista da gente da Lark House, bem conhecido, porque em mais de uma ocasião tinha sido notícia na imprensa. Havia uma lista de espera de vários anos para entrar, a qual seria ainda mais longa se muitos candidatos não falecessem antes que chegasse sua vez. Aqueles velhos eram a prova contundente de que a idade, com suas limitações, não impede ninguém de se divertir e de participar do ruído da existência. Vários deles, membros ativos do movimento "Anciãos pela Paz", destinavam as manhãs de sexta-feira a protestos na rua contra as aberrações e injustiças do mundo, especialmente as do imperialismo norte-americano, pelo qual se sentiam responsáveis. Os ativistas, que incluíam uma senhora de cento e um anos, se encontravam na esquina norte da praça, em frente ao quartel de polícia, com seus andadores, bengalas e cadeiras de rodas, exibindo cartazes contra a guerra ou o aquecimento global, enquanto o público os apoiava buzinando de dentro dos carros ou assinando as petições que esses bisavós furibundos lhes apresentavam. Em mais de uma ocasião os revoltosos tinham aparecido na tevê, enquanto a polícia fazia papel ridículo tentando dispersá-los com ameaças de gás lacrimogêneo que jamais se concretizavam. Emocionado, Hans Voigt havia mostrado a Irina uma placa instalada no parque em homenagem a um músico de noventa e sete anos, morto em 2006 em plena luta e sob pleno sol, ao sofrer um ataque cerebral fulminante enquanto protestava contra a guerra do Iraque.

Irina tinha se criado numa aldeia da Moldávia habitada por velhos e crianças. A todos faltavam dentes, aos primeiros porque os tinham perdido com o uso e às segundas porque estavam trocando os de leite. Pensou em seus avós e, como tantas vezes nos últimos anos, arrependeu-se de tê-los abandonado. Em Lark House lhe surgia a oportunidade de dar a outros o que não pudera dar a eles e, com esse propósito em mente, dispôs-se a atender as pessoas sob seus cuidados. Não demorou a conquistar todos e também vários do primeiro nível, os independentes.

Desde o começo, Alma Belasco lhe chamou a atenção. Distinguia-se das outras mulheres pelo porte aristocrático e pelo campo magnético que a isolava do resto dos mortais. Lupita Farías assegurava que Belasco não se encaixava em Lark House, que iria se demorar ali muito pouco e que, a qualquer momento, chegaria para buscá-la o mesmo motorista que a trouxera num Mercedes Benz; no entanto, os meses foram passando sem que isso acontecesse. Irina se limitava a observar Alma Belasco de longe, porque Hans Voigt lhe ordenara que se concentrasse em suas obrigações com as pessoas do segundo e do terceiro nível, sem se distrair com os independentes. Já estava bastante ocupada atendendo aos seus clientes — não se chamavam pacientes — e aprendendo os pormenores de seu novo emprego. Como parte do treinamento, devia estudar os vídeos dos funerais recentes: uma judia budista e um agnóstico arrependido. Por sua vez, Alma Belasco não atentaria para Irina se as circunstâncias não tivessem brevemente transformado esta última na pessoa mais comentada da comunidade.

O francês

Em Lark House, onde havia uma deprimente maioria de mulheres, Jacques Devine era considerado o astro, o único galã entre os vinte e oito varões do estabelecimento. Chamavam-no o francês, não por ele ter nascido na França, mas por sua extraordinária civilidade — deixava as damas passarem primeiro, puxava a cadeira para elas se sentarem e nunca andava com a braguilha aberta — e porque conseguia dançar, apesar de suas costas metalizadas. Aos noventa anos, andava ereto graças a pinos, porcas e parafusos na coluna, conservava um pouco do cabelo cacheado e sabia jogar cartas, fazendo truques com desenvoltura. Era saudável de corpo, exceto pela artrite, pela pressão alta e pela surdez ineludível dos anos invernais, e bastante lúcido, mas não o suficiente para recordar se havia almoçado; por isso, estava no segundo nível, no qual dispunha da assistência necessária. Tinha chegado a Lark House com sua terceira esposa, que só conseguira viver ali três semanas, antes de morrer atropelada por um ciclista distraído na rua. O dia do francês começava cedo: ele tomava banho, vestia-se e barbeava-se com a ajuda de Jean Daniel, um cuidador haitiano; depois atravessava o estacionamento apoiado na bengala, atentando bem para os ciclistas, e ia ao Starbucks da esquina para tomar a primeira de suas cinco xícaras diárias de café. Tinha se divorciado uma vez, enviuvara duas e jamais lhe haviam faltado namoradas, a quem seduzia com truques de ilusionista. Uma vez, no passado recente, calculou que se apaixonara sessenta e sete vezes e anotou isso em sua caderneta, para não esquecer o número, já que os rostos e os nomes dessas afortunadas estavam se apagando de sua memória. Tinha vários filhos reconhecidos e outro de um tropeço clandestino com alguém cujo nome ele não recordava, além de sobrinhos, todos uns ingratos que, de olho na herança, contavam os dias para vê-lo partir rumo ao outro mundo. Falava-se de uma pequena fortuna juntada com muito atrevimento e poucos escrúpulos. Ele mesmo confessava, sem sombra de arrependimento, que havia passado um tempo na prisão, onde obtivera nos braços tatuagens de pirata, as quais a flacidez, as manchas e as rugas tinham desmanchado, e ganhara somas consideráveis especulando com as economias dos guardas.

Apesar das atenções de várias senhoras de Lark House, que lhe deixavam pouco campo para manobras amorosas, Jacques Devine se empolgou por Irina Bazili desde o primeiro momento em que a viu circulando com sua prancheta de anotações e seu traseiro empinado. A moça não tinha uma só gota de sangue caribenho, e por isso mesmo esse traseiro de mulata era um prodígio da natureza, assegurava o homem, depois de tomar o primeiro martíni, espantado porque mais ninguém percebia esse detalhe. Havia passado seus melhores anos fazendo negócios entre Porto Rico e Venezuela, onde se afeiçoou a apreciar as mulheres pelas costas. Aquelas nádegas épicas tinham se fixado para sempre em suas retinas; ele sonhava com elas e as via por toda parte, inclusive num lugar tão pouco propício como Lark House e numa mulher tão magra como Irina. Sua vida de ancião, sem projetos nem ambições, encheu-se de repente com esse amor tardio e totalitário, alterando a paz de suas rotinas. Logo depois de conhecê-la, manifestou-lhe seu entusiasmo com um escaravelho de topázio e brilhantes, uma das poucas joias de suas defuntas esposas a escapar da rapina dos descendentes. Irina não quis aceitar o presente, mas sua recusa elevou às nuvens a pressão arterial do apaixonado, e ela mesma teve que acompanhá-lo a noite inteira no serviço de emergência. Conectado a uma bolsa de soro na veia, Jacques Devine, entre suspiros e reprimendas, declarou-lhe seu sentimento desinteressado e platônico. Só desejava a companhia dela, alegrar a vista com sua juventude e beleza, escutar sua voz diáfana, imaginar que ela também o amava, mesmo que fosse com um amor de filha. Também podia amá-lo como a um bisavô.

Na tarde do dia seguinte, de volta a Lark House, enquanto Jacques Devine desfrutava de seu martíni ritual, Irina, com os olhos vermelhos e olheiras azuis pela noite em claro, confessou a história a Lupita Farías.

— Isso não é nenhuma novidade, menina. Toda hora surpreendemos os residentes em camas alheias, e não só os vovôs, as vovós também. À falta de homens, as coitadas têm que se conformar com o que há. Todo mundo precisa de companhia.

— No caso do senhor Devine, trata-se de amor platônico, Lupita.

— Não sei o que é isso, mas, se for o que imagino, não acredite. O francês tem um implante no pinto, uma salsicha de plástico que é inflada por uma bombinha escondida pelas bolas.

— Que história é essa, Lupita?! — riu Irina.

— Isto mesmo que você ouviu. Juro. Eu não vi, mas o francês fez uma demonstração para Jean Daniel. Impressionante.

A boa mulher acrescentou, para benefício de Irina, o que havia observado ao longo de muitos anos trabalhando em Lark House: que a idade, por si só, não torna ninguém melhor nem mais sábio, apenas acentua o que cada um sempre foi.

— Quem é sovina não vira generoso com o tempo, Irina, fica mais sovina ainda. Seguramente, Devine sempre foi mulherengo, e por isso agora é um velho sapeca — concluiu.

Já que não conseguiu devolver o broche de escaravelho ao seu pretendente, Irina o levou a Hans Voigt, que a informou a respeito da proibição absoluta de aceitar gorjetas e presentes. A regra não se aplicava aos bens que Lark House recebia dos moribundos, nem às doações feitas por baixo do pano para colocar um familiar no topo da lista de candidatos a entrar, mas disso não falaram. O diretor recebeu o horrendo bicho de topázio para devolvê-lo ao legítimo dono, segundo afirmou, mas, enquanto isso, meteu-o numa gaveta de sua escrivaninha.

Uma semana depois, Jacques Devine passou a Irina cento e sessenta dólares em notas de vinte, e desta vez ela foi diretamente a Lupita Farías, que era partidária das soluções simples: colocou-os de volta na caixa de charutos onde o galã guardava seu dinheiro em espécie, segura de que ele não se lembraria de tê-lo tirado nem de quanto tinha. Assim, Irina resolveu o problema das gorjetas, mas não o das apaixonadas missivas de Jacques Devine, seus convites para jantar em restaurantes caros, seu rosário de pretextos para chamá-la ao quarto dele e lhe contar os exagerados sucessos que nunca haviam acontecido, e finalmente sua proposta de casamento. O francês, tão desenvolto no vício da sedução, havia retornado à adolescência, com a correspondente e dolorosa carga de timidez, e, em vez de se declarar pessoalmente, entregou-lhe uma carta perfeitamente legível, porque a escrevera em seu computador. O envelope continha duas páginas cobertas de rodeios, metáforas e repetições, que podiam ser resumidas em poucos pontos: Irina lhe renovara a energia e o desejo de viver, ele podia oferecer a ela um grande conforto, por exemplo na Flórida, onde o sol sempre aquecia, e ela, quando enviuvasse, estaria economicamente garantida. Por onde quer que encarasse tal proposta, Irina sairia ganhando, escreveu Devine, já que a diferença de idade constituía uma vantagem a seu favor. A assinatura era um rabisco de mosquitos. A moça se absteve de informar ao diretor, temendo ver-se posta na rua, e deixou a carta sem resposta, na esperança de que se eclipsasse da mente do apaixonado, mas por uma vez a memória recente de Jacques Devine funcionou. Rejuvenescido pela paixão, ele continuou lhe mandando missivas cada vez mais prementes, enquanto ela procurava evitá-lo, implorando à Santa Parescheva que o ancião desviasse a atenção para a dúzia de damas octogenárias que o perseguiam.

A situação foi agravando-se e teria chegado a ser impossível de dissimular se um acontecimento inesperado não tivesse dado fim a Jacques Devine e, de passagem, ao dilema de Irina. Naquela semana, o francês havia saído duas vezes de táxi sem dar explicações, algo incomum no seu caso, porque ele se atrapalhava na rua. Entre os deveres de Irina estava o de acompanhá-lo, mas ele saíra às escondidas, sem dizer palavra sobre suas intenções. A segunda viagem deve ter posto à prova sua resistência, porque ele retornou a Lark House tão perdido e frágil que o motorista precisou desembarcá-lo do táxi praticamente no colo e entregá-lo como um pacote à recepcionista.

— O que lhe aconteceu, senhor Devine? — perguntou a mulher.

— Não sei, eu não estava lá — respondeu ele.

Depois de examiná-lo e constatar que a pressão arterial estava dentro do normal, o médico de plantão considerou que não valia a pena enviá-lo de novo ao hospital e mandou-o descansar na cama por alguns dias, mas sem que soubesse avisou a Hans Voigt que Jacques Devine já não tinha condições mentais de continuar no segundo nível; chegara a hora de transferi-lo para o terceiro, no qual disporia de assistência contínua. No dia seguinte, o diretor se preparou para apresentar a proposta ao homem, tarefa que sempre lhe deixava na boca um sabor amargo, porque ninguém ignorava que o terceiro nível era a antessala do Paraíso, o andar sem retorno, mas foi interrompido por Jean Daniel, o empregado haitiano, que chegou transtornado com a notícia de que havia encontrado Jacques Devine teso e frio quando foi ajudá-lo a se vestir. O médico sugeriu uma autópsia, já que, ao examiná-lo na véspera, não tinha notado nada que justificasse essa desagradável surpresa, porém Hans Voigt se opôs; para que semear suspeitas sobre algo tão previsível como o falecimento de uma pessoa de noventa anos? Uma autópsia poderia manchar a impecável respeitabilidade de Lark House. Ao saber do ocorrido, Irina chorou um bom tempo, porque muito a contragosto havia se afeiçoado a esse patético Romeu, mas não conseguiu evitar um certo alívio por se ver livre dele e alguma vergonha por se sentir aliviada.

O falecimento do francês uniu o clube de suas admiradoras em um só luto de viúva, mas faltou-lhes o consolo de planejar uma cerimônia, porque os parentes do defunto optaram pelo recurso expedito de cremar os despojos a toda pressa.

 O homem teria sido esquecido logo, inclusive por suas apaixonadas, se a família dele não tivesse desencadeado uma tormenta. Pouco depois que suas cinzas foram espargidas sem espalhafatos emocionais, os herdeiros presumidos constataram que todas as posses do ancião tinham sido legadas a uma tal de Irina Bazili. Segundo a breve anotação acrescida ao testamento, Irina lhe dera ternura na última etapa de sua longa vida, e por isso merecia ser sua herdeira. O advogado de Jacques Devine explicou que o cliente lhe indicara por telefone as mudanças no testamento e depois se apresentara duas vezes no escritório, primeiro para revisar os papéis e depois para assiná-los perante o tabelião, e que se manifestara seguro do que desejava. Os descendentes acusaram a administração de Lark House de negligência ante o estado mental do ancião e essa Irina Bazili de tê-lo roubado com aleivosia. Anunciaram a decisão de impugnar o testamento, e a de processar o advogado por incompetência, o tabelião por cumplicidade e Lark House por perdas e danos. Hans Voigt recebeu o tropel de parentes frustrados com a calma e a cortesia adquiridas em muitos anos dirigindo a instituição, enquanto, por dentro, fervia de raiva. Não esperava semelhante impostura de Irina Bazili, a quem acreditara incapaz de matar uma mosca, mas a gente está sempre aprendendo, não se pode confiar em ninguém. Em particular, perguntou ao advogado de quanto dinheiro se tratava, e resultou que eram umas terras secas no Novo México e ações de várias companhias, cujo valor ainda precisava ser calculado. A soma em dinheiro efetivo era insignificante.

O diretor pediu vinte e quatro horas para negociar uma saída menos custosa do que brigar na justiça e, em seguida, convocou Irina peremptoriamente. Pretendia manejar o imbróglio com luvas de pelica. Não lhe convinha se tornar inimigo daquela puta, mas, ao confrontá-la, perdeu as estribeiras.

— Eu gostaria de saber como diabos você conseguiu engambelar o velho! — interpelou-a.

— De quem está falando, senhor Voigt?

— Ora, de quem! Do francês, claro! Como isto pode ter acontecido diante do meu nariz?

— Desculpe, não lhe contei para não o deixar preocupado. Achei que o assunto se resolveria sozinho.

— É, ainda bem que se resolveu, e como! Que explicação eu vou dar à família?

— Eles não precisam saber, senhor Voigt. Os anciãos se apaixonam, o senhor sabe, mas as pessoas de fora ficam chocadas.

— Você dormiu com Devine?

— Não! Como pode pensar uma coisa dessas?!

— Então, não entendo nada. Por que ele a nomeou sua única herdeira?

— Como disse?!

Abismado, Hans Voigt compreendeu que Irina Bazili nem desconfiava das intenções do homem e era a mais surpreendida com o testamento. Já ia avisá-la de que lhe custaria muito receber algo, porque os herdeiros legítimos disputariam até o último centavo, mas a moça anunciou de supetão que não queria nada, porque seria dinheiro ilícito e lhe traria desgraça. Devine estava caduco, disse, como qualquer um em Lark House podia testemunhar; o melhor seria resolver as coisas sem estardalhaço. Bastaria um diagnóstico de demência senil por parte do médico. Irina precisou repetir, para que o desconcertado diretor entendesse.

Pouco adiantaram as precauções para manter a situação em segredo. Todo mundo soube, e, da noite para o dia, Irina Bazili passou a ser a pessoa mais discutida da comunidade, admirada pelos residentes e criticada pelos latinos e haitianos do serviço, para os quais recusar dinheiro era um pecado. "Não cuspa para o céu, que lhe cai na cara", sentenciou Lupita Farías, e Irina não encontrou tradução em romeno para esse hermético provérbio. O diretor, impressionado pelo desprendimento dessa modesta imigrante de um país difícil de localizar no mapa, contratou-a como funcionária fixa a quarenta horas por semana, com um salário superior ao de sua antecessora, e além disso convenceu os descendentes de Jacques Devine a dar dois mil dólares a ela como prova de agradecimento. Irina jamais chegou a receber a soma prometida, mas, como era incapaz de imaginá-la, logo a tirou da cabeça.

Alma Belasco

A fantástica herança de Jacques Devine conseguiu que Alma Belasco atentasse para Irina no vaivém de gente em Lark House, e, assim que a tempestade de falatórios se acalmou, chamou-a. Recebeu-a em sua morada espartana, empertigada com dignidade imperial numa poltroninha cor de damasco, com Neko, seu gato tigrado, no colo.

— Preciso de uma secretária. Quero que você trabalhe para mim — disse.

Não era uma proposta, era uma ordem. Como pouquíssimas vezes retribuía a saudação se as duas se cruzassem num corredor, Alma pegou Irina de surpresa. Além disso, como metade dos residentes da comunidade vivia modestamente com uma pensão, às vezes complementada pela ajuda dos familiares, muitos precisavam se limitar estritamente aos serviços disponíveis, porque até uma refeição extra podia desbaratar seu exíguo orçamento; ninguém podia se dar o luxo de contratar uma assistente pessoal. O espectro da pobreza, como o da solidão, sempre rondava os velhos. Irina explicou que dispunha de pouco tempo, porque depois de seu horário em Lark House trabalhava numa cafeteria, e também banhava cães em domicílio.

— Como é isso dos cães? — perguntou Alma.

— Tenho um sócio, chamado Tim, que trabalha na mesma cafeteria que eu. E também é meu vizinho, em Berkeley. Tim possui uma caminhonetezinha equipada com duas tinas e uma mangueira comprida; vamos às casas dos cães, isto é, dos donos dos cães, conectamos a mangueira e damos banho nos clientes, ou seja, nos cães, no pátio ou na rua. Também limpamos as orelhas deles e cortamos as unhas.

— Dos cães? — perguntou Alma, dissimulando o sorriso.

— Sim.

— Quanto você ganha por hora?

— Vinte e cinco dólares por cão, mas estes eu divido com Tim, ou seja, me cabem doze e cinquenta.

— Quero contratá-la inicialmente por um período de experiência, treze dólares a hora, durante três meses. Se gostar do seu trabalho, aumentarei para quinze. Você trabalhará comigo durante as tardes, quando terminar suas tarefas em Lark House, duas horas diárias para começar. O horário pode ser flexível, dependendo das minhas necessidades e da sua disponibilidade. Concorda?

— Eu poderia deixar a cafeteria, senhora Belasco, mas não posso deixar os cães, pois já me conhecem e me esperam.

Assim ficou combinado, e assim começou uma associação que em pouco tempo se transformaria em amizade.

Nas primeiras semanas em seu novo emprego, Irina ficou cheia de dedos e meio perdida, porque Alma Belasco demonstrou ser autoritária no trato, exigente nos detalhes e vaga nas instruções, mas a jovem logo perdeu o medo e se tornou indispensável a ela, como havia acontecido em Lark House. Irina observava Alma com fascinação de zoólogo, como se a outra fosse uma salamandra imortal. A mulher não se parecia com ninguém que ela tivesse conhecido, e seguramente com nenhum dos anciãos do segundo e do terceiro nível. Era zelosa de sua independência, carecia de sentimentalismo e apego às coisas materiais, parecia indiferente em seus afetos, com exceção do neto Seth, e se sentia tão segura de si que não buscava apoio em Deus nem na açucarada beatitude de alguns hóspedes de Lark House, que se proclamavam espiritualizados e viviam apregoando métodos para alcançar um estado superior de consciência. Alma tinha os pés bem firmes no chão. Irina supôs que sua altivez fosse uma defesa contra a curiosidade alheia, e sua simplicidade, uma forma de elegância, que poucas mulheres podiam imitar sem se mostrarem descuidadas. Usava o cabelo, branco e espesso, cortado em mechas díspares, que ela penteava com os dedos, e, como únicas concessões à vaidade, pintava os lábios de vermelho e usava uma fragrância masculina de bergamota e laranja; à sua passagem, esse aroma fresco anulava o vago odor de desinfetante, velhice e, ocasionalmente, maconha que pairava em Lark House. Tinha nariz enérgico, boca orgulhosa, ossos longos e mãos sofridas de operário; olhos castanhos, grossas sobrancelhas escuras e olheiras violáceas, que lhe davam um ar de tresnoitada e que seus óculos de armação preta não ocultavam. Sua aura enigmática impunha distância; nenhum dos empregados se dirigia a ela no tom paternalista que todos costumavam usar com os outros residentes, e ninguém podia se gabar de conhecê-la, até que Irina Bazili conseguiu penetrar na fortaleza de sua intimidade.

Alma vivia com seu gato num dos apartamentos independentes, com um mínimo de móveis e objetos pessoais, e se deslocava no menor automóvel do mercado, sem respeito algum pelas leis de trânsito, que considerava opcionais. Entre os deveres de Irina se incluía o de pagar as multas à medida que iam chegando. Alma era cortês por hábito, mas os únicos amigos que havia feito em Lark House eram Víctor, o jardineiro, com quem passava longos períodos trabalhando nos vasos onde plantavam verduras e flores, e a doutora Catherine Hope, diante da qual simplesmente não conseguiu resistir. Alugava um estúdio em um galpão fragmentado mediante tabiques de madeira, que compartilhava com outros artesãos. Pintava em seda, como havia feito durante sessenta anos, mas agora não o fazia por inspiração artística, e sim para não morrer de tédio antes do tempo. Passava várias horas por semana no ateliê, acompanhada por Kirsten, sua ajudante, a quem a síndrome de Down não impedia de realizar tarefas. Kirsten conhecia as combinações de cores e os apetrechos usados por Alma; preparava os tecidos, mantinha em ordem o ateliê e limpava os pincéis. As duas mulheres trabalhavam em harmonia sem necessidade de palavras, adivinhando reciprocamente as intenções. Quando suas mãos começaram a tremer e seu pulso, a falhar, Alma contratou alguns estudantes para que copiassem em seda os desenhos que fazia em papel, enquanto sua fiel assistente os vigiava com a suspicácia de um carcereiro. Kirsten era a única pessoa que se permitia saudar Alma com abraços ou interrompê-la com beijos e lambidas no rosto quando sentia o impulso da ternura.

Sem que tivesse se proposto seriamente a isso, Alma havia obtido fama com seus quimonos, túnicas, lenços e echarpes de desenhos originais e cores ousadas. Ela mesma não os usava; vestia-se com calças amplas e blusas de linho em preto, branco e cinza, trapos de indigente, segundo Lupita Farías, que nem desconfiava do preço daqueles trapos. Seus tecidos pintados eram vendidos em galerias de arte a preços exorbitantes, a fim de coletar fundos para a Fundação Belasco. Suas coleções eram inspiradas em viagens pelo mundo — animais do Serengueti, cerâmica otomana, escrita etíope, hieróglifos incas, baixos-relevos gregos —, e ela renovava os desenhos assim que eram imitados pelos concorrentes. Negara-se a vender sua marca ou a colaborar com designers de moda; cada original seu era reproduzido em número limitado, sob sua severa supervisão, e cada peça saía com sua assinatura. Em seu apogeu, chegou a ter meia centena de pessoas trabalhando para ela, e tinha manejado uma produção considerável num grande espaço industrial ao sul da rua Market. Nunca havia feito publicidade, porque não tivera necessidade de vender algo para ganhar a vida, mas seu nome se tornara garantia de exclusividade e excelência. Ao completar setenta anos, decidiu reduzir a produção, em grave detrimento da Fundação Belasco, que contava com essa renda.

Criada em 1955 pelo sogro de Alma, o mítico Isaac Belasco, a Fundação se dedicava a criar áreas verdes em bairros de alto risco. Essa iniciativa, cuja finalidade havia sido principalmente estética, ecológica e recreativa, produzira benefícios sociais imprevistos. Onde aparecia um jardim, um parque ou uma praça, a delinquência diminuía, porque os próprios bandidos e dependentes de drogas, que antes se dispunham a matar uns aos outros por um papelote de heroína ou trinta centímetros quadrados de território, juntavam-se para cuidar daquele recanto que lhes pertencia na cidade. Em alguns tinham pintado murais, em outros tinham montado esculturas e brinquedos infantis, em todos se reuniam artistas e músicos para entreter o público. A Fundação Belasco havia sido dirigida em cada geração pelo primeiro descendente masculino da família, uma regra tácita que a liberação feminina não mudou, porque nenhuma das filhas se deu o trabalho de questioná-la. Um dia, o encargo caberia a Seth, o bisneto do patriarca fundador, que não desejava essa honra de jeito nenhum, mas a qual lhe constituía parte do legado.

Alma Belasco estava tão acostumada a mandar e a manter distância, e Irina tão acostumada a receber ordens e ser discreta, que as duas nunca teriam chegado a se estimar sem a presença de Seth Belasco, o neto preferido de Alma, o qual se propôs a derrubar a barreira de protocolo entre elas. Seth conheceu Irina Bazili pouco depois de sua avó se instalar em Lark House, e a jovem o atraiu de imediato, embora ele não soubesse dizer por quê. Apesar do nome, ela não se parecia com aquelas belezas do leste europeu que, na última década, haviam tomado de assalto os clubes masculinos e as agências de modelos: nada de ossos de girafa, pômulos de mongol nem languidez de odalisca; de longe, Irina podia ser confundida com um garoto desconjuntado. Ela era tão transparente, e tamanha era sua tendência à invisibilidade, que se precisava de muita atenção para notá-la. A roupa folgada e o gorro de lã metido até as sobrancelhas não contribuíam para destacá-la. O que seduziu Seth foram o mistério da inteligência dela, o rosto de duende em forma de coração, com uma profunda covinha no queixo, os olhos esverdeados e assustadiços, o pescoço delgado, que lhe acentuava o ar de vulnerabilidade, e a pele muito branca, que refulgia no escuro. Até mesmo as mãos infantis de unhas roídas o comoviam. Ele experimentava um desejo desconhecido de protegê-la e cobri-la de atenções, um sentimento novo e inquietante. Irina usava tantas camadas sobrepostas de roupa que se tornava impossível avaliar o restante de sua pessoa, mas meses mais tarde, quando o verão a obrigou a se livrar dos agasalhos que a ocultavam, revelou-se bem-proporcionada e atraente, dentro de seu estilo maltrapilho. O gorro de tricô foi substituído por lenços de cigana, que não lhe cobriam o cabelo por completo, e algumas mechas crespas de um louro quase albino lhe emolduravam o rosto.

No início, a avó foi o único vínculo que Seth pôde estabelecer com a moça, porque não conseguiu atraí-la com nenhum de seus métodos habituais, mas depois ele descobriu o poder irresistível da escrita. Contou-lhe que, com a ajuda da avó, estava dando forma a um século e meio da história dos Belasco e de São Francisco, desde a fundação até o presente. Tivera essa longa narrativa na cabeça desde os quinze anos, uma ruidosa torrente de imagens, episódios, ideias, palavras e mais palavras, que o afogaria se ele não conseguisse vertê-la para o papel. A descrição era exagerada; a torrente mal passava de um riacho anêmico, mas capturou de tal maneira a imaginação de Irina que a Seth não restou alternativa exceto começar a escrever. Além de visitar a avó, que contribuía com a tradição oral, ele passou a se documentar em livros e na internet, a colecionar fotografias e cartas escritas em diferentes épocas. Ganhou a admiração de Irina, mas não a de Alma, que o acusava de ser grandioso de ideias e desordenado de hábitos, combinação fatal para um escritor. Se desse a si mesmo o tempo para refletir,

Seth admitiria que sua avó e o romance eram pretextos para ver Irina, essa criatura arrancada de um conto nórdico e surgida onde menos se podia esperar: numa residência geriátrica; porém, por mais que refletisse, não conseguiria explicar o chamado irresistível que ela exercia sobre ele, com aqueles ossinhos de órfã e aquela palidez de tísica, o oposto do seu ideal feminino. Ele gostava das jovens saudáveis, alegres, bronzeadas e sem complicações, daquelas que abundavam na Califórnia e em seu passado. Irina não dava sinais de haver notado o efeito que exercia sobre ele; tratava-o com a simpatia distraída que normalmente reservamos para os bichinhos de estimação alheios. Essa gentil indiferença de Irina, que em outros tempos ele interpretaria como um desafio, paralisava-o numa condição de timidez perpétua.

A avó se dedicou a escavar em suas reminiscências para ajudar o neto com o livro que, segundo ele mesmo confessava, havia uma década vinha sendo iniciado e abandonado. Era um projeto ambicioso, e ninguém mais qualificado para ajudá-lo do que Alma, que dispunha de tempo e ainda não experimentava sintomas de demência senil. Alma ia com Irina à residência dos Belasco em Sea Cliff para revistar suas caixas, nas quais ninguém havia tocado desde sua partida. Seu antigo quarto permanecia fechado, só entrando alguém ali para fazer a limpeza. Alma havia distribuído quase todas as suas posses: à nora e à neta, as joias, menos uma pulseira de brilhantes que ela reservava para a futura esposa de Seth; a hospitais e escolas, os livros; a obras de caridade, as roupas e peles, que ninguém se atrevia a usar na Califórnia por medo dos defensores dos animais, que em um rompante podiam atacar a facadas. Outras coisas, ela deu a quem as quisesse, mas reteve as únicas que lhe importavam: cartas, diários pessoais, recortes de imprensa, documentos e fotografias. "Preciso organizar este material, Irina. Não quero que, ao me tornar anciã, alguém invada minha intimidade." No início procurou fazê-lo sozinha, mas, à medida que ganhou confiança em Irina, começou a delegar tarefas a ela. A moça acabou se encarregando de tudo, menos das cartas em envelopes amarelos que chegavam de vez em quando e que Alma fazia desaparecerem de imediato. Irina tinha ordem de não as tocar.

    Ao neto, entregava suas lembranças uma a uma, com avareza, para mantê-lo envolvido pelo maior tempo possível, porque temia que, se ele se cansasse de revolutear em torno de Irina, o tão falado manuscrito voltaria para uma gaveta esquecida, e ela veria o rapaz muito menos. A presença de Irina era indispensável nas sessões com Seth, porque do contrário ele se distraía esperando-a. Alma ria internamente ao pensar na reação da família caso Seth, o delfim dos Belasco, se envolvesse com uma imigrante que sobrevivia cuidando de velhos e dando banho em cachorros. À mulher, tal possibilidade não parecia ruim, porque Irina era mais inteligente do que a maioria das atléticas namoradas temporárias de Seth; mas era um diamante bruto, faltava lapidá-lo. Propôs-se a dar-lhe um verniz de cultura, levá-la a concertos e museus, sugerir-lhe livros para adultos em vez daqueles romances absurdos de mundos fantásticos e criaturas sobrenaturais, de que a moça tanto gostava, e ensinar-lhe boas maneiras, como o uso apropriado dos talheres à mesa. Irina não havia aprendido nada disso com seus rústicos avós na Moldávia nem com sua mãe alcoólatra no Texas, mas era sagaz e agradecida. Ia ser fácil refiná-la, e seria uma forma sutil de recompensá-la por atrair Seth a Lark House.

O homem invisível

Com um ano de trabalho para Alma Belasco, Irina teve a primeira suspeita de que a mulher tinha um amante, mas não se atreveu a dar importância ao fato até que precisou contar a Seth, muito depois. No começo, antes do rapaz iniciá-la no vício do suspense e da intriga, não tivera a intenção de espiar Alma. Foi acessando a intimidade desta aos poucos, sem que nenhuma das duas se desse conta. A ideia do amante foi ganhando forma à medida que Irina organizava as caixas que iam trazendo da casa de Sea Cliff e quando atentou para a fotografia de um homem numa moldura de prata no quarto de Alma, que ela mesma limpava regularmente com um paninho. Afora outra, menor, da família, que a mulher mantinha na sala, não havia mais nenhuma no apartamento, o que chamava a atenção de Irina, porque o restante dos residentes de Lark House se rodeava de fotos como uma forma de companhia. Alma só disse que se tratava de um amigo de infância. Nas poucas vezes em que Irina ousou perguntar mais, ela mudou de assunto, mas a jovem conseguiu descobrir que o homem se chamava Ichimei Fukuda, um nome japonês, e era o autor do estranho quadro da sala, uma paisagem desolada de neve e céu cinzento, construções escuras de um só piso, postes e fios de eletricidade e, como único vestígio de vida, um pássaro negro em pleno voo. Irina não entendia por que Alma havia escolhido, entre as numerosas obras de arte dos Belasco, esse quadro deprimente para decorar sua morada. No retrato, Ichimei Fukuda era um homem de idade indefinida, com a cabeça inclinada para o lado em atitude de pergunta, os olhos semicerrados, porque estava de frente para o sol, mas sua expressão era franca e direta; esboçava um sorriso na boca de lábios grossos, sensuais, e o cabelo era liso e abundante. Irina se sentia inexoravelmente atraída por aquele rosto que parecia estar chamando-a ou tentando lhe dizer algo essencial. De tanto estudá-lo quando estava sozinha no apartamento, começou a imaginar Ichimei Fukuda de corpo inteiro, a lhe atribuir qualidades e a inventar uma vida para ele: o homem tinha ombros fortes, era solitário por natureza, controlado em suas emoções e sofrido. A negativa de Alma em falar dele acentuava o desejo da jovem de conhecê-lo. Nas caixas encontrou outra foto de Ichimei numa praia com Alma, ambos com a barra das calças puxada para cima, os tênis na mão, os pés na água, rindo, empurrando-se. A atitude do casal brincando na areia indicava amor, intimidade sexual. Ela imaginou que os dois estavam sozinhos e pediram a alguém, talvez um desconhecido que ia passando, que registrasse aquele momento. Se Ichimei fosse mais ou menos da idade de Alma, já estaria com uns oitenta anos, deduziu Irina, mas não teve dúvida de que o reconheceria se o visse. Somente ele poderia ser a causa da conduta errática de Alma.

Irina podia prever os desaparecimentos de Alma pelo seu silêncio absorto e melancólico nos dias anteriores, seguido de uma euforia súbita e malcontida, uma vez que ela decidia sair. Estivera esperando algo e, quando acontecia, ficava feliz; jogava umas peças de roupa numa maleta, avisava a Kirsten que não fosse ao ateliê e deixava Neko nas mãos de Irina. O gato, já velho, sofria de uma infinidade de manias e doenças; a longa lista de recomendações e remédios estava pregada na porta da geladeira. Era o quarto de uma série de gatos similares, todos com o mesmo nome, que haviam acompanhado a dona em diversas etapas da vida. Alma ia embora com a pressa de uma noiva, sem indicar para onde partia nem quando pretendia voltar. Durante dois ou três dias não vinham notícias suas, e de repente, tão inesperadamente como havia desaparecido, ela retornava radiante e com seu automóvel de brinquedo quase sem gasolina. Irina, encarregada de pagar as contas, havia visto os recibos de hotéis, e também descobrira que, nessas escapadas, Alma levava suas únicas camisolas de seda, em vez dos habituais pijamas de flanela. A moça se perguntava por que Alma escapulia como se pecasse; era livre e podia receber quem quisesse em seu apartamento de Lark House.

Inevitavelmente as suspeitas de Irina sobre o homem do retrato contagiaram Seth. A moça tomara o cuidado de não mencionar suas dúvidas, mas ele, em suas visitas frequentes, começou a fazer a conta das repetidas ausências da avó. Se a interrogava, Alma replicava que ia treinar com terroristas, ou fazer experiências com *ayahuasca*, ou dava outra explicação descabelada no tom sarcástico que os dois usavam entre si. Seth decidiu que precisava da ajuda de Irina para decifrar aquela incógnita, algo nada fácil de obter, porque a lealdade da jovem a Alma era monolítica. Seth precisou convencê-la de que a avó corria perigo. Alma parecia forte para sua idade, disse, mas na realidade tinha saúde delicada, pressão alta, seu coração falhava e ela sofria de um princípio de mal de Parkinson, por isso lhe tremiam as mãos. Não podia dar detalhes, porque Alma se negara a se submeter aos exames médicos pertinentes, mas deviam vigiá-la e evitar-lhe riscos.

— Todo mundo quer segurança para os entes queridos, Seth. Mas o que todos querem para si mesmos é autonomia. Sua avó jamais aceitaria que nos intrometêssemos na vida privada dela, mesmo que fosse para protegê-la.

— Por isso mesmo temos que fazer isso sem que ela saiba — argumentou Seth.

***

Segundo Seth, no início de 2010, de repente, em torno de duas horas, algo transtornou a personalidade de sua avó. Embora fosse uma artista de sucesso e um modelo de cumprimento do dever, ela se afastou do mundo, da família e de suas amizades, internou-se numa residência geriátrica que não estava à sua altura e optou por se vestir de refugiada tibetana, como opinava sua nora Doris. Um curto-circuito no cérebro, o que mais poderia ser?, acrescentou ele. A última vez que viram a antiga Alma foi quando ela anunciou, depois de um almoço normal, que ia dormir a sesta. Às cinco da tarde, Doris bateu à porta do quarto, para lembrar à sogra a festa que aconteceria à noite, e a encontrou de pé junto à janela com o olhar perdido na névoa, descalça, de roupa íntima. Sobre uma cadeira jazia seu esplêndido vestido longo. "Diga a Larry que não vou comparecer e que não conte comigo para mais nada pelo resto da minha vida." A firmeza da voz não admitia réplica. Sua nora fechou silenciosamente a porta e foi dar o recado ao marido. Era a noite em que coletavam doações para a Fundação Belasco, a mais importante do ano, quando se testava o poder convocatório da família. Já estavam ali os garçons terminando de arrumar as mesas, os cozinheiros atarefados com o banquete e os músicos da orquestra instalando os instrumentos. Todo ano Alma fazia um breve discurso, mais ou menos o mesmo, posava para algumas fotografias com os doadores mais proeminentes e falava com a imprensa; era só isso que lhe exigiam, pois o resto ficava nas mãos de seu filho Larry. Tiveram que se arranjar sem ela.

No dia seguinte, começaram as mudanças definitivas. Alma começou a fazer as malas e decidiu que muito pouco do que possuía lhe seria útil em sua nova vida. Devia simplificar. Primeiro foi às compras e depois se reuniu com seu contador e seu advogado. Atribuiu-se uma pensão prudente, entregou o resto a Larry sem instruções sobre como distribuí-lo e anunciou que iria viver em Lark House. Para pular a lista de espera, havia comprado a vez de uma antropóloga, a qual, pela soma adequada, se dispôs a aguardar por mais alguns anos. Nenhum Belasco tinha ouvido falar do local.

— É uma casa de repouso — explicou Alma, vagamente.

— Um asilo de idosos? — perguntou Larry, alarmado.

— Mais ou menos. Vou viver os anos que me restam sem complicações nem nenhum peso morto.

— Peso morto? Refere-se a nós, por acaso?

— E o que vamos dizer às pessoas? — exclamou Doris, num rompante.

— Que eu estou velha e louca. Não faltariam com a verdade — retrucou Alma.

O motorista a levou com o gato e duas malas. Uma semana mais tarde, Alma renovou sua carteira de habilitação, da qual não tinha precisado em várias décadas, e comprou um SmartCar verde-limão, tão pequenino e leve que, certa vez, três garotos travessos o viraram só com a força das mãos, quando o veículo estava estacionado na rua, e o deixaram com as rodas no ar, como uma tartaruga de patas para cima. O raciocínio dela para escolher esse automóvel foi que a cor berrante o tornava visível para outros motoristas, e o tamanho garantia que, se por desgraça ela atropelasse alguém, não mataria a pessoa. Era como conduzir um híbrido de bicicleta e cadeira de rodas.

— Creio que minha avó tenha problemas sérios de saúde, Irina, e por vaidade se trancou em Lark House, para ninguém saber — disse Seth.

— Se fosse verdade, ela já estaria morta, Seth. Além disso, ninguém se tranca em Lark House; é uma comunidade aberta onde as pessoas entram e saem à vontade. Por isso não são admitidos pacientes com Alzheimer, que podem sair sem rumo.

— É justamente o que eu temo. Numa de suas excursões, minha avó pode se perder.

— Ela sempre voltou. Sabe aonde vai, e não creio que vá sozinha.

— Com quem, então? Com um admirador? Você não está pensando que minha avó ande em hotéis com um amante! — brincou Seth, mas a expressão séria de Irina o deteve.

— Por que não?

— É uma anciã!

— Tudo é relativo. Ela é idosa, não anciã. Em Lark House, Alma é considerada jovem. Além disso, o amor acontece em qualquer idade. Segundo Hans Voigt, na velhice convém se apaixonar; faz bem para a saúde e a depressão.

— Como os velhos fazem? Na cama, quero dizer — perguntou Seth.

— Sem pressa, suponho. Você teria que perguntar à sua avó — replicou ela.

Seth conseguiu transformar Irina em sua aliada, e juntos foram atando os fios soltos. Uma vez por semana, chegava para Alma uma caixa com três gardênias, que um mensageiro deixava na recepção. Não trazia o nome de quem a enviava nem o do florista, mas Alma não manifestava surpresa nem curiosidade. Também costumava receber em Lark House um envelope amarelo, sem remetente, que ela descartava depois de tirar de dentro um envelope menor, também dirigido a ela, mas com o endereço de Sea Cliff escrito a mão. Ninguém da família e nenhum dos empregados dos Belasco havia recebido esses envelopes nem os enviara para Lark House. Não sabiam dessas cartas até que Seth as mencionasse. Os jovens não puderam investigar quem era o remetente, nem por que eram necessários dois envelopes e dois endereços para a mesma carta, nem para onde ia essa correspondência insólita. Como Irina não achou rastros no apartamento nem Seth, em Sea Cliff, imaginaram que Alma devia guardá-la numa caixa-forte em seu banco.

12 de abril de 1996

Outra lua de mel memorável com você, Alma! Fazia tempo que eu não a via tão feliz e relaxada. O espetáculo mágico de mil e setecentas cerejeiras em flor nos recebeu em Washington. Vi algo semelhante em Kyoto, há muitos anos. Ainda floresce assim a cerejeira de Sea Cliff que meu pai plantou?

Você acariciou os nomes na pedra escura do Memorial do Vietnã e me disse que as pedras falam, que é possível ouvir suas vozes, que os mortos estão capturados nesse muro e nos chamam, indignados pelo próprio sacrifício. Fiquei pensando nisso. Há espíritos por toda parte, Alma, mas creio que são livres e não guardam rancores.

Ichi

A menina polonesa

Para satisfazer a curiosidade de Irina e Seth, Alma começou evocando, com a lucidez com que se preservam os momentos fundamentais, a primeira vez em que viu Ichimei Fukuda, e depois prosseguiu aos poucos com o resto de sua vida. Conheceu-o no esplêndido jardim da mansão de Sea Cliff, na primavera de 1939. Ela era, então, uma menina com menos apetite do que um canário, que andava calada de dia e chorava de noite, escondida nas entranhas de um armário de três espelhos no quarto que seus tios lhe haviam preparado, uma sinfonia em azul: azuis eram as cortinas, os véus da cama com baldaquino, o tapete belga, os passarinhos do papel de parede e as reproduções de Renoir com molduras douradas; azul era a vista da janela, mar e céu, quando a névoa se dissipava. Alma Mendel chorava por tudo o que havia perdido para sempre, embora seus tios insistissem com tal veemência que o afastamento entre ela, seus pais e seu irmão seria temporário, no que uma garota menos intuitiva teria acreditado. A última imagem que ela guardava dos pais era a de um homem de certa idade, barbudo e severo, vestido de preto, com casaco longo e chapéu, e uma mulher muito mais jovem abatida pelo pranto, ambos de pé no cais de Danzig, despedindo-se dela com lenços brancos. Tornavam-se cada vez menores e mais difusos à medida que a barca se afastava rumo a Londres com um bramido lastimoso, enquanto ela, segurando-se à amurada, era incapaz de lhes devolver o adeus. Tremendo em sua roupa de viagem, confusa entre os outros passageiros aglomerados na popa para ver seu país desaparecer, Alma procurava manter a compostura que lhe haviam inculcado desde o nascimento. Através da crescente distância que os separava, percebia a desolação dos pais, e isso reforçava seu pressentimento de que não voltaria a vê-los. Em um gesto muito raro, seu pai havia pousado um braço sobre os ombros de sua mãe, como para impedi-la de se jogar na água, enquanto ela segurava o chapéu com uma das mãos, defendendo-o do vento, e com a outra agitava freneticamente o lencinho.

Três meses antes, Alma estivera com eles nesse mesmo cais para se despedir de seu irmão Samuel, dez anos mais velho do que ela. À sua mãe, custou muitas lágrimas resignar-se à decisão do marido de mandá-lo para a Inglaterra, como medida de precaução para o caso improvável de que os rumores de guerra se tornassem realidade. Ali, o rapaz estaria a salvo de ser recrutado pelo exército ou da bravata de se alistar como voluntário. Os Mendel não imaginavam que, dois anos mais tarde, Samuel estaria na Força Aérea Real lutando contra a Alemanha. Ao ver o irmão embarcar com a atitude fanfarrona de quem empreende uma primeira aventura, Alma teve um vislumbre da ameaça que pairava sobre sua família. Esse irmão era o farol da existência dela, tendo iluminado os momentos sombrios e espantado os temores da menina com seu riso triunfante, suas brincadeiras amáveis e suas canções ao piano. Samuel, por sua vez, se encantou por Alma desde que a tomou nos braços recém-nascida, um pacotinho rosado cheirando a talco e miando como um gato, e essa paixão pela irmã não fez senão aumentar nos sete anos seguintes, até que tiveram que se separar. Ao saber que Samuel iria para longe, Alma teve o único chilique de sua vida. Começou com pranto e gritos, prosseguiu sacudindo-se no chão e terminou no banho de água gelada em que a mãe e a tutora submergiram-na sem piedade. A partida do rapaz deixou-a desconsolada e apreensiva, porque ela suspeitava que fosse o prólogo de mudanças drásticas. Havia escutado os pais falarem de Lillian, uma irmã de sua mãe que morava nos Estados Unidos, casada com Isaac Belasco, alguém importante, como acrescentavam sempre que o nome dele era mencionado. Até aquele momento, a menina desconhecia a existência da tia distante e do homem importante, e estranhou que, de repente, os pais a obrigassem a escrever para eles cartões-postais com sua melhor caligrafia. Também lhe pareceu mau agouro que a tutora, nas aulas de história e geografia, incluísse a Califórnia, uma mancha cor de laranja no mapa, do outro lado do globo terrestre. Os pais esperaram que as festas de fim de ano passassem para anunciar que ela também iria estudar em terras estrangeiras por um tempo, mas, à diferença do irmão, continuaria vivendo em meio a família, com os tios Isaac e Lillian e os três primos, em São Francisco.

A viagem de navio de Danzig a Londres e dali a São Francisco em um transatlântico demorou dezessete dias. Os Mendel atribuíram a Miss Honeycomb, a tutora inglesa, a responsabilidade de conduzir Alma sã e salva à casa dos Belasco. Miss Honeycomb era uma mulher solteira, de pronúncia e modos afetados e nariz empinado, que tratava com desdém aqueles a quem considerava socialmente inferiores e exibia um servilismo pegajoso ante seus superiores, mas, no ano e meio em que trabalhou para os Mendel, ganhou a confiança deles. Ninguém simpatizava muito com ela, e Alma menos ainda, mas a opinião da menina não tinha peso algum na escolha das tutoras ou dos tutores que tinham-na educado em casa em seus primeiros anos. Para se assegurar de que a mulher faria a viagem de boa vontade, os patrões lhe prometeram uma bonificação substanciosa, que ela receberia em São Francisco, assim que Alma estivesse instalada com os tios. Miss Honeycomb e Alma viajaram em um dos melhores camarotes do navio, enjoadas no princípio e entediadas depois. A inglesa não se encaixava entre os passageiros de primeira classe e teria preferido saltar pela amurada a se misturar com a gente de seu próprio nível social, de modo que passou mais de duas semanas sem falar com ninguém além de sua jovem pupila. Havia outras crianças a bordo, mas Alma não se interessou por nenhuma das atividades infantis programadas e não fez amigos; ficou emburrada com a tutora, choramingando às escondidas porque era a primeira vez que se separava da mãe, lendo contos de fadas e escrevendo cartas melodramáticas, que entregava diretamente ao capitão para que as colocasse no correio de algum porto, pois temia que, caso as desse a Miss Honeycomb, as missivas acabassem alimentando os peixes. Os únicos momentos memoráveis daquela lenta viagem foram a travessia do Canal do Panamá e uma festa à fantasia na qual um índio apache jogou na piscina Miss Honeycomb, transformada em vestal grega ao usar um lençol para se cobrir.

Os tios e primos Belasco esperavam Alma no buliçoso porto de São Francisco, em meio a uma multidão tão densa de estivadores asiáticos atarefados em torno das embarcações que Miss Honeycomb temeu que tivessem chegado a Xangai por engano. Tia Lillian, ataviada em um casaco de astracã cinza e um turbante turco, estreitou a sobrinha num abraço sufocante enquanto Isaac Belasco e seu motorista procuravam reunir os catorze baús e volumes das viajantes. As duas primas, Martha e Sarah, saudaram a recém-chegada com um beijo frio na bochecha e em seguida se esqueceram da existência dela, não por malícia, mas porque estavam na idade de arranjar um noivo, e esse objetivo as cegava para o restante do mundo. Não lhes seria fácil conseguir os maridos desejados, apesar da fortuna e do prestígio dos Belasco, porque haviam herdado o nariz do pai e a figura rechonchuda da mãe, mas muito pouco da inteligência do primeiro e da simpatia da segunda. O primo Nathaniel, único homem, nascido seis anos depois de sua irmã Sarah, entrava timidamente na puberdade com aspecto de garça. Era pálido, magro, comprido, desajeitado em um corpo no qual sobravam cotovelos e joelhos, mas tinha olhos pensativos de cachorro grande. Estendeu a mão a Alma com o olhar fixo no chão e murmurou as boas-vindas que os pais haviam-lhe ordenado. Ela se segurou naquela mão como em um salva-vidas, e as tentativas do garoto para se soltar foram inúteis.

Assim começou a estada de Alma no casarão de Sea Cliff, onde ela haveria de passar setenta anos com poucas pausas. Nos primeiros meses de 1939, derramou a reserva quase completa de suas lágrimas, só tendo voltado a chorar em raríssimas ocasiões. Aprendeu a ruminar suas dores sozinha e com dignidade, convencida de que os problemas alheios não importam a ninguém e de que as dores caladas acabam por se diluir. Havia assimilado as lições filosóficas do pai, homem de princípios rígidos e inapeláveis, que se orgulhava de haver-se formado sozinho e de não dever nada a ninguém, o que não era totalmente verdade. A fórmula simplificada do sucesso, que Mendel havia inculcado nos filhos desde o berço, consistia em não se queixar nunca, não pedir nada, esforçar-se em ser o primeiro em tudo e não confiar em ninguém Alma arcaria com esse tremendo saco de pedras durante várias décadas, até que o amor a ajudou a se livrar de algumas delas. Sua atitude estoica contribuiu para o ar de mistério que ela teve desde menina, muito antes de existirem os segredos que precisou guardar.

Na Depressão dos anos 1930, Isaac Belasco conseguiu evitar os piores efeitos da derrocada econômica e até incrementou seu patrimônio. Enquanto outros perdiam tudo, ele trabalhava dezoito horas por dia em seu escritório de advocacia, investindo em aventuras comerciais, que, naquele momento, pareceram arriscadas mas que, a longo prazo, se revelaram esplêndidas. Era formal, parco de palavras e de coração brando. Achava que essa brandura se confundia com fraqueza de caráter, de modo que se empenhava em apresentar uma impressão de autoridade intransigente, mas bastava lidar poucas vezes com ele para perceber sua vocação para a bondade. Sua reputação de compassivo chegou a ser um impedimento em sua carreira de advogado. Depois, quando se candidatou a juiz da Corte Suprema da Califórnia, perdeu a eleição porque os opositores o acusaram de perdoar com excessiva prontidão, em detrimento da justiça e da segurança pública.

Isaac recebeu Alma em sua casa com a melhor disposição, mas o pranto noturno da menina não demorou a lhe afetar os nervos. Eram soluços sufocados, contidos, quase inaudíveis através das grossas portas de mogno entalhado do armário, mas que chegavam até o seu quarto, no outro lado do corredor, onde ele tentava ler. Supunha que as crianças, como os animais, possuíssem a capacidade natural de se adaptar e que a menina logo se consolaria de estar separada dos pais, ou que, então, eles emigrariam para a América. Sentia-se incapaz de ajudá-la, freado pelo pudor que os assuntos femininos lhe inspiravam. Se não entendia as reações habituais da mulher e das filhas, muito menos poderia entender as dessa menina polonesa que ainda não completara oito anos. Foi invadido pela suspeita supersticiosa de que as lágrimas da sobrinha anunciavam um desastre catastrófico. As cicatrizes da Grande Guerra ainda eram visíveis na Europa; estava fresca a lembrança da terra mutilada pelas trincheiras, dos milhões de mortos, das viúvas e dos órfãos, da podridão de cavalos destroçados, dos gases mortais, das moscas e da fome. Ninguém queria outra conflagração como aquela, mas Hitler já havia anexado a Áustria, controlava parte da Checoslováquia e seus incendiários apelos para estabelecer o império da raça superior não podiam ser descartados como desvarios de um louco. No final de janeiro, Hitler havia exposto seu propósito de livrar o mundo da ameaça judaica; não bastava expulsá-los, era preciso exterminá-los. Algumas crianças têm poderes psíquicos, pensava Isaac Belasco, e não seria estranho que Alma visse em seus pesadelos algo horrível e estivesse sofrendo de antemão um terrível luto. O que os cunhados esperavam para sair da Polônia? Fazia um ano que ele os pressionava inutilmente para que o fizessem, como tantos outros judeus que estavam fugindo da Europa; oferecera-lhes hospitalidade, embora os Mendel tivessem recursos de sobra e não precisassem de sua ajuda. Baruj Mendel respondeu que a integridade da Polônia estava garantida pela Inglaterra e pela França. Acreditava-se seguro, protegido por seu dinheiro e suas conexões comerciais, e a única concessão que fizera ante o cerco da propaganda nazista havia sido tirar os filhos do país para que contornassem a tormenta. Isaac Belasco não conhecia Mendel, mas através de cartas e telegramas ficava óbvio que o marido de sua cunhada era tão arrogante e antipático quanto teimoso.

Quase um mês se passaria até que Isaac decidisse intervir no drama de Alma, e não se considerou preparado para fazê-lo pessoalmente; pareceu-lhe que o problema cabia à sua mulher. Somente uma porta, sempre entreaberta, separava os esposos à noite, mas Lillian não ouvia bem e usava láudano para dormir, de modo que nunca teria percebido o pranto no armário se seu marido não o comentasse. Nessa época, Miss Honeycomb já não estava com eles. Ao chegar a São Francisco, a mulher recebeu a bonificação prometida e, doze dias depois, voltou ao seu país natal, enojada pelas maneiras rudes, pelo sotaque incompreensível e pela democracia dos americanos, como afirmou, sem se dar conta de como esse comentário era ofensivo para os Belasco, gente distinta que a tratara com grande consideração. Além disso, quando Lillian, advertida por uma carta atrasada de sua irmã, descoseu o forro do casaco de viagem de Alma, descobriu que faltavam os diamantes anunciados na carta. Os Mendel os haviam colocado nesse clássico esconderijo por respeito a uma tradição, mais do que para proteger a filha contra as vicissitudes do destino, pois não se tratava de pedras de extraordinário valor. A suspeita recaiu de imediato sobre Miss Honeycomb, e Lillian sugeriu mandar um dos investigadores do escritório do marido em busca da inglesa, para interrogá-la onde quer que ela se encontrasse e recuperar o produto roubado, mas Isaac determinou que não valia a pena. O mundo e a família já estavam bastante agitados para saírem caçando tutoras por mares e continentes; uns diamantes a menos ou a mais não alterariam em nada a vida de Alma.

— Minhas amigas do bridge comentaram que existe um maravilhoso psicólogo infantil em São Francisco — anunciou Lillian ao marido, quando soube do pranto da sobrinha.

— O que é isso? — perguntou o patriarca, levantando os olhos do jornal por um momento.

— O nome diz, Isaac, não se faça de bobo.

— Alguma de suas amigas conhece alguém que tenha um filho tão desequilibrado que precise da assistência de um psicólogo?

— Seguramente, Isaac, mas não admitiriam isso nem mortas.

— A infância é uma etapa naturalmente desgraçada da existência, Lillian. Essa história de que as crianças merecem felicidade foi inventada por Walt Disney para ganhar dinheiro.

— Você é muito cabeça-dura! Não podemos deixar que Alma chore eternamente, sem consolo. Temos que fazer alguma coisa.

— Está bem, Lillian. Vamos recorrer a essa medida extrema quando todo o restante falhar. Por enquanto, você poderia dar a Alma umas gotas de seu xarope, à noite.

— Não sei, Isaac, me parece uma faca de dois gumes. Não nos convém transformar a menina em dependente de ópio tão cedo na vida.

Estavam nisso, debatendo os prós e os contras do psicólogo e do ópio, quando se deram conta de que o armário havia permanecido em silêncio durante três noites. Prestaram atenção mais algumas noites e comprovaram que inexplicavelmente a menina se tranquilizara, e não só dormia direto como também havia começado a comer como qualquer criança normal. Alma não tinha esquecido os pais nem o irmão, e continuava desejando que sua família se reunisse logo, mas suas lágrimas estavam acabando, e ela começava a se distrair com sua amizade nascente com as duas pessoas que seriam os únicos amores de sua vida: Nathaniel Belasco e Ichimei Fukuda. O primeiro, prestes a completar treze anos, era o filho caçula dos Belasco, e o segundo, que ia fazer oito, como a própria Alma, era o caçula do jardineiro.

Martha e Sarah, as filhas dos Belasco, viviam num mundo tão diferente do da prima, preocupadas com moda, festas e noivos em potencial, que, quando topavam com ela, nos recantos da mansão de Sea Cliff ou nos raros jantares formais na sala, se sobressaltavam, sem conseguir recordar quem era aquela menina e por que estava ali. Nathaniel, em compensação, era incapaz de ignorá-la, porque Alma se grudou aos calcanhares dele desde o primeiro dia, determinada a substituir seu adorado irmão Samuel por esse primo acanhado. Era o membro do clã Belasco mais próximo dela em idade, embora houvesse uma diferença de cinco anos, e o mais acessível, por seu temperamento tímido e doce. Em Nathaniel, ela provocava um misto de fascinação e assombro. Rígida e angulosa como uma tábua, Alma parecia arrancada de um daguerreótipo, com seu pretensioso sotaque britânico aprendido da tutora larápia, com sua sisudez de coveiro, com o cheiro de naftalina de seus baús de viagem e com uma desafiadora mecha branca na fronte, que contrastava com o negro absoluto do resto do cabelo e com a pele morena. No início, Nathaniel tentou escapar, mas nada desanimava os desajeitados avanços amistosos de Alma, e ele acabou cedendo, porque havia herdado o bom coração do pai. Adivinhava a dor sigilosa da prima, que ela dissimulava com orgulho, mas se refugiava em diversos pretextos para evitar a obrigação de ajudá-la. Alma era uma fedelha, só tinham em comum um tênue laço de sangue; ela estava de passagem por São Francisco, e seria um desperdício de sentimentos iniciar uma amizade. Quando se passaram três semanas sem sinais de que a visita da prima fosse terminar, esse pretexto se esgotou, e ele foi perguntar à mãe se por acaso pretendiam adotá-la. "Espero que não tenhamos que chegar a isso", respondera Lillian com um calafrio. As notícias da Europa eram muito inquietantes, e a possibilidade de a sobrinha ficar órfã começava a tomar forma em sua imaginação. Pelo tom dessa resposta, Nathaniel deduziu que Alma permaneceria ali por tempo indefinido e cedeu ao instinto de gostar dela. Dormia em outra ala da casa, e ninguém lhe contou que Alma chorava no armário, mas de algum modo ele soube e muitas noites ia na ponta dos pés fazer-lhe companhia.

Foi Nathaniel quem apresentou os Fukuda a Alma. Ela os vira das janelas, mas não saiu para explorar o jardim até o início da primavera, quando o clima melhorou. Num sábado, Nathaniel lhe vendou os olhos, com a promessa de que ia lhe fazer uma surpresa, e levou-a pela mão através da cozinha e da lavanderia até o jardim. Quando o primo lhe tirou a venda, ela ergueu os olhos e se viu embaixo de uma frondosa cerejeira em flor, uma nuvem de algodão cor-de-rosa. Junto à árvore, havia um homem de macacão e chapéu de palha, rosto asiático, bronzeado, de estatura baixa e ombros largos, apoiado numa pá. Em um inglês entrecortado e difícil de compreender, ele disse a Alma que aquele momento era bonito, mas só duraria alguns dias, e logo as flores cairiam como chuva sobre a terra; melhor seria a lembrança disso, porque duraria o ano todo, até a primavera seguinte. Esse homem era Takao Fukuda, o jardineiro japonês que trabalhava naquela casa havia muitos anos, a única pessoa diante de quem Isaac Belasco tirava o chapéu em respeito.

Nathaniel voltou para casa e deixou a prima em companhia de Takao, que lhe mostrou a totalidade do jardim. Levou-a aos diferentes terraços escalonados na ladeira, desde o alto da colina, onde se erguia a casa, até a praia. Percorreu com ela trilhas estreitas entre estátuas clássicas manchadas pela pátina verde da umidade, fontes, árvores exóticas e plantas suculentas, explicando-lhe de onde provinham e os cuidados que exigiam, até que chegaram a uma pérgula, coberta de roseiras trepadeiras, com uma vista panorâmica do mar; via-se, à esquerda, a entrada da baía, e a ponte Golden Gate, inaugurada poucos anos antes, à direita. Dali se distinguiam colônias de lobos marinhos descansando sobre as rochas e, observando o horizonte com paciência e sorte, viam-se baleias que chegavam do norte a fim de parir nas águas da Califórnia. Depois, Takao a levou à estufa, réplica em miniatura de uma clássica estação de trens vitoriana, em ferro forjado e cristal. Dentro, na luz filtrada e na tepidez úmida da calefação e dos vaporizadores, as plantinhas delicadas começavam sua vida em bandejas, cada uma contendo uma etiqueta com o nome e a data em que deveria ser transplantada. Entre duas mesas compridas de madeira rústica, Alma notou um menino concentrado em algumas mudas, o qual, ao ouvi-los entrar, soltou as ferramentas e se perfilou como um soldado. Takao se aproximou dele e lhe acariciou o cabelo, murmurando algo numa língua que Alma desconhecia. "Meu filho mais novo", disse. Alma, sem disfarçar, estudou pai e filho como se fossem seres de outra espécie; não se pareciam com os orientais das ilustrações da *Enciclopédia Britânica*.

O menino a cumprimentou com uma inclinação do torso e manteve a cabeça baixa ao se apresentar.

— Eu sou Ichimei, quarto filho de Takao e Heideko Fukuda, honrado em conhecê-la, senhorita.

— Eu sou Alma, sobrinha de Isaac e Lillian Belasco, honrada em conhecê-lo, senhor — explicou ela, desconcertada e divertida.

Essa formalidade inicial, que mais tarde o carinho tingiria de humor, marcou o tom da longa relação entre eles. Alma, mais alta e mais forte, parecia mais velha. O aspecto miúdo de Ichimei enganava, pois ele podia levantar sem esforço os pesados sacos de terra e empurrar ladeira acima um carrinho carregado. Tinha a cabeça grande em relação ao corpo, a pele cor de mel, os olhos pretos afastados e o cabelo liso e indômito. Ainda estavam nascendo seus dentes definitivos e, quando ele sorria, os olhos desapareciam em dois riscos.

Durante o resto daquela manhã, Alma seguiu Ichimei, enquanto ele colocava as plantas nos buracos cavados pelo pai e revelava a ela a vida secreta do jardim, os filamentos entrelaçados no subsolo, os insetos quase invisíveis, os brotos minúsculos na terra, que em uma semana alcançariam um palmo de altura. Falou dos crisântemos, que ele tirava da estufa naquele momento, de como são transplantados na primavera e florescem no início do outono, dando cor e alegria ao jardim, quando as flores estivais já secaram. Mostrou-lhe as roseiras entupidas de botões e disse que é preciso eliminar quase todos, deixando somente alguns para que as rosas nasçam grandes e saudáveis. Explicou-lhe a diferença entre as plantas de semente e as de bulbo, entre as de sol e as de sombra, entre as nativas e as trazidas de longe. Takao Fukuda, que os observava de esguelha, aproximou-se para dizer a Alma que as tarefas mais delicadas cabiam a Ichimei, porque ele tinha nascido com dedos verdes. O menino corou com o elogio.

A partir desse dia, Alma aguardava impaciente os jardineiros, que compareciam pontualmente nos finais de semana. Takao Fukuda sempre levava Ichimei e, às vezes, se houvesse mais trabalho, fazia se acompanhar também por Charles e James, seus filhos mais velhos, ou por Megumi, sua única filha, vários anos mais velha do que Ichimei, que só se interessava por ciência e achava pouca graça em sujar as mãos com terra. Ichimei, paciente e disciplinado, cumpria suas tarefas sem se distrair com a presença de Alma, confiando que seu pai lhe daria uma meia hora livre no final do dia para brincar com ela.

Alma, Nathaniel e Ichimei

Tão grande era a casa de Sea Cliff, e tão ocupados viviam seus habitantes, que as brincadeiras das crianças passavam despercebidas. Se chamasse a atenção de alguém que Nathaniel se entretivesse durante horas com uma menina muito mais nova do que ele, a curiosidade se apagava de imediato, porque havia outros assuntos para cuidar. Alma havia superado o pouco amor que teve às bonecas, e aprendeu a jogar palavras cruzadas de tabuleiro com um dicionário e xadrez com pura determinação, já que estratégia nunca foi seu forte. Nathaniel, por sua vez, se cansara de colecionar selos e de acampar com os escoteiros. Ambos participavam das peças teatrais, de somente dois ou três personagens, que ele escrevia, e depois as apresentavam no sótão. A falta de público não chegou a ser um inconveniente, porque o processo era muito mais divertido do que o resultado, e eles não buscavam aplausos: o prazer consistia em brigar pelo roteiro e ensaiar os papéis. Roupas velhas, cortinas descartadas, móveis desconjuntados e objetos em vários estados de desintegração constituíam a matéria-prima de figurinos, acessórios e efeitos especiais; o resto eles supriam com a imaginação. Ichimei, que aparecia toda hora à casa dos Belasco sem necessidade de convite, também fazia parte da companhia teatral em papéis secundários, porque era péssimo ator. Compensava a falta de talento com sua extraordinária memória e sua facilidade para o desenho; podia recitar sem tropeços longas falas inspiradas nos romances prediletos de Nathaniel, desde *Drácula* até *O Conde de Monte Cristo*, e era o encarregado de pintar os cenários. Essa camaradagem, que conseguiu tirar Alma do estado de orfandade e abandono em que ela mergulhara no início, não durou muito.

No ano seguinte, Nathaniel entrou para o secundário num colégio para garotos copiado do modelo britânico. De um dia para outro, sua vida mudou. Além de passar a usar calças compridas, ele teve que enfrentar a infinita brutalidade dos adolescentes que se iniciam na tarefa de ser homens. Não estava pronto para isso: parecia um menino de dez anos, em vez dos quatorze que havia completado, ainda não sofria o bombardeio impiedoso dos hormônios, era introvertido, cauteloso, além de, para sua desgraça, inclinado à leitura e péssimo para os esportes. Nunca chegaria a ter a jactância, a crueldade e a vulgaridade dos outros garotos e, como essas características não lhe vinham naturalmente, procurava em vão fingi-las; sua transpiração cheirava a medo. Na primeira quarta-feira de aula, voltou para casa com um olho roxo e a camisa manchada de sangue do nariz. Negou se a responder ao interrogatório da mãe e disse a Alma que havia se chocado contra o mastro da bandeira. Nessa noite fez xixi na cama, pela primeira vez desde que podia recordar. Horrorizado, escondeu os lençóis molhados dentro da chaminé, onde, ao acenderem a lareira, seriam descobertos no final de setembro, quando pegaram fogo e a casa se encheu de fumaça. Lillian também não conseguiu que o filho explicasse o desaparecimento dos lençóis, mas imaginou a causa e decidiu cortar o mal pela raiz. Apresentou-se ao diretor da escola, um escocês de cabelo vermelho e nariz de pinguço, que a recebeu de trás de uma enorme escrivaninha, rodeado de painéis de madeira escura, vigiado pelo retrato do rei George VI. O ruivo informou a Lillian que violência na justa medida era considerada parte essencial do método didático da escola, por isso se fomentavam os esportes rudes; as brigas dos estudantes se resolviam com luvas de boxe em um ringue, e a indisciplina se corrigia com chibatadas no traseiro, aplicadas por ele mesmo. Os homens se formavam à base de golpes. Assim havia sido desde sempre, e quanto mais cedo Nathaniel Belasco aprendesse a se fazer respeitar, melhor para ele. Acrescentou que a intervenção de Lillian expunha o filho ao ridículo, mas, por se tratar de um aluno novo, ele faria uma exceção e manteria o caso em sigilo. Lillian foi embora bufando até o escritório do marido, na rua Montgomery, no qual irrompeu com estrondo, mas ali também não encontrou apoio.

— Não se meta nisso, Lillian. Todos os rapazes passam por esses ritos de iniciação, e quase todos sobrevivem — disse Isaac.

— Você também apanhava?

— Claro. E, como vê, o resultado não foi tão ruim assim.

Os quatro anos da escola secundária teriam sido um tormento interminável para Nathaniel se ele não recebesse a ajuda de quem menos esperava. Naquele final de semana, ao vê-lo com um mapa de arranhões e machucados, Ichimei o levou até a pérgula do jardim e lhe fez uma eficaz demonstração de artes marciais, que havia praticado desde que conseguira se equilibrar nas duas pernas. Entregou um bastão a Nathaniel e ordenou que este o atacasse com o propósito de lhe quebrar a cabeça. Nathaniel achou que era brincadeira e ergueu o bastão no ar, como um guarda-chuva. Foram necessárias várias tentativas para que ele entendesse as instruções e se lançasse a sério contra Ichimei. Não soube como acabou perdendo o bastão, voando pelos ares e aterrissando de costas no piso de ladrilhos italianos da pérgula, ante o olhar atônito de Alma, que observava de perto. Assim, Nathaniel ficou sabendo que o impassível Takao Fukuda ensinava uma mistura de judô e caratê aos filhos e a outros garotos da colônia japonesa, numa garagem alugada na rua Pine. Contou ao pai, que ouvira falar vagamente sobre esses esportes, os quais começavam a se tornar conhecidos na Califórnia. Isaac Belasco partiu para a rua Pine sem muitas esperanças de que Fukuda pudesse ajudar seu filho, mas o jardineiro lhe explicou que a beleza das artes marciais era justamente não requerer força física, mas concentração e destreza para utilizar o peso e o impulso do adversário para derrubá-lo. Nathaniel começou suas aulas. O motorista o levava três noites por semana à garagem, onde ele lutava primeiro com Ichimei e os meninos pequenos e depois com Charles, James e outros garotos maiores. Ficou vários meses com o esqueleto desconjuntado, até que aprendeu a cair sem se machucar. Perdeu o medo das brigas. Nunca chegaria a passar do nível de principiante, porém isso era mais do que os grandalhões da escola sabiam. Logo pararam de espancá-lo, porque, com quatro gritos guturais e uma exagerada coreografia de posturas marciais, ele dissuadia o primeiro que se aproximasse de cara feia. Isaac Belasco nunca perguntou sobre o resultado das aulas, tal como antes não tomara conhecimento das surras que o filho recebia, mas devia ter averiguado alguma coisa, pois um dia chegou à rua Pine com quatro operários e um caminhão para instalar um piso de madeira na garagem. Takao Fukuda o recebeu com uma série de reverências formais e tampouco fez comentários.

A entrada de Nathaniel para o colégio deu fim às peças teatrais no sótão. Além das tarefas acadêmicas e do esforço constante de se defender, o rapaz andava ocupado com angústias metafísicas e uma angústia afetada, que sua mãe procurava remediar com colheradas de óleo de fígado de bacalhau. Mal havia tempo para umas poucas partidas de palavras cruzadas e xadrez se Alma conseguisse agarrá-lo de passagem, antes que ele se trancasse no quarto para maltratar uma guitarra. Estava descobrindo o jazz e os blues, mas desprezava as danças da moda, porque ficaria paralisado de vergonha em uma pista, onde se tornaria evidente sua falta de ritmo, herança de todos os Belasco. Presenciava, com uma mescla de sarcasmo e inveja, as apresentações de *lindy hop* com que

Alma e Ichimei pretendiam animá-lo. As crianças possuíam dois discos arranhados e um gramofone que Lillian havia descartado por ser inútil. Alma o resgatou do lixo, e Ichimei o desmontou e remontou com seus delicados dedos verdes e sua paciente intuição.

A escola secundária, que começou tão mal para Nathaniel, continuou sendo um martírio nos anos seguintes. Os colegas se cansaram de armar ciladas para surrá-lo, mas o submeteram a quatro anos de deboches e isolamento; não perdoavam sua curiosidade intelectual, suas boas notas e sua inabilidade física. Ele nunca superou a sensação de ter nascido no lugar e no tempo errados. Tinha que participar dos esportes, pilar da educação inglesa, e sofria a repetida humilhação de ser o último a chegar ao fim da corrida e de ninguém o querer em sua equipe. Aos quinze anos teve um estirão dos pés até as orelhas; foi preciso comprar-lhe sapatos novos e descer a bainha das calças a cada dois meses. Do mais baixo de sua turma passou a uma estatura normal, cresceram suas pernas, seus braços e seu nariz, adivinhavam-se suas costelas por baixo da camisa, e em seu pescoço magro o pomo de adão parecia um tumor; assim, cismou de andar com echarpe até no verão. Odiava seu perfil de abutre depenado e procurava se colocar nos cantos, para ser visto de frente. Salvou-se das espinhas na cara, que infestavam seus inimigos, mas não dos complexos próprios da idade. Não podia imaginar que em menos de três anos teria boas proporções corporais, suas feições se arrumariam e ele chegaria a ser tão bonito quanto um ator de filmes românticos. Sentia-se feio, infeliz e sozinho; começou a alimentar a ideia de se suicidar, como confessou a Alma em um de seus piores momentos de autocrítica. "Seria um desperdício, Nat. Melhor você terminar a escola, estudar medicina e ir para a Índia cuidar de leprosos. Eu vou junto", replicou ela, sem muita simpatia, porque, comparados à situação de sua família, os problemas existenciais do primo eram ridículos.

Mal se notava a diferença de idade entre os dois, porque Alma se desenvolvera cedo e sua tendência à solidão a deixava com um aspecto mais maduro. Enquanto ele existia no limbo de uma adolescência que parecia irrevogável, nela haviam se acentuado a seriedade e a fortaleza inculcadas pelo pai e que ela cultivava como virtudes essenciais. Sentia-se abandonada pelo primo e pela vida. Podia adivinhar a intensa repulsa contra si mesmo que Nathaniel havia desenvolvido ao entrar para o colégio, porque em menor medida ela também a sofria, mas, à diferença do rapaz, não se permitia o vício de se estudar no espelho procurando defeitos nem o de se lamentar por sua sorte. Suas preocupações eram outras.

Na Europa, a guerra se desencadeara como um furacão apocalíptico, que ela só via em um difuso preto e branco nos noticiários do cinema: cenas entrecortadas de batalhas, rostos de soldados cobertos pela fuligem indelével da pólvora e da morte, aviões salpicando o céu com bombas que caíam com absurda elegância, explosões de fogo e fumaça, multidões que rugiam aplaudindo Hitler na Alemanha. Já não recordava muito bem seu país, a casa onde crescera nem o idioma que falava na infância, mas a família estava sempre presente em sua saudade. Mantinha sobre a mesa de cabeceira um retrato do irmão e a última fotografia dos pais, no cais de Danzig, e os beijava antes de dormir. As imagens da guerra a perseguiam de dia, apareciam em seus sonhos e não a deixavam se comportar como a menina que era. Quando Nathaniel cedeu ao equívoco de se achar um gênio incompreendido, Ichimei se tornou o único confidente dela. O menino havia crescido pouco em estatura, e Alma o ultrapassava em meia cabeça, mas era sábio e sempre encontrava a maneira de distraí-la quando a assaltavam as imagens horripilantes da guerra. Ichimei dava um jeito de chegar à casa dos Belasco de bonde, de bicicleta ou na caminhonete de jardinagem, se conseguisse que o pai ou os irmãos o levassem; depois, Lillian mandava o motorista levá-lo de volta para casa. Se passassem dois ou três dias sem se ver, as crianças escapuliam de noite para se falar por telefone aos sussurros. Até os comentários mais triviais adquiriam uma profundidade transcendental nessas chamadas às escondidas. A nenhum dos dois ocorreu pedir permissão para fazê-las; achavam que o aparelho se desgastava com o uso e logicamente não podia ficar à disposição deles.

Os Belasco viviam atentos às notícias da Europa, cada vez mais confusas e alarmantes. Em Varsóvia, ocupada pelos alemães, havia quatrocentos mil judeus amontoados em um gueto de três quilômetros quadrados e meio. Sabiam, porque Samuel Mendel os informara de Londres por telegrama, onde o rapaz servia como piloto na Força Aérea Real, que os pais dele e de Alma estavam nesse grupo. O dinheiro dos Mendel de nada lhes valeu: nos primeiros momentos da ocupação, perderam seus bens na Polônia e o acesso às suas contas na Suíça; tiveram que sair da mansão familiar, confiscada e transformada em escritórios dos nazistas e seus colaboradores, e ficaram reduzidos à mesma condição de inconcebível miséria do resto dos habitantes do gueto. Então, descobriram que não tinham um amigo sequer entre sua própria gente. Foi tudo o que Isaac Belasco conseguiu averiguar. Era impossível se comunicar com os cunhados, e nenhuma de suas empreitadas para resgatá-los deu resultado. Isaac usou suas conexões com políticos influentes, inclusive alguns senadores em Washington e o Secretário de Guerra, de quem havia sido colega em Harvard, mas lhe responderam com vagas promessas que não cumpriram, porque deviam lidar com assuntos muito mais urgentes do que uma missão de socorro no inferno de Varsóvia. Os americanos observavam os acontecimentos em ritmo de espera e ainda imaginavam que essa guerra do outro lado do Atlântico não lhes cabia, apesar da sutil propaganda do governo de Roosevelt para influenciar o público contra os alemães. Atrás do alto muro que marcava a fronteira do gueto de Varsóvia, os judeus sobreviviam em extremos de fome e terror. Falava-se de deportações maciças, de homens, mulheres e crianças levados sob espancamento a trens de carga que desapareciam na noite, do propósito dos nazistas de exterminar a raça judia e outras pessoas que eles consideravam indesejáveis, das câmaras de gás, dos fornos crematórios e outras atrocidades impossíveis de confirmar e, portanto, difíceis de crer para os americanos.

Irina Bazili

Em 2013, Irina Bazili comemorou privadamente com uma comilança de bolinhos de creme e duas xícaras de chocolate quente o terceiro aniversário de seu emprego com Alma Belasco. Nesse tempo, chegara a conhecê-la a fundo, embora na vida dessa mulher existissem mistérios que nem ela nem Seth haviam conseguido decifrar, em parte porque ainda não tinham se empenhado nisso a sério. No conteúdo das caixas de Alma, que ela devia organizar, foram se revelando os Belasco. Assim, Irina conheceu Isaac, com seu severo nariz aquilino e seus olhos bondosos; Lillian, baixa de estatura, de peito amplo e de rosto belo, as filhas deles, Sarah e Martha, feias e muito bem-vestidas; Nathaniel ainda criança, magro e com ar desamparado; mais tarde, quando rapaz, esbelto e muito bonito; e no final, reduzido a cinzas pela doença. Viu a menina Alma recém-chegada à América; a moça de vinte e um anos, em Boston, quando estudava arte, de boina preta e impermeável de detetive — o estilo masculino que adotou depois de se desfazer do enxoval providenciado por sua tia Lillian e que ela nunca aprovara; a jovem mãe sentada na pérgula do jardim de Sea Cliff, com o filho Larry de três meses no colo e o marido atrás, de pé, com uma das mãos em seu ombro, como se posassem para um retrato da realeza. Já quando criança, podia-se prever a mulher que Alma seria: imponente, com sua mecha branca, sua boca ligeiramente torta e suas olheiras desleixadas. Irina devia colocar as fotos nos álbuns cronologicamente, de acordo com as instruções de Alma, que nem sempre recordava onde ou quando haviam sido tiradas. Afora o retrato de Ichimei Fukuda, no apartamento só havia outra foto emoldurada: a família no salão de Sea Cliff, quando Alma comemorou cinquenta anos. Os homens estavam de smoking e as mulheres de vestido longo, Alma de cetim preto, altiva como uma imperatriz viúva, e sua nora Dóris, pálida e cansada, de seda cinza com pregas na frente para disfarçar a segunda gravidez: esperava a filha Pauline. Seth, de um ano e meio, mantinha-se de pé, agarrado ao vestido da avó com uma mão e com a outra à orelha de um cocker spaniel.

Ao longo do tempo que passavam juntas, o vínculo entre as duas mulheres adquiria o cunho de uma tia e uma sobrinha. Haviam harmonizado suas rotinas e podiam compartilhar durante horas o reduzido espaço do apartamento sem se falar nem se olhar, cada uma envolvida nos próprios assuntos. Necessitavam-se mutuamente. Irina se considerava privilegiada por contar com a confiança e o apoio de Alma, e esta, por sua vez, era grata à fidelidade da moça. Gostava do interesse de Irina pelo seu passado. Dependia dela para fins práticos e para manter sua independência e autonomia. Seth aconselhara a avó a retornar à casa da família em Sea Cliff quando chegasse o momento em que precisasse de cuidados, ou então contratar ajuda permanente em seu apartamento; dinheiro para isso não lhe faltava. Alma estava prestes a completar oitenta e dois anos, e planejava viver mais dez sem esse tipo de ajuda e sem que ninguém se atribuísse o direito de decidir por ela.

— Eu também tinha pavor da dependência, Alma, mas percebi que não é tão grave assim. A gente se acostuma e agradece a ajuda. Eu não consigo me vestir nem tomar banho sozinha, é difícil escovar os dentes e cortar o frango no meu prato, mas nunca estive mais contente do que agora — disse-lhe a doutora Catherine Hope, que conseguira tornar-se amiga dela.

— Por quê, Cathy? — perguntou Alma.

— Porque me sobra tempo, e, pela primeira vez na minha vida, ninguém espera nada de mim. Não tenho que provar nada, não vivo apressada, cada dia é uma dádiva, e eu o aproveito a fundo.

Catherine Hope estava no mundo somente por sua feroz vontade e pelas maravilhas da cirurgia; sabia o que significava estar incapacitada e viver com dor permanente. Sua dependência não chegou aos poucos, como é natural, mas da noite para o dia, com uma pisada em falso. Ao escalar uma montanha, caiu lá de cima em um precipício e ficou presa entre duas rochas, com as pernas e a pélvis quebradas em pedaços. O resgate foi um trabalho heroico, que saiu por completo no noticiário de tevê, porque o filmaram do alto. O helicóptero serviu para captar de longe as cenas dramáticas, mas não pôde se aproximar da fenda profunda, onde ela jazia em choque e com hemorragia. Um dia e uma noite depois, dois montanhistas conseguiram descer, em uma manobra ousada, que quase lhes custou a vida, e a içaram em um arnês. Levaram-na para um hospital especializado em traumatismos de guerra, onde foi iniciada a tarefa de recompor seus incontáveis ossos espatifados. Ela despertou do coma dois meses mais tarde e, depois de perguntar pela filha, anunciou que se sentia feliz por estar viva. Nesse mesmo dia, o Dalai Lama lhe tinha enviado da Índia um *kata*, o lenço branco com sua bênção. Após quatorze operações truculentas e anos de esforçada reabilitação, Cathy precisou aceitar que não voltaria a caminhar. "Minha primeira vida terminou, agora começa a segunda. Às vezes você me verá deprimida ou exasperada, mas não me dê ouvidos, porque não vai durar", dissera à filha. O budismo zen e o hábito de meditar, exercido por toda uma vida, davam-lhe uma grande vantagem nessas circunstâncias, porque lhe possibilitaram suportar a imobilidade, que teria enlouquecido outra pessoa tão atlética e ativa quanto ela, e lhe permitiram se recuperar com bom humor de sua separação do companheiro de muitos anos, que teve menos coragem do que ela diante da tragédia e a deixou. Também descobriu que poderia praticar medicina como consultora de cirurgia, de dentro de um aposento com câmeras de tevê conectadas à sala de operações, mas seu anseio era trabalhar com pacientes, cara a cara, como sempre havia feito. Quando optou por viver no segundo nível de Lark House, deu voltas conversando com aqueles que constituiriam sua nova família e viu que sobravam oportunidades para exercer seu ofício. Na semana em que entrou, já tinha planos de montar uma clínica gratuita para as pessoas com enfermidades crônicas e um consultório para atender males menores. Em Lark House havia médicos externos, mas Catherine Hope os convenceu de que não competia com eles, e sim os complementava. Hans Voigt lhe forneceu uma sala para a clínica e propôs à diretoria de Lark House que pagassem a ela um salário, mas a doutora preferiu trabalhar como voluntária em troca de não lhe cobrarem as mensalidades, um acordo conveniente para ambas as partes. Rapidamente, Cathy, como a chamavam, se tornou a mãe que acolhia os recém-chegados, ouvia as confidências, consolava os tristes, guiava os moribundos e repartia a maconha. Metade dos residentes tinha autorização médica para usar o narcótico, e Cathy, que o distribuía em sua clínica, era generosa com aqueles que não dispunham de licença nem de dinheiro para comprá-lo por contrabando; não era raro ver uma fila de clientes diante de sua porta a fim de obter a erva sob várias formas, inclusive deliciosos bolos e bombons. Hans Voigt não intervinha — para que privar sua gente de um alívio inócuo? —, exigia somente que não fumassem nos corredores e áreas comuns, já que fumar tabaco era proibido e não seria justo que maconha não fosse também, mas alguma fumaça escapava pelos dutos da calefação ou do ar-condicionado e, às vezes, os bichinhos de estimação ficavam doidões.

Em Lark House, Irina se sentia segura pela primeira vez em quatorze anos. Desde que havia chegado aos Estados Unidos, nunca permanecera tanto tempo em um lugar; sabia que a tranquilidade não duraria e saboreava essa trégua em sua vida. Nem tudo era idílico, mas, comparados aos do passado, os problemas do presente eram ínfimos. Ela precisava extrair os dentes do siso, mas seu plano de saúde não cobria tratamentos dentários. Sabia que Seth Belasco estava apaixonado por ela e seria cada vez mais difícil mantê-lo a uma distância segura sem perder sua valiosa amizade. Hans Voigt, que sempre fora descontraído e cordial, nos últimos meses andava tão carrancudo que alguns residentes se reuniam sub-repticiamente para ver a forma de mandá-lo embora sem ofendê-lo, mas Catherine Hope achava que deviam dar-lhe tempo, e sua opinião ainda prevalecia. O diretor tinha sido operado de hemorroidas duas vezes, com resultados instáveis; isso lhe havia azedado o humor. A preocupação mais imediata de Irina era uma invasão de ratos no velho casarão de Berkeley, onde alugava um quarto. Ela os ouvia subir entre as paredes rachadas e rastejar embaixo do piso de tábuas. Os outros inquilinos, instigados por Tim, seu sócio nos banhos de cães, decidiram colocar ratoeiras, porque envenená-los lhes pareceu desumano. Irina alegou que as ratoeiras eram igualmente cruéis, com o agravante de que alguém deveria se livrar dos cadáveres, mas não lhe deram ouvidos. Um pequeno roedor sobreviveu a uma das ratoeiras e foi resgatado por Tim, que o entregou a Irina com lágrimas de pena. Ele era uma dessas pessoas que só se alimentam de folhas e sementes, porque não toleram causar dano a um animal e muito menos cometer a maldade de cozinhá-lo. Coube a Irina enfaixar a pata quebrada do ratinho, acomodá-lo numa caixa entre algodões e cuidar dele até que, passado o susto, o animal pudesse caminhar e retornar aos seus.

Algumas das obrigações da jovem em Lark House a aborreciam, tais como enfrentar a burocracia das companhias de seguros, lidar com os parentes dos hóspedes que reclamavam por bobagens para aliviar a culpa de tê-los abandonado e frequentar as aulas obrigatórias de computação, porque, mal aprendia algo, a tecnologia dava outro salto adiante, e ela ficava de novo desatualizada. Mas, das pessoas de quem cuidava, não tinha queixas. Tal como lhe dissera Cathy em seu primeiro dia em Lark House, nunca se entediava. "Há uma diferença entre velhice e ancianidade. Não é uma questão de idade, mas de estado de saúde física e mental", explicou-lhe. "Os velhos podem manter sua independência, mas os anciãos precisam de assistência e vigilância até que chega um momento em que são como crianças." Irina aprendia muito com ambos, os velhos e os anciãos, quase todos sentimentais, divertidos e sem medo do ridículo; ria com eles e, às vezes, chorava por eles. Quase todos haviam tido vidas interessantes ou as inventavam. Se pareciam muito perdidos, em geral era porque ouviam pouco e mal. Irina vivia atenta para que não falhassem as baterias de seus aparelhos auditivos. "O que é pior, quando a gente envelhece?", perguntava-lhes. Não pensavam na idade, respondiam; se tinham sido adolescentes, e depois fizeram trinta, cinquenta, sessenta, sem pensar nos anos, por que fariam isso agora? Alguns estavam muito limitados, custava-lhes caminhar e se mover, mas não desejavam ir a lugar nenhum. Outros estavam distraídos, confusos e desmemoriados, mas isso perturbava mais os cuidadores e familiares do que a eles mesmos. Catherine Hope insistia em que os residentes do segundo e do terceiro níveis se mantivessem ativos, e cabia a Irina mantê-los interessados, entretidos, conectados. "Em qualquer idade, é necessário um propósito na vida. É o melhor tratamento para muitos males", sustentava Cathy. No caso da médica, o propósito sempre havia sido ajudar os outros, e isso não mudou depois do acidente.

Nas manhãs de sexta-feira, Irina acompanhava aos protestos na rua os residentes mais empolgados, para evitar que se excedessem. Participava das vigílias por causas nobres e do clube de tricô. Todas as mulheres capazes de manejar agulhas, menos Alma Belasco, estavam tricotando agasalhos para os refugiados da Síria. O tema recorrente era a paz; podia-se discordar sobre qualquer assunto, menos a paz.

Em Lark House havia duzentos e quarenta e quatro democratas desencantados, que tinham votado para reeleger Barack Obama, mas o criticavam por mostrar-se indeciso, por não ter fechado a prisão de Guantánamo, por deportar os imigrantes latinos, pelos *drones*... enfim, sobravam motivos para enviar cartas ao presidente e ao Congresso. A meia-dúzia de republicanos evitava opinar em voz alta.

Promover a prática espiritual também era responsabilidade de Irina. Muitos velhos provenientes de uma tradição religiosa se refugiavam nela, embora tivessem passado sessenta anos renegando Deus, mas outros buscavam consolo em alternativas esotéricas e psicológicas da Era de Aquário. Irina lhes arranjava sucessivos guias e mestres para meditação transcendental, curso de milagres, I Ching, desenvolvimento da intuição, cabala, tarô místico, animismo, reencarnação, percepção psíquica, energia universal e vida extraterrestre. Era a encarregada de organizar a celebração de festas religiosas, um *pot-pourri* de rituais de várias crenças, para que ninguém se sentisse excluído. No solstício de verão, levava um grupo de anciãs aos bosques próximos, e dançavam em círculo ao som de pandeiros, descalças e coroadas de flores. Os guardas florestais as conheciam e se dispunham a fotografá-las abraçadas às árvores falando com Gaia, a mãe terra, e com seus mortos. Irina parou de zombar internamente quando conseguiu ouvir seus avós no tronco de uma sequoia, um daqueles gigantes milenares que unem nosso mundo com o mundo dos espíritos, como lhe informaram as dançarinas octogenárias. Costea e Petruta não tinham sido bons conversadores em vida e tampouco o eram dentro da sequoia, mas, com o pouco que disseram, convenceram a neta de que velavam por ela. No solstício de inverno, Irina improvisava cerimônias dentro de Lark House, porque Cathy a prevenira contra um possível surto de pneumonia se celebrassem expostas à umidade e à ventania do bosque.

O salário de Lark House mal daria para uma pessoa normal sobreviver, mas eram tão humildes as ambições e módicas as necessidades de Irina que às vezes lhe sobrava dinheiro. A renda de seu negócio de cães e como assistente de Alma, que vivia buscando razões para lhe pagar mais do que o combinado, faziam-na se sentir rica. Lark House se tornara seu lar, e os residentes, com os quais convivia diariamente, substituíam seus avós. Comovia-se com aqueles anciãos vagarosos, desajeitados, achacosos, macilentos; tinha um bom humor infinito diante dos problemas deles, não se importava de repetir mil vezes a mesma resposta para a mesma pergunta, gostava de empurrar cadeiras de rodas, de encorajar, ajudar, consolar. Aprendeu a controlar os impulsos de violência que às vezes se apoderavam deles como tormentas passageiras, e não a assustavam a avareza ou os delírios de perseguição que alguns sofriam como consequência da solidão. Procurava compreender o que significa levar o inverno nas costas, a insegurança de cada passo, a confusão das palavras que não se escutam bem, a impressão de que o resto da humanidade anda muito apressada e fala muito depressa, o vazio, a fragilidade, a fadiga e a indiferença pelo que não lhes interessa pessoalmente, inclusive filhos e netos, cuja ausência já não pesa como antes e um esforço é necessário para recordá-los. Sentia ternura pelas rugas, pelos dedos deformados e pela vista ruim. Imaginava como ela mesma seria quando velha, quando anciã. Mas Alma Belasco não entrava nessa categoria; dela, Irina não precisava cuidar, pelo contrário, sentia-se cuidada por ela e agradecia o papel de sobrinha desamparada que a mulher lhe havia atribuído. Alma era pragmática, agnóstica e basicamente incrédula, nada de cristais, zodíaco ou árvores falantes; com ela, Irina achava alívio para suas incertezas. Desejava ser como Alma e viver numa realidade manejável, na qual os problemas tinham causa, efeito e solução, na qual não existiam seres aterrorizantes escondidos nos sonhos nem inimigos devassos espiando em cada esquina. As horas com ela eram preciosas, e, de bom grado, Irina trabalharia de graça para Alma. Uma vez propôs essa ideia. "A mim sobra dinheiro, e a você, falta. E não se fala mais nisso", respondeu a mulher em tom imperioso, que quase nunca usava com ela.

Seth Belasco

Alma Belasco desfrutava seu desjejum com calma, via as notícias na televisão e depois ia à aula de ioga ou então caminhava por uma hora. Ao retornar, tomava banho, vestia-se e, quando calculava que chegaria a encarregada pela limpeza, escapulia para a clínica a fim de ajudar sua amiga Cathy. O melhor tratamento para a dor era manter os pacientes entretidos e se movimentando. Cathy sempre precisava de voluntários na clínica e havia pedido a Alma que desse aulas de pintura em seda, mas isso requeria espaço e materiais que ninguém ali podia custear. Cathy se negou a aceitar que Alma arcasse com todos os gastos, porque não seria bom para o moral dos participantes; ninguém gosta de ser objeto de caridade, como disse. Em vista disso, Alma lançava mão de sua antiga experiência no sótão de Sea Cliff com Nathaniel e Ichimei para improvisar peças teatrais que saíam de graça e provocavam tempestades de riso. Três vezes por semana, ia ao seu ateliê para pintar com Kirsten. Raramente usava o refeitório de Lark House, preferindo jantar nos restaurantes do bairro, onde era conhecida, ou no próprio apartamento, quando a nora lhe enviava pelo motorista algum de seus pratos preferidos.

Irina mantinha na cozinha o indispensável: frutas frescas, aveia, leite, pão integral, mel. Também lhe cabia classificar papéis, anotar o que a patroa lhe ditava, ir às compras ou à lavanderia, acompanhar Alma em suas diligências, cuidar do gato, do calendário e de organizar a escassa vida social. Com frequência, Alma e Seth convidavam Irina para o almoço dominical obrigatório em Sea Cliff, quando a família prestava reverência à matriarca. Para Seth, que antes recorria a todo tipo de pretexto para só chegar na hora da sobremesa, já que a ideia de faltar nem lhe ocorria, a presença de Irina pintava a ocasião com brilhantes cores. Ele continuava perseguindo-a com tenacidade, mas, como os resultados deixavam muito a desejar, também saía com amigas do passado dispostas a suportar suas veleidades. Entediava-se com elas e não conseguia provocar ciúme em Irina. Como dizia sua avó, para que desperdiçar munição em abutres? Esse era outro dos ditos enigmáticos que circulavam entre os Belasco. Para Alma, essas reuniões familiares começavam com a alegre expectativa de ver os seus, especialmente a neta Pauline, já que Seth ela via o tempo todo, mas com frequência terminavam sendo um peso, porque qualquer tema acabava em aborrecimento, não por falta de carinho, mas pelo mau hábito de discutir por bobagens. Seth buscava motivos para desafiar ou escandalizar os pais; Pauline aparecia com alguma causa recém-abraçada, que ela explicava em detalhes, como a oposição à mutilação genital ou aos matadouros de animais; Doris se esmerava em oferecer seus melhores experimentos culinários, verdadeiros banquetes, e costumava acabar chorando em seus aposentos, porque ninguém os apreciava, enquanto o bom Larry fazia malabarismos para evitar atritos. A avó usava Irina para diluir as tensões, já que os Belasco se comportavam civilizadamente diante de estranhos, mesmo que se tratasse de uma insignificante funcionária de Lark House. À jovem, a mansão de Sea Cliff parecia de um luxo extravagante, com seus seis dormitórios, dois salões, biblioteca cheia de livros, escada dupla de mármore e um jardim de palácio. Não percebia a lenta deterioração de quase um século de existência, que a militante vigilância de Doris mal conseguia manter sob controle, a ferrugem das grades ornamentais, as ondulações do piso e das paredes, que haviam suportado alguns terremotos, as rachaduras dos ladrilhos e as trilhas de cupim nas madeiras. A casa se erguia em um local privilegiado sobre um promontório entre o oceano Pacífico e a baía de São Francisco. Ao amanhecer, a espessa névoa que chegava rodopiando, vinda do mar como uma avalanche de algodão, costumava ocultar por completo a ponte Golden Gate, mas se dissipava no decorrer da manhã e, então, surgia a esbelta estrutura de ferro vermelho contra o céu salpicado de gaivotas, tão perto do jardim dos Belasco que era possível imaginar tocá-la com a mão.

Assim como Alma se tornou a tia adotiva de Irina, Seth fez o papel de primo, porque não conseguiu o papel de amante que desejava. Nos três anos em que se conheciam, a relação entre os jovens, baseada na solidão de Irina, na paixão maldissimulada de Seth e na curiosidade de ambos por Alma Belasco, se solidificou. Outro homem menos obstinado e apaixonado do que Seth teria se dado por vencido havia tempo, mas ele aprendeu a dominar sua veemência e se adaptou ao passo de tartaruga imposto por Irina. De nada lhe servia se apressar, porque, ao menor sinal de intrusão, ela retrocedia, e depois passavam-se semanas até que ele recuperasse o terreno perdido. Se os dois se encostassem de maneira casual, ela afastava o corpo, e se ele o fizesse de propósito, ela se alarmava. Em vão Seth buscou algo que justificasse essa desconfiança, mas a jovem havia selado seu passado. À primeira vista, ninguém podia imaginar a verdadeira personalidade de Irina, que ganhara o título de funcionária mais popular de Lark House com sua atitude aberta e amável, mas ele sabia que, por trás dessa fachada, se escondia um esquilo receoso.

Ao longo desses anos, o livro de Seth foi ganhando vida sem grande esforço de sua parte, graças ao material trazido por sua avó e à impertinência de Irina. Sobre Alma recaiu a tarefa de compilar a história dos Belasco, os únicos parentes que lhe restaram depois da guerra extinguir os Mendel na Polônia e antes que seu irmão Samuel ressuscitasse. Os Belasco não se incluíam entre as famílias mais eminentes de São Francisco, só entre as mais abastadas, mas podiam reconstituir suas origens até a febre do ouro. Entre eles, destacava-se David Belasco, diretor e produtor teatral, empresário e autor de mais de cem obras, que abandonou a cidade em 1882 e triunfou na Broadway. O bisavô Isaac pertencia a um ramo da família que ficou em São Francisco, onde fincou raízes e fez fortuna com um sólido escritório de advocacia e bom faro para investir dinheiro.

Como a todos os homens de sua estirpe, coube a Seth tornar-se sócio do escritório de advocacia dos Belasco, embora ele carecesse do instinto combativo das gerações anteriores. Tinha se formado por obrigação e exercia sua profissão por ter pena dos clientes, não por confiança no sistema judiciário ou por cobiça. Sua irmã Pauline, dois anos mais nova, era mais qualificada para aquele ofício ingrato, mas isso não o eximia de seus deveres perante a firma. Havia completado trinta e dois anos sem tomar juízo, como o repreendia o pai; continuava passando à irmã os casos difíceis, divertindo-se sem atentar para os gastos e borboleteando entre meia dúzia de namoradas transitórias. Apregoava sua vocação de poeta e piloto de motos para impressionar as amigas e assustar os pais, mas não pretendia renunciar a sua renda segura no escritório jurídico da família. Não era cínico, mas sim preguiçoso para o trabalho e alvoroçado para quase todo o resto. Foi o primeiro a se surpreender quando descobriu que se acumulavam as páginas de um manuscrito na pasta em que devia carregar documentos dos tribunais. Essa pesada pasta de couro cor de caramelo, com as iniciais de seu avô gravadas em ouro, era um anacronismo em plena época digital, mas Seth a usava com a certeza de que o objeto tinha poderes sobrenaturais, única explicação possível para a multiplicação espontânea do manuscrito. As palavras surgiam sozinhas no ventre fértil da pasta e passeavam tranquilamente pelo panorama da imaginação. Duzentas e quinze páginas escritas aos borbotões que ele não se dera o trabalho de corrigir, porque seu plano consistia em contar tudo o que pudesse extrair da avó, acrescentar contribuições de produção própria e depois pagar a um *ghost writer* e a um editor consciencioso para que dessem forma ao livro e o lapidassem. Aquelas folhas não existiriam sem a insistência de Irina em lê-las e sem seu atrevimento para criticá-las, atitudes que o obrigavam a produzir regularmente fornadas de dez ou quinze páginas; assim, as folhas iam se somando e, da mesma maneira, sem ter esse propósito, ele ia se transformando em romancista.

Seth era o único membro da família de quem Alma sentia falta, embora jamais admitisse isso. Se transcorressem vários dias sem que ele telefonasse ou a visitasse, ela começava a ficar de mau humor e logo inventava um pretexto para convocá-lo. O neto não a fazia esperar. Chegava como um vendaval, com o capacete de motociclista embaixo do braço, os cabelos revoltos, as faces vermelhas e algum presentinho para ela e outro para Irina: alfajores de doce de leite, sabonete de amêndoas, papel de desenho, um vídeo de zumbis em outra galáxia. Se não encontrasse a moça, sua decepção era visível, mas Alma fingia não perceber. Cumprimentava a avó com um tapinha no ombro, e ela respondia com um grunhido, como haviam feito sempre; tratavam-se como companheiros de aventura, com franqueza e cumplicidade, sem demonstrações de afeto, que consideravam *kitsch*. Conversavam longamente e com a desenvoltura de comadres fofoqueiras: primeiro passavam em revista rapidamente as notícias do momento, incluindo a família, e, em seguida, entravam no que realmente lhes importava. Estavam eternizados em um passado mitológico de episódios e historietas improváveis, épocas e personagens anteriores ao nascimento de Seth. Com o neto, Alma se revelava uma narradora fantasiosa. Evocava, intacta, a mansão de Varsóvia, onde transcorreram os primeiros anos de sua existência, com os sombrios aposentos de móveis monumentais e as empregadas de uniforme deslizando ao longo das paredes sem erguer os olhos, mas acrescentava um imaginário pônei cor de trigo de longas crinas, que acabaria virando refogado nos tempos da fome. Alma resgatava os Mendel, bisavós de Seth, e lhes devolvia tudo o que os nazistas haviam tirado, sentava-os à mesa de Páscoa com os candelabros e talheres de prata, as taças francesas, a porcelana da Bavária e as toalhas bordadas por freiras em um convento espanhol. Era tal sua eloquência nos episódios mais trágicos que Seth e Irina acreditavam estar com os Mendel a caminho de Treblinka; iam com eles dentro do vagão de carga entre centenas de infelizes, desesperados e sedentos, sem ar nem luz, vomitando, defecando, agonizando; entravam com eles, desnudos, na câmara do terror, e desapareciam com eles na fumaça das chaminés. Alma também lhes contava sobre o bisavô Isaac Belasco: de como ele morreu em um mês de primavera, em uma noite na qual caiu uma tempestade de gelo, destruindo por completo seu jardim, e de como ele teve dois funerais, porque no primeiro não coube toda a gente que quis lhe apresentar seus cumprimentos; centenas de brancos, negros, asiáticos, latinos e outros que lhe deviam favores desfilando no cemitério, de forma que o rabino teve que repetir a cerimônia; e da bisavó Lillian, eternamente apaixonada pelo marido, que perdeu a visão no mesmo dia em que ficou viúva e andou nas trevas pelos anos que lhe restavam, sem que os médicos descobrissem a causa. Também falava dos Fukuda e da retirada dos japoneses como algo que a traumatizara na infância, sem destacar demais sua relação com Ichimei Fukuda.

Os Fukuda

Takao Fukuda vivia nos Estados Unidos desde os vinte anos, sem desejo de se adaptar. Como muitos isseis, imigrantes japoneses de primeira geração, não desejava se fundir no cadinho americano, como faziam outras raças chegadas dos quatro pontos cardeais. Tinha orgulho de sua cultura e de sua língua, que mantinha intactas e que procurava inutilmente transmitir a seus descendentes, seduzidos pela grandiosidade da América. Admirava muitos aspectos dessa terra imensa onde o horizonte se confundia com o céu, mas não podia evitar um sentimento de superioridade, que ele jamais deixava transparecer fora de seu lar, porque seria uma descortesia imperdoável ante o país que o tinha acolhido. Com o tempo, ia caindo inexoravelmente nos enganos da saudade, iam se esfumando as razões pelas quais havia abandonado o Japão, e ele acabou idealizando os mesmos costumes antiquados que o haviam impulsionado a emigrar. Ficava chocado com a prepotência e o materialismo dos americanos, características que aos seus olhos não eram expansão de caráter e senso prático, mas vulgaridade; sofria ao constatar como os filhos imitavam os valores individualistas e a conduta rude dos brancos. Seus quatro filhos nasceram na Califórnia, mas tinham sangue japonês por parte de pai e de mãe, nada justificando a indiferença pelos antepassados e a falta de respeito pelas hierarquias. Ignoravam o lugar que cabia a cada um por destino; tinham-se deixado contagiar pela ambição insensata dos americanos, para os quais nada parecia impossível. Takao sabia que também nos detalhes prosaicos seus filhos o traíam: bebiam cerveja até perder a cabeça, mascavam chicletes como ruminantes e dançavam os agitados ritmos da moda, com o cabelo emplastrado e sapatos de duas cores. Seguramente, Charles e James procuravam cantinhos escuros onde pudessem bolinar moças de moral duvidosa, mas ele confiava em Megumi para não cometer semelhantes indecências. Sua filha copiava a moda ridícula das jovens americanas e lia às escondidas as fotonovelas e revistas da gentalha do cinema, as quais ele lhe proibira, mas era boa aluna e, ao menos aparentemente, respeitosa. Takao só controlava Ichimei, mas o menino não demoraria a lhe escapar das mãos e se transformar num estranho, como os irmãos. Esse era o preço de viver na América.

Em 1912, Takao havia deixado sua família e emigrado por razões metafísicas, mas esse fator fora perdendo importância em suas evocações e com frequência ele se perguntava por que havia tomado essa decisão tão drástica. O Japão se abrira à influência estrangeira, e já havia muitos homens jovens que iam embora para outros lugares em busca de oportunidades, mas entre os Fukuda considerava-se o abandono da pátria uma traição irreparável. Provinham de uma tradição militar, tinham derramado seu sangue pelo Imperador durante séculos. Takao, por ser o único homem entre os quatro irmãos que sobreviveram às pestes e aos acidentes da infância, era depositário da honra da família, responsável pelos pais e pelas irmãs, e encarregado de venerar os antepassados no altar doméstico e em cada festividade religiosa. Contudo, aos quinze anos descobriu a Oomoto, o caminho dos deuses, uma nova religião derivada do xintoísmo que estava se fortalecendo no Japão, e sentiu que por fim havia encontrado um mapa que guiasse seus passos na vida. Segundo os líderes espirituais da crença, quase sempre mulheres, podem existir muitos deuses, mas todos são essencialmente o mesmo, e não importa com quais nomes ou rituais sejam honrados; deuses, religiões, profetas e mensageiros ao longo da história provêm da mesma fonte: o Deus Supremo do Universo, o Espírito Único, que impregna tudo o que existe. Com a ajuda dos seres humanos, Deus busca purificar e reconstituir a harmonia do universo, e, quando essa tarefa se concluir, Ele, a humanidade e a natureza coexistirão amavelmente na terra e no âmbito espiritual. Takao se entregou totalmente à sua fé. A Oomoto pregava a paz, alcançável somente através da virtude pessoal, e o jovem compreendeu que seu destino não podia ser uma carreira militar, como correspondia aos homens de sua família. Ir para longe lhe pareceu a única saída, porque ficar e renunciar às armas seria visto como uma covardia imperdoável, a pior afronta que ele podia fazer à sua família. Tentou explicar isso ao pai e só conseguiu partir o seu coração, mas expôs suas razões com tal fervor que este acabou aceitando que perderia o filho. Os jovens que iam embora não voltavam mais. A desonra se lava com sangue. A morte pelas próprias mãos seria preferível, disse-lhe o pai, mas essa alternativa contrariava os princípios da Oomoto.

    Takao chegou à costa da Califórnia com duas mudas de roupa, um retrato dos pais colorido à mão e a espada de samurai que estivera em sua família por sete gerações. O pai a entregara a ele no momento da despedida, porque não podia dá-la a nenhuma das filhas, e, embora o jovem nunca fosse usá-la, a espada lhe pertencia segundo a ordem natural das coisas. Essa katana era o único tesouro que os Fukuda possuíam, feita do melhor aço dobrado e novamente dobrado dezesseis vezes por antigos artesãos, com punho lavrado em prata e bronze, em uma bainha de madeira decorada com laca vermelha e folheada a ouro. Takao viajou com sua katana envolta em sacos para protegê-la, mas aquela forma alongada e curva era inconfundível. Os homens que conviveram com ele no barco durante a fatigante travessia trataram-no com a devida deferência, porque a arma provava que Takao provinha de uma linhagem gloriosa.

Ao desembarcar, recebeu ajuda imediata da minúscula comunidade Oomoto de São Francisco, e em poucos dias obteve emprego de jardineiro com um compatriota. Longe do olhar reprovador do pai, o qual dizia que um soldado não suja as mãos com terra, apenas com sangue, dedicou-se a aprender o ofício com determinação e em pouco tempo fez um bom nome entre outros isseis que viviam da agricultura. Era incansável no trabalho, vivia frugal e virtuosamente, como exigia sua religião, e em dez anos economizou os oitocentos dólares necessários para encomendar uma esposa no Japão. A casamenteira lhe ofereceu três candidatas, e ele escolheu a primeira, porque gostou de seu nome. Chamava-se Heideko. Takao foi esperá-la no cais com seu único terno, comprado de terceira mão e lustroso nos cotovelos e no traseiro, mas de bom corte, com os sapatos engraxados e um chapéu panamá adquirido em Chinatown. A noiva migrante revelou-se uma camponesa dez anos mais nova do que ele, sólida de corpo, plácida de rosto, firme de temperamento e atrevida de língua, muito menos submissa do que a casamenteira havia anunciado, como ficou claro desde o primeiro momento. Uma vez recuperado da surpresa, Takao considerou uma vantagem essa fortaleza de caráter.

Heideko chegou à Califórnia com muito poucas ilusões. No navio, onde compartilhara o reduzido espaço que lhe atribuíram com umas doze moças de sua mesma condição, havia escutado histórias lancinantes de virgens, inocentes como ela, que desafiavam os perigos do oceano para se casar com jovens endinheirados na América, mas no cais a esperavam velhos pobretões ou, no pior dos casos, cafetões que as vendiam aos prostíbulos ou como escravas em fábricas clandestinas. Não foi o seu caso, porque Takao Fukuda lhe enviara um retrato recente e não a enganara sobre sua situação, informando que só podia lhe oferecer uma vida de esforço e de trabalho, mas honorável e menos penosa do que a da aldeia dela no Japão. Tiveram quatro filhos, Charles, Megumi, James e, anos mais tarde, em 1932, quando Heideko se acreditava a salvo da fertilidade, veio Ichimei, prematuro e tão fraquinho que o deram por perdido e não teve nome nos primeiros meses. A mãe o fortaleceu como pôde com infusões de ervas, sessões de acupuntura e água fria, até que, milagrosamente, ele começou a dar mostras de que ia sobreviver. Então, lhe deram um nome japonês, à diferença dos irmãos, que receberam nomes em inglês, fáceis de pronunciar na América. Chamaram-no Ichimei, que significa: vida, luz, brilho ou estrela, dependendo do *kanji* ou ideograma que se use para escrevê-lo. Desde os três anos o menino nadava como um peixe, primeiro nas piscinas locais e depois nas águas geladas da baía de São Francisco. Seu pai temperou-lhe o caráter com trabalho físico, amor às plantas e artes marciais.

Na época em que Ichimei nasceu, a família Fukuda sobrevivia a duras penas aos piores anos da Depressão. Arrendavam terra nos arredores de São Francisco, onde cultivavam hortaliças e árvores frutíferas para abastecer mercados locais. Takao completava a renda trabalhando para os Belasco, a primeira família que lhe deu emprego quando ele se tornou independente do compatriota que o iniciara na jardinagem. A boa reputação de Takao lhe valeu para que Isaac Belasco o chamasse para fazer o jardim de uma propriedade que ele adquirira recentemente em Sea Cliff, onde pretendia construir uma casa para abrigar seus descendentes por cem anos, como propôs de brincadeira ao arquiteto, sem imaginar que a brincadeira se concretizaria. Seu escritório de advocacia nunca deixava de ser rentável, porque representava a Companhia Ocidental de Trens e Navegação da Califórnia; Isaac era dos poucos empresários que não sofreram durante a crise econômica. Tinha seu dinheiro em ouro e o investiu em barcos de pesca, uma serraria, oficinas mecânicas, uma lavanderia e outros negócios similares. Fez isso pensando em empregar alguns dos desesperados que faziam fila por um prato de sopa nos refeitórios beneficentes, para lhes aliviar a miséria, mas seu propósito altruísta lhe trouxe inesperados benefícios. Enquanto a casa era edificada de acordo com os caprichos desordenados de sua mulher, Isaac compartilhava com Takao seu sonho de reproduzir a natureza de outras latitudes numa colina de penhascos, exposta à névoa e ao vento. No processo de passar para o papel essa visão desatinada, Isaac Belasco e Takao Fukuda desenvolveram uma relação respeitosa. Juntos leram os catálogos, selecionaram e encomendaram em outros continentes as árvores e as plantas pequenas, que chegaram envoltas em sacos úmidos, com a terra original aderida às raízes; juntos decifraram as instruções do manual e montaram a estufa de vidro trazida de Londres, peça por peça, como um quebra-cabeças; e juntos haveriam de manter vivo aquele eclético jardim do Éden.

A indiferença de Isaac Belasco pela vida social e pela maioria dos assuntos familiares, que deixava por completo nas mãos de Lillian, era compensada por uma paixão irrefreável pela botânica. Ele não fumava nem bebia, carecia de vícios conhecidos e tentações irresistíveis; era incapaz de apreciar a música ou a boa mesa e, se Lillian permitisse, até se alimentaria, de pé na cozinha, com o mesmo pão duro e a mesma sopa de pobre dos desempregados da Depressão. Um homem assim era imune à corrupção e à vaidade. Suas características eram a inquietação intelectual, a paixão para defender os clientes mediante artifícios de litigante e a inclinação secreta por ajudar os necessitados, mas nenhum desses prazeres se comparava com o da jardinagem. Um terço de sua biblioteca estava destinado à botânica. A cerimoniosa amizade com Takao Fukuda, baseada em admiração mútua e amor à natureza, chegou a ser fundamental para sua tranquilidade de espírito, o bálsamo necessário para suas frustrações com a Lei. Em seu jardim, Isaac Belasco se transformava em humilde aprendiz do mestre japonês, que lhe revelava os segredos do mundo vegetal, os quais muitas vezes os livros de botânica não esclareciam. Lillian adorava o marido e cuidava dele com diligência de enamorada, mas nunca o desejava tanto como ao vê-lo da sacada, trabalhando lado a lado com o jardineiro. De macacão, botas e chapéu de palha, suando a pleno sol ou molhado pela garoa, Isaac rejuvenescia e, aos olhos de Lillian, voltava a ser o noivo apaixonado que a seduzira aos dezenove anos ou o recém-casado que a surpreendia na escada, antes que conseguissem chegar à cama.

Dois anos depois de Alma chegar para viver em sua casa, Isaac Belasco se associou a Takao Fukuda para criar um viveiro de flores e plantas decorativas, com o sonho de transformá-lo no melhor da Califórnia. A primeira medida seria adquirir alguns lotes em nome de Isaac, como forma de driblar a lei promulgada em 1913, que impedia os isseis, imigrantes japoneses de primeira geração, de obter cidadania, possuir terras ou comprar propriedades. Para Fukuda, tratava-se de uma oportunidade única, e, para Belasco, de um investimento prudente, como outros que ele havia feito durante os anos dramáticos da Depressão. Nunca se interessou pelos vaivéns da Bolsa de Valores, preferindo investir em fontes de trabalho. Ambos os homens combinaram que quando Charles, o filho mais velho de Takao, alcançasse a maioridade e os Fukuda pudessem comprar sua parte de Belasco, ao preço do momento, transfeririam o viveiro para o nome de Charles e encerrariam a sociedade. Seu filho, por ser nascido nos Estados Unidos, era cidadão americano. Foi um acordo de cavalheiros, selado com um simples aperto de mãos.

Ao jardim dos Belasco não chegavam ecos da campanha de difamação contra os japoneses, a quem a propaganda acusava de competir deslealmente com os agricultores e os pescadores americanos, de ameaçar a virtude das mulheres brancas com sua insaciável luxúria e de corromper a sociedade com seus costumes orientais e anticristãos.

Alma só soube desses preconceitos dois anos depois de sua chegada a São Francisco, quando, da noite para o dia, os Fukuda se transformaram em perigo amarelo. Já então, ela e Ichimei eram amigos inseparáveis.

O inesperado ataque do Império do Japão a Pearl Harbor, em dezembro de 1941, destruiu dezoito navios da frota, deixou um saldo de dois mil e quinhentos mortos, mil feridos e, em menos de vinte e quatro horas, mudou a mentalidade isolacionista dos americanos. O presidente Roosevelt declarou guerra ao Japão, e, poucos dias depois, Hitler e Mussolini, aliados do Império do Sol Nascente, declararam-na aos Estados Unidos. O país inteiro se mobilizou para participar dessa guerra, que ensanguentava a Europa havia dezoito meses. A reação geral de terror, provocada entre os americanos pelo ataque do Japão, foi acentuada por uma campanha histérica da imprensa, que advertia sobre a iminente invasão dos "amarelos" à costa do Pacífico. Exacerbou-se o ódio contra os asiáticos, que já existia desde mais de um século antes. Japoneses que viviam no país havia anos, seus filhos e seus netos passaram a ser suspeitos de espionagem e de colaboração com o inimigo. As batidas policiais e detenções logo começaram. Bastava um rádio de onda curta em um barco, único meio de comunicação dos pescadores com a terra, para prender o dono. A dinamite empregada pelos camponeses para arrancar troncos e pedras dos terrenos de semeadura era considerada prova de terrorismo. Confiscaram-se desde espingardas de chumbinho até facas de cozinha e ferramentas de trabalho; também binóculos, câmeras fotográficas, estatuetas religiosas, quimonos cerimoniais e documentos em outra língua. Dois meses depois, por razões de segurança militar, Roosevelt assinou a ordem de evacuar da costa do Pacífico — Califórnia, Oregon, Washington —, onde as tropas amarelas podiam levar a cabo a temida invasão, toda pessoa de origem japonesa. Também foram declarados zonas militares os estados de Arizona, Idaho, Montana, Nevada e Utah. O Exército dispunha de três semanas para construir os refúgios necessários.

Em março, São Francisco amanheceu coberta de avisos de retirada da população japonesa. Takao e Heideko não compreendiam o significado daqueles textos, mas seu filho Charles lhes explicou. Para começar, os japoneses não podiam sair de um raio de cinco milhas em torno de suas casas sem permissão especial, e deviam se submeter ao toque de recolher noturno, das oito da noite às seis da manhã. As autoridades começaram a revistar casas e confiscar bens, prenderam homens influentes que poderiam incitar outros à traição, chefes de comunidades, diretores de empresas, professores, líderes religiosos, e levaram-nos para um destino desconhecido; para trás, ficaram mulheres e crianças horrorizadas. Os japoneses tiveram que vender às pressas e a preço de banana o que possuíam e fechar seus estabelecimentos comerciais. Logo descobriram que suas contas bancárias haviam sido bloqueadas; estavam arruinados. O viveiro de flores de Takao Fukuda e Isaac Belasco não chegou a se tornar realidade.

Em agosto, haviam transferido mais de cento e vinte mil homens, mulheres e crianças; estavam arrancando anciãos de hospitais, bebês de orfanatos e doentes mentais de instituições para interná-los em dez campos de concentração em zonas isoladas no interior do país, enquanto nas cidades restavam bairros fantasmagóricos de ruas desoladas e casas vazias, por onde vagavam os bichos de estimação abandonados e os espíritos confusos dos antepassados chegados à América com os imigrantes. A medida era destinada a proteger tanto a costa do Pacífico quanto os japoneses, que podiam ser vítimas da ira do restante da população; era uma solução temporária e se realizaria de forma humanitária. Esse era o discurso oficial, mas, enquanto isso, a linguagem do ódio já se espalhara. "Uma víbora é sempre uma víbora, não importa onde deposite seus ovos. Um japonês americano nascido de pais japoneses, formado nas tradições japonesas, vivendo em um ambiente transplantado do Japão, inevitavelmente, e com raríssimas exceções, cresce como japonês, e não como americano. São todos inimigos." Bastava ter um bisavô nascido no Japão para entrar na categoria de víbora.

Assim que Isaac Belasco soube da evacuação, procurou Takao para lhe oferecer ajuda e assegurar que sua ausência seria breve; porque a evacuação era inconstitucional e violava os princípios da democracia americana. O sócio japonês respondeu curvando-se em reverência, profundamente comovido pela amizade desse homem, porque naquelas semanas sua família havia sofrido insultos, desprezo e agressões de outros brancos. *Shikata ga nai*, o que vamos fazer?, respondeu Takao. Era o lema de sua gente nas adversidades. Ante a insistência de Belasco, atreveu-se a pedir um favor particular: que ele lhe permitisse enterrar a espada dos Fukuda no jardim de Sea Cliff. Havia conseguido escondê-la dos agentes que revistaram sua casa, mas em um local que não era seguro. A espada representava a coragem de seus antepassados e o sangue vertido em nome do Imperador; assim, não poderia ficar exposta a nenhuma forma de desonra.

Nessa mesma noite, os Fukuda, vestidos com quimonos brancos da religião Oomoto, foram a Sea Cliff, onde Isaac e seu filho Nathaniel os receberam em ternos escuros e com os *yarmulkes* que usavam nas raras ocasiões em que iam à sinagoga. Ichimei trazia seu gato num cesto coberto com um pano e o entregou a Alma para que cuidasse dele por um tempo.

— Como se chama? — perguntou a menina.

— Neko. Em japonês, quer dizer gato.

Lillian, acompanhada das filhas, serviu chá a Heideko e Megumi em um dos salões do primeiro andar, enquanto Alma, sem compreender o que acontecia, mas consciente da solenidade do momento, seguia os homens escondendo-se entre as sombras das árvores, com o cesto do gato nos braços. Partiram colina abaixo pelos terraços do jardim, iluminando o caminho com lampiões a parafina, até o local, em frente ao mar, onde haviam preparado uma vala. Na frente ia Takao, com a espada nos braços, envolta em seda branca, seguido por seu primogênito, Charles, com o estojo metálico que haviam mandado confeccionar para protegê-la; James e Ichimei iam atrás, e Isaac e Nathaniel Belasco terminavam a fila. Takao, com lágrimas que não tentava disfarçar, rezou durante vários minutos; em seguida, colocou a arma no estojo, que era segurado pelo filho mais velho, e se prostrou de joelhos, com a testa no solo, enquanto Charles e James desciam a katana em direção ao buraco e Ichimei espalhava por cima punhados de terra. Depois, cobriram o objeto e aplanaram o solo com pás. "Amanhã, plantarei crisântemos brancos para marcar o lugar", disse Isaac Belasco, a voz rouca de emoção, ajudando Takao a ficar de pé.

Alma não se atreveu a correr ao encontro de Ichimei, pois deduziu que houvesse uma razão imperiosa para excluir as mulheres daquela cerimônia. Esperou que os homens voltassem à casa para segurar Ichimei e arrastá-lo para um canto escondido. O menino explicou que não voltaria no sábado seguinte nem nenhum outro dia por algum tempo, talvez várias semanas ou vários meses, e que os dois também não poderiam se falar por telefone. "Por quê? Por quê?", gritou Alma, sacudindo-o, mas Ichimei não pôde responder. Ele tampouco sabia por que deviam partir nem para onde.

O perigo amarelo

Os Fukuda trancaram as janelas e puseram um cadeado na porta de frente para a rua. Haviam pagado o aluguel do ano inteiro, mais uma cota destinada a comprar a casa assim que pudessem colocá-la no nome de Charles. Doaram tudo o que não conseguiram ou não quiseram vender, porque os aproveitadores lhes ofereciam dois ou três dólares por objetos que valiam vinte vezes mais. Tiveram pouquíssimos dias para recolher seus bens, arrumar uma bagagem por pessoa e mais o que pudessem carregar, e apresentar-se aos ônibus da vergonha. Deviam se render voluntariamente, do contrário seriam detidos e enfrentariam as consequências da acusação de espionagem e traição em tempo de guerra. Uniram-se a centenas de outras famílias, que se dirigiam em passos lentos, todos vestidos com suas melhores roupas, as mulheres de chapéu, os homens de gravata, as crianças com botinas de verniz, ao Centro de Controle Civil, para onde haviam sido convocados. Entregavam-se porque não havia alternativa e porque, assim, demonstravam sua lealdade aos Estados Unidos e seu repúdio ao ataque do Japão. Era sua contribuição ao esforço de guerra, como diziam os dirigentes da comunidade japonesa, e muito poucas vozes se levantaram para contradizê-los. Coube aos Fukuda o campo de Topaz, em uma zona desértica de Utah, mas isso eles não saberiam até setembro; passariam seis meses esperando em um hipódromo.

Os isseis, habituados à discrição, obedeceram às ordens sem reclamar, mas não puderam impedir que alguns jovens da segunda geração, os nisseis, se rebelassem abertamente; esses foram separados de suas famílias e enviados a Tule Lake, o campo de concentração mais rigoroso, onde sobreviveriam como criminosos durante os anos da guerra. Ao longo das ruas, os brancos eram testemunhas dessa dilacerante procissão de pessoas que eles conheciam: os donos do armazém onde faziam suas compras diárias, os pescadores, jardineiros e carpinteiros com quem lidavam frequentemente, os colegas de escola de seus filhos, os vizinhos. A maioria observava em um silêncio incômodo, mas não faltaram alguns insultos racistas e piadas maliciosas. Dois terços dos prisioneiros haviam nascido no país, eram cidadãos americanos. Os japoneses, formados em longas filas, esperavam horas diante das mesas dos agentes, que os inscreviam e lhes entregavam etiquetas para pendurar ao pescoço com o número de identificação, o mesmo de suas bagagens. Um grupo de quacres, opostos a essa medida por considerá-la racista e anticristã, oferecia-lhes água, sanduíches e frutas.

Takao Fukuda estava prestes a entrar com a família no ônibus quando Isaac Belasco chegou, trazendo Alma pela mão. Havia recorrido ao peso de sua autoridade para intimidar os agentes e os soldados que quiseram detê-lo. Estava profundamente alterado, porque não podia deixar de comparar o que estava ocorrendo a poucas quadras de sua casa com o que talvez tivesse acontecido com seus cunhados em Varsóvia. Abriu caminho aos empurrões para abraçar apertado o amigo e lhe entregar um envelope com dinheiro, que Takao tentou inutilmente recusar, enquanto Alma se despedia de Ichimei. "Me escreva, me escreva", foi a última coisa que as crianças se disseram antes que a triste serpente de ônibus empreendesse a marcha.

Ao fim de um trajeto que lhes pareceu muito longo, embora tivesse durado pouco mais de uma hora, os Fukuda chegaram ao hipódromo de Tanforan, na cidade de San Bruno. As autoridades haviam isolado o local com arame farpado, acondicionado às pressas os estábulos e construído barracões improvisados para abrigar oito mil pessoas. A ordem de evacuação tinha sido tão súbita que não houve tempo para terminar as instalações nem para prover os acampamentos com o necessário. Desligaram-se os motores dos veículos, e os prisioneiros começaram a desembarcar, carregando crianças e malas, ajudando os idosos. Avançavam mudos, apertando-se em grupos, vacilantes, sem entender os gritos descontrolados dos alto-falantes. A chuva havia transformado o solo num lamaçal e encharcava as pessoas e as bagagens.

Guardas armados separaram os homens das mulheres para a inspeção médica; mais tarde seriam vacinados contra tifo e sarampo. Nas horas seguintes, os Fukuda trataram de recuperar seus pertences entre montanhas de volumes em total confusão e se instalaram no estábulo vazio que lhes fora atribuído. Teias de aranha pendiam do teto, havia baratas, ratos e um palmo de poeira e palha no solo; o fedor dos animais perdurava no ar, misturado ao da creolina com que os militares haviam tentado desinfetar o local. Os Fukuda dispunham de um catre, um saco e dois cobertores do Exército por pessoa. Takao, atordoado pela fadiga e humilhado até o último recanto da alma, sentou-se no chão com os cotovelos nos joelhos e a cabeça entre as mãos. Heideko tirou o chapéu e os sapatos, calçou os tamanquinhos, arregaçou as mangas e se dispôs a tirar da desgraça a melhor vantagem possível. Não deu tempo aos filhos para se lamentarem; primeiro os fez armar os catres de campanha e varrer, depois mandou Charles e James recolherem pedaços de tábuas e de paus que tinha visto ao chegar, restos da improvisada construção, para fazer algumas prateleiras onde pudesse colocar os escassos utensílios de cozinha que haviam levado. Encarregou Megumi e Ichimei de encher os sacos com palha para fazer colchões, segundo as instruções recebidas, e ela mesma foi percorrer as instalações, saudar as outras mulheres e avaliar os guardas e agentes do campo, que estavam tão aturdidos quanto os prisioneiros a seu cargo, perguntando-se quanto tempo deveriam permanecer ali. Os únicos inimigos evidentes que Heideko detectou em sua primeira inspeção foram os intérpretes coreanos, que percebeu serem detestáveis com os detidos e bajuladores com os oficiais americanos. Constatou que as latrinas e os chuveiros eram insuficientes e não tinham portas; havia quatro banheiras para as mulheres, e a água quente não dava para todos. Havia-se abolido o direito à privacidade. Mas Heideko imaginou que não passariam fome, porque viu os caminhões de provisões e soube que nos refeitórios serviriam três refeições diárias a partir daquela mesma tarde.

O jantar consistiu em batatas, salsichas e pão, mas as salsichas acabaram antes que chegasse a vez dos Fukuda. "Voltem mais tarde", soprou-lhes um dos japoneses encarregados de servir. Heideko e Megumi esperaram que o refeitório se esvaziasse e conseguiram uma lata de picadinho de carne e mais batatas, que elas levaram para o alojamento da família. Nessa noite, Heideko iniciou uma lista mental dos passos a seguir para que a estada no hipódromo fosse suportável. Na lista figuravam a alimentação, em primeiro lugar, e em último, entre parênteses, porque ela duvidava seriamente de que conseguiria, a substituição dos intérpretes. Não pregou olho durante toda a noite e, ao primeiro raio de sol que se infiltrou pelas frestas do estábulo, sacudiu o marido, que também não tinha dormido e continuava imóvel. "Aqui há muito o que fazer, Takao. Precisamos de representantes para negociar com as autoridades. Vista o paletó e vá reunir os homens."

Os problemas começaram de imediato em Tanforan, mas, antes de a semana terminar, os prisioneiros tinham se organizado, escolhido por votação democrática seus representantes — entre os quais se incluía Heideko Fukuda, a única mulher —, registrado os adultos por ofício e habilidade — professores, agricultores, carpinteiros, ferreiros, contadores, médicos, etc. —, inaugurado uma escola sem lápis nem cadernos e programado esportes e outras atividades para manter ocupados os jovens, que se consumiam de frustração e ócio. Dia e noite vivia-se em fila, havia fila para tudo: o chuveiro, o hospital, a lavanderia, os serviços religiosos, o correio e os três turnos do refeitório; precisavam ter muita paciência para evitar tumultos e brigas. Havia toque de recolher, fazia-se chamada duas vezes por dia e proibia-se o uso da língua japonesa, o que era impossível para os isseis. De forma a impedir que os guardas interviessem, os próprios detidos se encarregavam de manter a ordem e controlar os revoltosos, mas ninguém podia evitar os rumores que circulavam como torvelinho e às vezes provocavam pânico. As pessoas procuravam manter a cortesia, para que a escassez, a promiscuidade e a humilhação fossem mais toleráveis.

Seis meses mais tarde, em 11 de setembro, os detidos começaram a ser transferidos em trens. Ninguém sabia para onde iriam. Depois de um dia e duas noites em vagões desconjuntados, sufocantes, com sanitários insuficientes, sem luz à noite, atravessando paisagens desoladas que eles não reconheciam e que vários viajantes confundiam com o México, pararam na estação de Delta, em Utah. Dali seguiram em caminhões e ônibus para Topaz, a Joia do Deserto, como havia sido denominado o campo de concentração, possivelmente sem intenção de ironia. Os prisioneiros estavam desfalecidos, sujos e trêmulos, mas não tinham passado fome nem sede, porque lhes foram distribuídos sanduíches, e em cada vagão havia cestas com laranjas.

Topaz, a quase mil e quatrocentos metros de altura, era uma cidade horrenda, de construções idênticas e baixas, como uma base militar improvisada, cercada de arame farpado, com altas torres de controle e soldados armados, em um local árido e abandonado, açoitado pelo vento e atravessado por redemoinhos de poeira. Os outros campos de concentração para japoneses, no oeste do país, eram semelhantes e ficavam em zonas desérticas, para desestimular qualquer intenção de fuga. Não se vislumbrava uma árvore, sequer uma touceira, nada verde em nenhum lado, somente fileiras de barracões escuros estendendo-se pelo horizonte até perder de vista. As famílias se mantinham juntas, sempre de mãos dadas, para não se perderem na confusão. Todos precisavam usar as latrinas, e ninguém sabia onde ficavam. Os guardas levaram várias horas para organizar as pessoas, porque também não entendiam as instruções, mas finalmente distribuíram os alojamentos.

Os Fukuda, desafiando a poeira que nublava o ar e dificultava a respiração, encontraram seu lugar. Cada barraca era dividida em seis unidades de quatro metros por sete, uma por família, separadas por finos tabiques de papel alcatroado; havia doze barracas por bloco, quarenta e dois blocos no total, e cada um possuía refeitório, lavanderia, chuveiros e sanitários. O campo ocupava uma área enorme, mas os oito mil detidos viviam em pouco mais de dois quilômetros quadrados. Os prisioneiros logo descobririam que a temperatura oscilava entre um calor de fogueira no verão e vários graus abaixo de zero no inverno. Durante o verão, além do calor terrível, precisavam suportar o ataque ininterrupto dos mosquitos e as tempestades de poeira, que escureciam o céu e abrasavam os pulmões. O vento soprava por igual em qualquer época do ano, arrastando a fetidez das águas de esgoto que formavam um pântano a um quilômetro do acampamento.

Tal como haviam feito no hipódromo de Tanforan, os japoneses logo se organizaram em Topaz. Em poucas semanas, havia escolas, creches, centros esportivos e um jornal. Com pedaços de madeira, pedras e restos da construção criavam arte: faziam bijuterias com conchas fossilizadas e caroços de pêssego, faziam bonecas com trapos, faziam brinquedos com ripas de madeira. Formaram uma biblioteca com livros doados, assim como grupos de teatro e bandas de música. Ichimei convenceu o pai de que podiam plantar hortaliças em caixotes, apesar do clima impiedoso e da terra alcalina. Isso animou Takao, e outros o imitaram. Vários isseis decidiram formar um jardim decorativo; cavaram um buraco, encheram-no de água e fabricaram um tanque para diversão das crianças. Ichimei, com seus dedos mágicos, construiu um veleiro de madeira, que colocou a flutuar no tanque, e em menos de quatro dias havia dúzias de barquinhos apostando corrida. Os detidos estavam encarregados das cozinhas de cada setor; eles faziam prodígios com provisões secas e em conserva, trazidas dos povoados mais próximos, e fizeram o mesmo com as hortaliças que conseguiram colher no ano seguinte, regando as plantações com colheres. Não estavam acostumados a ingerir gorduras nem açúcar e muitos adoeceram, como Heideko havia previsto. As filas dos sanitários se estendiam por quadras; a urgência e a angústia eram tamanhas que ninguém esperava as sombras da noite para atenuar a falta de privacidade. As latrinas entupiram com as fezes de milhares de pacientes, e o hospital rudimentar, atendido por brancos e por médicos e enfermeiras japoneses, não dava conta de tudo.

Quando acabaram os restos de madeira para fazer móveis e foram atribuídas tarefas àqueles a quem a impaciência feria os intestinos, a maioria dos prisioneiros afundou no tédio. Os dias se eternizavam nessa cidade de pesadelo, vigiada de perto por mal-encaradas sentinelas nas torres e de longe pelas magníficas montanhas de Utah; todos os dias eram iguais: nada para fazer, filas e mais filas, esperar o correio, gastar as horas ociosas jogando cartas, inventar tarefas de formiga, repetir as mesmas conversas, que iam perdendo sentido à medida que as palavras se gastavam. Os costumes ancestrais foram desaparecendo, os pais e avós viram sua autoridade se diluir, os cônjuges mantinham-se numa convivência sem intimidade, e as famílias começaram a se desintegrar. Sequer podiam se reunir em torno da mesa de jantar; comia-se no burburinho dos refeitórios comuns. Por mais que Takao insistisse em que os Fukuda se sentassem juntos, seus filhos preferiam ficar com outros rapazes de sua idade, e era difícil controlar Megumi, que se transformara numa beleza de faces coradas e olhos cintilantes. Os únicos imunes aos estragos do desespero eram as crianças, que andavam em manadas, ocupadas em travessuras mínimas e aventuras imaginárias, pensando estar de férias.

O inverno chegou logo. Quando começou a nevar, entregaram a cada família uma estufa a carvão, que se tornou o centro da vida social, e distribuíram roupa militar em desuso. Esses uniformes verdes, desbotados e grandes demais eram tão deprimentes quanto a paisagem gelada e as barracas negras. As mulheres começaram a fazer flores de papel para seus alojamentos. À noite, não havia forma de combater o vento, que arrastava flocos congelados, entrava assoviando por entre as frestas das barracas e levantava os telhados. Os Fukuda, como o restante das pessoas, dormiam vestidos com todas as suas roupas, embrulhados nos cobertores que haviam recebido e abraçados nos catres de campanha para compartilhar calor e consolo. Meses depois, no verão, dormiriam quase nus e amanheceriam cobertos de areia cor de cinza, fina como talco. Mas se sentiam afortunados, porque estavam juntos. Outras famílias tinham sido separadas; primeiro haviam levado os homens para um campo de realocação, como os chamaram, e depois levaram as mulheres e crianças para outro; em alguns casos, dois ou três anos se passariam até que todos pudessem se reunir de novo.

A correspondência entre Alma e Ichimei enfrentou obstáculos desde o início. As cartas atrasavam semanas, não por ineficiência do correio, mas pela demora dos funcionários de Topaz, que não davam conta de ler as centenas delas que se empilhavam diariamente em suas mesas. As de Alma, cujo conteúdo não ameaçava a segurança dos Estados Unidos, passavam na íntegra, mas as de Ichimei sofriam tamanha censura que a garota precisava adivinhar o sentido das frases entre as tarjas de tinta preta. As descrições das barracas, da comida, das latrinas, do tratamento dos guardas e até do clima eram suspeitas. Por conselho de outros mais treinados na arte do engano, Ichimei salpicava suas cartas de elogios aos americanos e exclamações patrióticas, até que as náuseas o fizeram desistir dessa tática. Então, optou por desenhar. Aprender a ler e a escrever lhe custara mais do que o normal; aos dez anos, ele não dominava completamente as letras, que se misturavam sem consideração pela ortografia. No entanto, sempre teve olho certeiro e pulso firme para o desenho. Suas ilustrações passavam pela censura sem objeções, e, assim, Alma se inteirava dos pormenores da existência dele em Topaz como se os visse em fotografias.

3 de dezembro de 1986

Ontem falamos de Topaz e eu não lhe mencionei o mais importante, Alma: nem tudo foi negativo. Tínhamos festas, esportes, arte. Comíamos peru no Dia de Ação de Graças, decorávamos as barracas para o Natal. De fora, nos enviavam pacotes com guloseimas, brinquedos e livros. Minha mãe andava sempre ocupada com novos planos e era respeitada por todos, inclusive pelos brancos. Megumi estava apaixonada e eufórica com seu trabalho no hospital. Eu pintava, plantava na horta, consertava coisas quebradas. As aulas eram tão curtas e fáceis que até eu tirava boas notas. Brincava quase o dia inteiro; havia muitas crianças e centenas de cães sem dono, todos parecidos, de patas curtas e pelo duro. Os que mais sofreram foram meu pai e James.

Depois da guerra, as pessoas dos campos se distribuíram pelo país. Os jovens se tornaram independentes, acabou aquilo de viverem isolados em uma imitação ruim do Japão. Nós nos incorporamos à América.

Estou pensando em você. Quando nos virmos, vou lhe preparar chá e conversaremos.

Ichi

Irina, Alma e Lenny

As duas mulheres estavam almoçando na rotunda da Neiman Marcus, na Union Square, à luz dourada da antiga cúpula de vitrais, que frequentavam sobretudo pelos *popovers*, pães quentinhos, esponjosos e leves que eram servidos recém-saídos do forno, e pelo champanhe *rosé*, o preferido de Alma. Irina pedia limonada e as duas brindavam à boa vida. Em silêncio, para não ofender Alma, Irina brindava também ao dinheiro dos Belasco, que lhe permitia o luxo daquele momento, com música suave, entre compradoras elegantes, modelos esbeltas desfilando com roupas dos grandes estilistas para instigar a clientela, e obsequiosos garçons de gravata verde. Era um mundo refinado, o oposto de sua aldeia da Moldávia, da escassez de sua infância e do terror de sua adolescência. Comiam com calma, saboreando os pratos de influência asiática e repetindo os *popovers*. Na segunda taça de champanhe, as evocações de Alma se desatavam, e nessa ocasião ela voltou a se referir a Nathaniel, seu marido, que estava presente em muitas de suas histórias; havia conseguido mantê-lo vivo na memória durante três décadas. Seth recordava vagamente esse avô como um esqueleto pálido de olhos ardentes entre grandes almofadas de plumas. Ainda estava para completar três anos de idade quando o olhar sofrido de seu avô se apagou, mas nunca esqueceu o odor de medicamentos e de eucalipto do quarto dele. Alma contou a Irina que Nathaniel havia sido tão bondoso quanto o próprio pai, Isaac Belasco, e que, quando ele morreu, ela encontrou entre seus papéis centenas de promissórias vencidas de empréstimos que ele nunca cobrou e instruções precisas para perdoar aos seus muitos devedores. Ela não estava preparada para se encarregar dos assuntos que ele deixara de lado durante sua devastadora enfermidade.

— Em toda a minha vida, nunca me ocupei de questões de dinheiro. Curioso, não é?

— Teve sorte. Quase todo mundo que conheço tem preocupações de dinheiro. Os residentes de Lark House vivem muito apertados; alguns não podem sequer comprar seus medicamentos.

— Não têm seguro de saúde? — perguntou Alma, espantada.

— O seguro só cobre uma parte, não tudo. Quando a família não os ajuda, o senhor Voigt tem que recorrer a um fundo especial de Lark House.

— Vou falar com ele. Por que não tinha me contado isso antes, Irina?

— A senhora não pode resolver cada caso, Alma.

— Não, mas a Fundação Belasco pode se encarregar dos jardins de Lark House. Voigt pouparia um monte de dinheiro, que ele poderia usar para ajudar os residentes mais necessitados.

— O senhor Voigt vai desmaiar nos seus braços quando a senhora lhe propuser isso, Alma.

— Que horror! Espero que não.

— Continue me contando. O que fez, quando seu marido morreu?

— Estava quase naufragando em papéis quando atentei para Larry. Meu filho tinha vivido ajuizadamente na sombra e se transformado em um senhor circunspecto e responsável sem que ninguém percebesse.

Larry Belasco se casara jovem, às pressas e sem festejos, por causa da doença do pai e porque sua noiva, Doris, estava visivelmente grávida.

Alma admitia que nessa época estava tomada pelos cuidados com o marido e tivera pouco tempo de conhecer melhor a nora, embora vivessem sob o mesmo teto. Gostava muito dela, no entanto, porque Doris, afora suas virtudes, adorava Larry e era a mãe de Seth, aquele pirralho travesso que saltava como um canguru, espantando a tristeza da casa, e de Pauline, uma menina tranquila, que se entretinha sozinha e parecia não precisar de nada.

— Assim como nunca precisei me ocupar de dinheiro, também não tive o aborrecimento dos trabalhos domésticos. Minha sogra administrou a casa de Sea Cliff até seu último suspiro, apesar de sua cegueira, e depois tivemos um mordomo. Parecia uma caricatura desses personagens dos filmes ingleses. O sujeito era tão empertigado que na família sempre suspeitamos que ele zombava de nós.

Contou a Irina que o mordomo ficou onze anos em Sea Cliff e foi embora quando Doris se atreveu a lhe dar sugestões sobre o trabalho dele. "Ou ela ou eu", disse o homem a Nathaniel, que já não se levantava da cama e tinha muito poucas forças para lidar com esses problemas, mas era quem contratava os empregados. Diante do ultimato, Nathaniel escolheu sua nora recém-adquirida, a qual, apesar da juventude e da barriga de sete meses, demonstrou ser uma dona de casa competente. Nos tempos de Lillian, a casa era manejada à base de boa vontade e improvisação, e, com o mordomo, as únicas mudanças notáveis tinham sido a demora para servir cada prato à mesa e a cara feia do cozinheiro, que o detestava. Sob a implacável batuta de Doris, Sea Cliff se tornou um exemplo de preciosismo no qual ninguém se sentia particularmente à vontade. Irina tinha visto o resultado de tanta eficácia: a cozinha era um laboratório impoluto, nos salões as crianças não entravam, os armários cheiravam a lavanda, os lençóis eram engomados, a comida diária consistia em pratos arrogantes em porções minúsculas, e os arranjos de flores eram renovados uma vez por semana por uma florista profissional, mas não davam um ar festivo à casa, e sim impunham uma solenidade de pompa fúnebre. O único cômodo que a varinha mágica da domesticidade havia respeitado era o quarto vazio de Alma, por quem Doris sentia um temor reverente.

— Quando Nathaniel adoeceu, Larry assumiu a direção do escritório dos Belasco — prosseguiu Alma. — Desde o princípio, fez isso muito bem. E quando Nathaniel morreu, eu pude delegar a ele as finanças da família e me dedicar a ressuscitar a Fundação Belasco, que estava moribunda. Os parques públicos estavam secando, enchendo-se de lixo, de agulhas e preservativos descartados. Mendigos haviam se instalado, com seus carrinhos lotados de volumes imundos e suas coberturas de papelão. Não entendo nada de plantas, mas me dediquei aos parques por amor ao meu sogro e ao meu marido. Para eles, isso era uma missão sagrada.

— Parece que todos os homens de sua família tinham bom coração. Há pouca gente assim neste mundo.

— Há muita gente boa, Irina, mas é discreta. Os maus, em contraposição, fazem muito ruído, por isso são mais notados. Você conhece pouco Larry, mas, se algum dia precisar de algo e eu não estiver à disposição, não hesite em recorrer a ele. Meu filho é muito boa pessoa e não vai falhar com você.

— Ele é muito sisudo; creio que não me atreveria a incomodá-lo.

— Sempre foi sisudo. Aos vinte anos, parecia ter cinquenta, mas suas feições congelaram nessa idade e envelheceu do mesmo jeito. Observe que em todas as fotografias ele tem a mesma expressão preocupada e os ombros caídos.

Hans Voigt havia estabelecido um sistema simples para que os residentes de Lark House qualificassem o desempenho do pessoal, e ficava intrigado pelo fato de Irina sempre obter o grau de excelente. Imaginava que o segredo dela consistia em escutar a mesma história mil vezes como se a ouvisse pela primeira vez, aquelas histórias que os anciãos repetiam para adaptar o passado e criar uma imagem aceitável de si mesmos, apagando seus remorsos e exaltando suas virtudes, reais ou inventadas. Ninguém deseja terminar a vida com um passado banal. Mas a fórmula de Irina era mais complexa; para ela, cada um dos anciãos de Lark House era uma réplica de seus avós, Costea e Petruta, a quem invocava toda noite antes de dormir, pedindo que a acompanhassem na escuridão, tal como haviam feito em sua infância. Tinha se criado com eles, cultivando um pedaço de terra ingrata em um vilarejo remoto da Moldávia, aonde não chegavam vestígios do progresso. A maior parte da população ainda vivia no campo e continuava lavrando a terra tal como haviam feito seus antepassados, um século antes. Irina tinha dois anos quando o muro de Berlim caiu, em 1989, e quatro quando a União Soviética ruiu e seu país se tornou república independente, dois acontecimentos que nada significaram para ela, mas que seus avós lamentaram em coro com os vizinhos. Todos concordavam que sob o comunismo a pobreza era a mesma, mas havia alimento e segurança, ao passo que a independência só lhes trouxera ruína e abandono. Os que podiam ir para longe fizeram isso, entre eles Radmila, a mãe de Irina, só ficando para trás os velhos e as crianças que os pais não puderam levar. Irina recordava seus avós encurvados pelo esforço de cultivar batatas, enrugados pelo sol de agosto e pelas geadas de janeiro, cansados até o âmago, com poucas forças e nenhuma esperança. Concluiu que o campo era fatal para a saúde. Ela própria era a razão dos avós para continuarem lutando, sua única alegria, afora o vinho tinto feito em casa, uma bebida áspera como solvente de tinta que lhes permitia dominar por um tempinho a solidão e o tédio.

Ao amanhecer, antes de ir a pé para a escola, Irina carregava os baldes de água do poço, e à tarde, antes da sopa com pão do jantar, cortava lenha para a estufa. Agora, adulta, pesava cinquenta quilos usando roupa de inverno e botas, mas tinha força de soldado e podia levantar

Cathy, a favorita entre suas clientes, como a um recém-nascido, para transferi-la da cadeira de rodas a um sofá ou à cama. Devia seus músculos aos baldes de água e ao machado, e a boa sorte de estar viva à Santa Parescheva, padroeira da Moldávia, intermediária entre a terra e os seres benevolentes do céu. Nas noites de sua infância, rezava de joelhos com os avós diante da imagem da santa; rezavam pela colheita de batatas e pela saúde das galinhas, rezavam pedindo proteção contra malfeitores e militares, rezavam por sua frágil república e por Radmila. Para a menina, a santa de manto azul, com auréola de ouro e uma cruz na mão, parecia mais humana do que a silhueta de sua mãe numa fotografia desbotada. Irina não sentia saudades dela, mas se entretinha imaginando que, um dia, Radmila voltaria com uma bolsa cheia de presentes. Não teve notícias dela até os oito anos, quando os avós receberam algum dinheiro enviado pela filha distante e o gastaram com prudência, para não provocar inveja. Irina se sentiu enganada, porque sua mãe não lhe mandara nada especial, nem mesmo um bilhete; o envelope só continha o dinheiro e umas fotografias de uma mulher desconhecida, de cabelo loiro oxigenado e expressão dura, muito diferente da jovem da foto que os avós mantinham junto da imagem de Santa Parescheva. Depois, duas ou três vezes por ano, continuaram chegando remessas de dinheiro que aliviavam a miséria dos avós.

O drama de Radmila diferia pouco do de milhares de outras jovens da Moldávia. Ela havia engravidado aos dezesseis anos de um soldado russo que estivera de passagem com seu regimento — e de quem não teve mais notícias —, deu à luz Irina, porque suas tentativas de abortar falharam, e, assim que pôde, fugiu para longe. Anos mais tarde, a fim de preveni-la contra os perigos do mundo, Radmila contaria à filha os detalhes de sua odisseia, com um copo de vodca na mão e outros dois no bucho.

Um dia, havia chegado à aldeia uma mulher proveniente de outra cidade a fim de recrutar moças do campo para trabalhar como garçonetes em outro país. Ofereceu a Radmila a deslumbrante oportunidade que só se apresenta uma vez na vida: passaporte e passagem, trabalho fácil e bom salário. Garantiu que só com as gorjetas ela poderia economizar o suficiente para comprar uma casa em menos de três anos. Ignorando as advertências desesperadas dos pais, Radmila embarcou no trem com a cafetina sem desconfiar que acabaria nas garras de cafetões turcos num bordel de Aksaray, em Istambul. Durante dois anos foi mantida prisioneira, servindo de trinta a quarenta homens por dia para pagar a dívida de sua passagem, que nunca diminuía, porque cobravam também o alojamento, a comida, o banho e os preservativos. As moças que resistiam eram marcadas a golpes e a navalha, queimadas ou amanheciam mortas num beco. Fugir sem dinheiro nem documentos era impossível; elas viviam confinadas, sem conhecer o idioma, o bairro e muito menos a cidade em que se encontravam. Se conseguissem se esquivar dos cafetões, enfrentavam os policiais, que eram também os clientes mais assíduos, a quem deviam agradar de graça. "Uma moça pulou por uma janela do terceiro andar e ficou com metade do corpo paralisado, mas não se livrou de continuar trabalhando", contou Radmila a Irina no tom entre melodramático e didático com que se referia a essa etapa miserável de sua vida. "Como não podia controlar os esfíncteres e se sujava toda, usavam-na pela metade do preço. Outra engravidou e servia os homens sobre um colchão com um buraco no centro para acomodar a barriga; no caso dela, os clientes pagavam mais, porque acreditavam que trepar com uma mulher grávida curava a gonorreia. Quando os cafetões queriam caras novas, vendiam-nos a outros bordéis, e, assim, íamos baixando de nível até chegar ao fundo do inferno. Eu fui salva pelo fogo e por um homem que se compadeceu de mim. Uma noite, houve um incêndio, que se estendeu por várias casas do bairro. Os jornalistas vieram com suas câmeras, e, então, a polícia não pôde fazer vista grossa; prenderam todas nós, que estávamos tiritando na rua, mas não levaram nenhum dos malditos cafetões nem os clientes. Aparecemos na televisão, nos chamaram de depravadas; éramos as culpadas pelas porcarias que aconteciam em Aksaray. Iam nos deportar, mas um policial que eu conhecia me ajudou a fugir e me conseguiu um passaporte." Aos trancos e barrancos, Radmila chegou à Itália, onde trabalhou como faxineira em escritórios e, depois, como operária numa fábrica. Acabou ficando doente dos rins, desgastada pela má vida, pelas drogas e pelo álcool, mas ainda era jovem e lhe restava algo da pele translúcida de sua adolescência, a mesma pele que caracterizaria sua filha. Um técnico americano se apaixonou por ela, casaram-se e ele a levou para o Texas, onde, mais tarde, sua filha também iria parar.

Na última vez em que Irina viu os avós, naquela manhã de 1999, quando eles a deixaram no trem que a conduziria a Chisinau, a primeira etapa da longa viagem até o Texas, Costea tinha sessenta e dois anos, e Petruta, um a menos do que ele. Estavam muito mais acabados do que qualquer dos hóspedes de noventa e tantos anos de Lark House, que envelheciam aos poucos, com dignidade e dentaduras completas, próprias ou postiças, mas Irina havia constatado que o processo era o mesmo: avança-se passo a passo até o final, uns mais rapidamente do que outros, e pelo caminho vai-se perdendo tudo. Não se pode levar nada para o outro lado da morte. Meses mais tarde, Petruta inclinou a cabeça sobre o prato de batatas com cebola que acabara de servir e não despertou mais. Costea vivera com ela quarenta anos e concluiu que não valia a pena continuar sozinho. Pendurou-se na viga do celeiro, onde os vizinhos o encontraram três dias mais tarde, atraídos pelos latidos do cachorro e pelos balidos da cabra, que não tinha sido ordenhada. Irina soube disso anos depois, da boca de uma juíza no Tribunal de Menores de Dallas. Mas disso ela não falava.

No começo do outono, Lenny Beal ocupou um dos apartamentos independentes de Lark House. O novo hóspede chegou acompanhado de Sofia, uma cadela branca com uma mancha preta num olho, que lhe dava um ar de pirata. O aparecimento de Lenny foi um evento memorável, porque nenhum dos escassos homens podia ser comparado a ele. Uns viviam em casal, outros usavam fraldas no terceiro nível, prestes a passar ao Paraíso, e os poucos viúvos disponíveis não interessavam muito a nenhuma das mulheres. Lenny Beal tinha oitenta anos, mas ninguém lhe atribuiria mais de setenta; era o exemplar mais desejável que havia-se visto por ali em décadas, com sua cabeleira grisalha, de comprimento que dava para um curto rabo-de-cavalo, seus inverossímeis olhos de lápis-lazúli e seu estilo juvenil de calças de linho amarrotadas e tênis de lona sem meias. Quase provocou um motim entre as senhoras; preenchia o espaço, como se tivessem soltado um tigre naquela atmosfera feminina de saudade. Até o próprio Hans Voigt, com sua vasta experiência de administrador, se perguntou o que Lenny Beal estava fazendo ali. Os homens maduros e de tal forma bem-conservados sempre dispunham de uma mulher mais jovem — segunda ou terceira esposa — que cuidava deles. Recebeu-o com todo o entusiasmo que conseguiu reunir entre as pontadas de suas hemorroidas, que continuavam a torturá-lo. Catherine Hope tentava ajudá-lo com acupuntura em sua clínica da dor, na qual um médico chinês atendia três vezes por semana, mas a melhora era lenta. O diretor presumiu que até as damas mais agoniadas, aquelas que viviam sentadas com o olhar perdido, recordando o passado, porque o presente lhes escapava ou transcorria tão depressa que elas não o entendiam, despertariam para a vida por causa de Lenny Beal. Não se equivocou. Do dia para a noite, viram-se perucas azul-celeste, pérolas e unhas pintadas, uma novidade entre aquelas senhoras com tendência ao budismo e à ecologia, que desprezavam tais artifícios. "Ora veja! Estamos parecendo uma residência geriátrica de Miami", comentou ele com Cathy. Faziam-se apostas para adivinhar a que se dedicava antes o recém-chegado: ator, estilista, importador de arte oriental, tenista profissional? Alma Belasco encerrou as especulações ao informar a Irina, para que esta divulgasse, que Lenny Beal tinha sido dentista, mas ninguém quis acreditar que ele ganhara a vida escavando molares.

Lenny Beal e Alma Belasco haviam se conhecido trinta anos antes. Ao se verem, abraçaram-se longamente em pleno hall de recepção e quando, por fim, se separaram, ambos tinham os olhos marejados. Irina nunca vira Alma demonstrar tanta emoção e, se suas suspeitas sobre o amante japonês não fossem tão firmes, teria acreditado que Lenny era o homem dos encontros clandestinos. Telefonou imediatamente a Seth para lhe contar a notícia.

— Está dizendo que ele é amigo de minha avó? Nunca ouvi falar dele. Vou averiguar quem é.

— Como assim?

— Tenho investigadores.

Os investigadores de Seth Belasco eram dois foragidos reformados, um branco e outro negro, ambos com aspecto de poucos amigos, que se dedicavam a coletar informações sobre os casos antes que estes fossem apresentados nos tribunais. Seth contou isso a Irina com o exemplo mais recente. Tratava-se de um marinheiro que processou a Companhia de Navegação por um acidente que o deixara paralisado, segundo afirmava ele, mas Seth não acreditava. Seus detetives convidaram o inválido para um clube de reputação duvidosa, embriagaram-no e o filmaram dançando salsa com uma garota de programa. Com essa prova, Seth fechou a boca do advogado da outra parte, os dois lados chegaram a um acordo e se pouparam da chatice de um julgamento. Seth confessou a Irina que essa tarefa havia sido honrosa na escala moral de seus investigadores; outras podiam ser consideradas bem mais sujas.

Dois dias depois, Seth telefonou para ela a fim de marcar um encontro na mesma pizzaria onde se viam com frequência, mas Irina tinha dado banho em cinco cães no final de semana e se sentia exultante. Propôs que, em vez disso, fossem a um restaurante decente; Alma lhe transmitira o comichão da toalha de mesa branca. "Eu pago", disse. Seth pegou-a em sua moto e a levou ziguezagueando pelo trânsito, acima da velocidade permitida, para o bairro italiano, aonde chegaram com os cabelos amassados pelo capacete e o nariz pingando. Irina notou que não estava vestida à altura do local — nunca estava —, e o olhar vaidoso do garçom confirmou isso. Ao ver a lista de preços do cardápio, quase desabou.

— Não se assuste, meu escritório paga — tranquilizou-a Seth.

— Vai nos custar mais do que uma cadeira de rodas!

— Para que você quer uma cadeira de rodas?

— É uma referência, Seth. Algumas velhinhas em Lark House não podem comprar a cadeira de que precisam.

— Isso é muito triste, Irina. Sugiro a você as ostras com trufas. Com um bom vinho branco, claro.

— Coca-Cola para mim.

— Para as ostras tem que ser Chablis. Aqui eles não têm Coca-Cola.

— Então, água mineral com uma casquinha de limão.

— Você é uma alcoólatra em recuperação, Irina? Pode me dizer, não há motivo para se envergonhar. É uma doença, como o diabetes.

— Não sou alcoólatra, mas vinho me dá dor de cabeça — replicou Irina, que não pretendia compartilhar com ele suas piores lembranças.

Antes do primeiro prato, serviram-lhes uma pequena porção de uma espuma negra parecida com vômito de dragão, gentileza do chef, que ela levou à boca com desconfiança enquanto Seth lhe explicava que Lenny Beal era solteiro, sem filhos, e tinha se especializado em tratamento de canais numa clínica dentária em Santa Bárbara. Não havia em sua vida nada que valesse a pena comentar, exceto que era um grande desportista e havia participado várias vezes da Iron Man, uma competição desenfreada de natação, ciclismo e corrida que, francamente, não parecia prazerosa. Seth havia mencionado Lenny Beal ao seu pai, o qual achava que ele fora amigo de Alma e Nathaniel, mas não tinha certeza.

Recordava-se vagamente de tê-lo visto em Sea Cliff quando Nathaniel estava doente. Muitos amigos fiéis tinham passado por Sea Cliff para visitar seu pai nos últimos tempos, e Lenny Beal podia ter sido um deles, disse Larry. Por enquanto, Seth carecia de outras informações sobre o homem, mas havia descoberto algo sobre Ichimei.

— A família Fukuda ficou três anos e meio num campo de concentração durante a Segunda Guerra Mundial — disse.

— Onde?

— Em Topaz, em pleno deserto de Utah.

Irina só ouvira falar dos campos de concentração dos alemães na Europa, porém Seth a informou e lhe mostrou uma fotografia obtida no Japanese American National Museum. A legenda ao pé da imagem original indicava que eram os Fukuda. Disse que seu assistente estava procurando os nomes e a idade de cada um deles nas listas dos prisioneiros de Topaz.

Os prisioneiros

Durante o primeiro ano em Topaz, Ichimei com frequência enviava seus desenhos para Alma, mas depois eles foram demorando a chegar porque os censores não davam conta do trabalho e tiveram que limitar a correspondência dos detidos. Esses croquis, que Alma guardava com zelo, foram os melhores testemunhos daquela etapa da vida dos Fukuda: a família apertada dentro de uma barraca; crianças fazendo tarefas escolares, de joelhos no chão e usando bancos como mesas; filas de gente diante das latrinas; homens jogando cartas; mulheres lavando roupa em grandes bacias. As câmeras fotográficas dos prisioneiros haviam sido confiscadas, e os poucos que conseguiram esconder as suas não podiam revelar os negativos. Só eram autorizadas fotografias oficiais, otimistas, que refletissem o trato humanitário e o ambiente relaxado e alegre de Topaz: crianças jogando beisebol, adolescentes dançando os ritmos da moda, todos cantando o hino nacional enquanto içavam a bandeira pela manhã; de jeito nenhum as cercas de arame, as torres de vigilância ou os soldados com apetrechos de batalha. No entanto, um dos guardas americanos se dispôs a bater uma fotografia dos Fukuda. Chamava-se Boyd Anderson e tinha se apaixonado por Megumi, a quem vira pela primeira vez no hospital, onde ela trabalhava como voluntária e onde ele fora parar depois de ferir a mão ao abrir uma lata de carne recheada.

Anderson tinha vinte e três anos, era alto e pálido como seus antepassados suecos, de índole ingênua e afável, um dos poucos brancos que haviam ganhado a confiança dos prisioneiros. Uma namorada impaciente o aguardava em Los Angeles, mas quando ele viu Megumi com aquele uniforme tão alvo, seu coração deu um salto. Ela limpou o seu ferimento, o médico deu nove pontos, e ela fez o curativo com precisão profissional, sem olhá-lo no rosto, enquanto Boyd Anderson a observava tão deslumbrado que não sentiu a dor do procedimento. Desde então, a rondava com prudência, porque não pretendia abusar de sua posição de autoridade, mas sobretudo porque a mistura de raças era proibida para os brancos e repugnante para os japoneses. Megumi, com sua cara de lua e a delicadeza com que se deslocava pelo mundo, podia se dar o luxo de escolher entre os rapazes mais desejáveis de Topaz, mas sentiu a mesma atração ilícita pelo guarda e se debateu com a mesma questão do racismo, rogando aos céus que a guerra terminasse, sua família voltasse a São Francisco e ela pudesse arrancar da alma essa pecaminosa tentação. Enquanto isso, Boyd rezava para que a guerra não terminasse nunca.

Em 4 de julho, fez-se uma festa em Topaz para comemorar o Dia da Independência, tal como se fizera seis meses antes para o Ano-Novo. Na primeira ocasião, a festa havia sido um fiasco, porque o acampamento ainda estava na etapa de improvisação e as pessoas não tinham aceitado a condição de prisioneiras, mas em 1943 os detidos se esmeraram em demonstrar seu patriotismo, e os americanos, sua boa vontade, apesar dos redemoinhos de poeira e de um calor que nem as lagartixas suportavam. Misturaram-se em amável convivência entre assados, bandeiras, tortas e até cerveja para os homens, os quais dessa vez podiam prescindir da asquerosa bebida preparada clandestinamente com pêssegos em conserva fermentados. Boyd Anderson, entre outros, foi encarregado de fotografar as festividades, para calar os repórteres mal-intencionados que denunciavam como desumano o tratamento dado à população de origem japonesa. O guarda aproveitou para pedir aos Fukuda que posassem. Depois deu uma cópia a Takao e outra, disfarçadamente, a Megumi, enquanto mandou ampliar a sua e recortou a jovem do grupo familiar. Essa foto haveria de acompanhá-lo sempre; levava-a na carteira, protegida com plástico, e com ela seria enterrado cinquenta e dois anos mais tarde. No grupo, apareciam os Fukuda de frente a um edifício escuro e baixo: Takao, com os ombros caídos e expressão severa, Heideko, diminuta e desafiante, James meio de lado e de má vontade, Megumi em seus esplendorosos dezoito anos, e Ichimei, aos onze, magro, com um tufo de cabelos espetados e crostas de feridas nos joelhos.

Naquela fotografia da família em Topaz, a única que existia, faltava Charles. Nesse ano, o filho mais velho de Takao e Heideko se alistara no exército, porque o considerava seu dever e não para escapar do confinamento, como alguns jovens que rejeitavam o recrutamento diziam dos voluntários. Entrou para o 442º Regimento de Infantaria, composto exclusivamente de nisseis. Ichimei mandou para Alma um desenho em que figurava seu irmão, perfilado diante da bandeira, junto de umas linhas não censuradas nas quais explicava que não couberam na página os outros dezessete rapazes de uniforme que iriam para a guerra. Tinha tanta facilidade para o desenho que em poucos traços conseguiu refletir a expressão de tremendo orgulho de Charles, um orgulho que remontava ao passado, às gerações anteriores de samurais de sua família, que iam para o campo de batalha convencidos de que não voltariam, dispostos a não se render jamais e a morrer com honra; isso lhes dava uma coragem sobre-humana. Ao examinar o desenho de Ichimei, como sempre fazia, Isaac Belasco comentou com Alma a ironia de que aqueles jovens se prestassem a arriscar a vida defendendo os interesses do país que mantinha suas famílias aprisionadas em campos de concentração.

***

James Fukuda completou dezessete anos, e no mesmo dia dois soldados armados o levaram, sem dar explicações à família. Takao e Heideko pressentiam essa desgraça, no entanto, porque seu segundo filho havia sido difícil desde que nascera e um contínuo problema desde que os confinaram. Os Fukuda, como o restante dos detidos no país, haviam aceitado sua situação com filosófica resignação, mas James e outros nisseis protestaram sempre, primeiro violando as regras, quando podiam, e mais tarde incitando à revolta. No começo, Takao e Heideko atribuíram tal conduta ao temperamento explosivo do garoto, tão diferente do de seu irmão Charles, depois aos desvarios da adolescência e, finalmente, às más amizades. Em mais de uma ocasião, o diretor do campo os advertira de que não toleraria a conduta de James; colocava-o de castigo em uma cela em razão de brigas, insolência e danos menores à propriedade federal, mas nenhuma acusação justificava mandá-lo à prisão. Afora os rompantes de alguns nisseis adolescentes, como James, reinava em Topaz uma ordem exemplar, sem delitos sérios; as coisas mais graves foram as paralisações e os protestos quando uma sentinela matou um ancião que se aproximara demais das cercas e não ouviu a ordem de parar. O diretor levava em conta a juventude de James e se deixava abrandar pelas discretas manobras em defesa dele realizadas por Boyd Anderson.

O governo havia emitido um questionário para cujas questões a única resposta aceitável era sim. Todos os prisioneiros, a partir dos dezessete anos, deveriam respondê-lo. Entre as perguntas capciosas, exigia-se deles jurar lealdade aos Estados Unidos, lutar no exército em qualquer lugar para onde fossem enviados, no caso dos homens, e no corpo auxiliar no caso das mulheres, e negar obediência ao imperador do Japão. Para os isseis, como Takao, isso significava renunciar à sua nacionalidade sem ter direito de obter a americana, mas quase todos o fizeram. Os que se negaram a assinar, porque eram americanos e se sentiram insultados, sendo alguns jovens nisseis. Receberam o apelido de *No-No*, sendo qualificados de perigosos pelo governo e condenados pela comunidade japonesa, que desde tempos imemoriais abominava o escândalo. James era um desses *No-No*. O pai dele, profundamente envergonhado quando o prenderam, isolou-se no alojamento da barraca atribuída à sua família, só saindo para usar a latrina comunal. Ichimei lhe levava a refeição e depois entrava na fila pela segunda vez, para ele mesmo comer. Heideko e Megumi, que também sofriam o constrangimento causado por James, procuraram continuar sua vida habitual, suportando de cabeça erguida os rumores maldosos e os olhares reprobatórios de sua gente, além da importunação das autoridades do campo. Os Fukuda, inclusive Ichimei, foram interrogados várias vezes, mas não foram seriamente prejudicados graças a Boyd Anderson, que havia subido de posto e os protegeu como pôde.

— O que vai acontecer com meu irmão? — perguntou-lhe Megumi.

— Não sei, Megumi. Podem tê-lo enviado para Tule Lake, na Califórnia, ou para Fort Leavenworth, no Kansas; isso é decidido pelo Departamento Federal de Prisões. Suponho que não o soltarão enquanto a guerra não terminar — respondeu Boyd.

— Aqui andam dizendo que os *No-Nos* vão ser fuzilados como espiões...

— Não acredite em tudo o que ouve, Megumi.

Esse fato alterou irrevogavelmente o ânimo de Takao. Nos primeiros meses em Topaz, ele havia participado da comunidade e cumprido suas horas eternas cultivando hortaliças e fabricando móveis com madeira de embalagem, que conseguia na cozinha. Quando não coube mais nenhum móvel no reduzido espaço da barraca, Heideko o incitou a fazê-los para outras famílias. Ele tentou obter permissão para ensinar judô às crianças, mas negaram; o chefe militar do acampamento temeu que Takao plantasse ideias subversivas na mente dos alunos e pusesse em perigo a segurança dos soldados. Secretamente, ele continuou praticando com os filhos. Vivia esperando a libertação, contando os dias, as semanas e os meses, marcando-os no calendário. Pensava sem parar na ilusão interrompida do viveiro de flores e plantas ornamentais que teria com Isaac Belasco, no dinheiro que havia economizado e perdido, na casa que fora pagando durante anos e que o proprietário reclamara. Décadas de esforço, trabalho e cumprimento do dever, para acabar preso atrás de uma cerca de arame farpado, como um criminoso, conforme dizia amargurado. Não era sociável. A multidão, as filas inevitáveis, o ruído, a falta de privacidade, tudo o irritava.

Heideko, em contraposição, floresceu em Topaz. Comparada com outras mulheres japonesas, era uma esposa insubordinada, que enfrentava o marido com as mãos nos quadris, mas vivera dedicada ao lar, aos filhos e ao pesado ofício da agricultura sem desconfiar que, por dentro, levava adormecido o anjo do ativismo. No campo de concentração, não tinha tempo para o desespero ou o tédio; a toda hora resolvia problemas alheios e fazia todo o possível para conseguir com as autoridades o aparentemente impossível. Seus filhos estavam cativos e seguros do lado de cá da cerca, e ela não tinha que vigiá-los; para isso havia oito mil pares de olhos e um contingente das Forças Armadas. Sua maior preocupação era dar apoio a Takao para não o deixar desmoronar por completo; estava acabando sua inspiração para dar a ele tarefas que o mantivessem ocupado e sem tempo para pensar. Seu marido havia envelhecido; eram muito visíveis os dez anos de diferença entre os dois. A promiscuidade forçada das barracas tinha colocado um ponto final na paixão que antes suavizava as asperezas da convivência. O carinho se transformara em exasperação para ele e em paciência para ela. Por pudor diante dos filhos, com os quais compartilhavam o alojamento, procuravam não se tocar na cama estreita, e assim a relação fácil que tiveram foi se secando. Takao se enclausurou em seu rancor enquanto Heideko descobria sua vocação para o serviço e a liderança.

Megumi Fukuda tinha recebido três propostas de casamento em menos de dois anos, e ninguém entendia por que ela as recusara, exceto Ichimei, que servia de correio entre sua irmã e Boyd Anderson. A moça queria duas coisas na vida: ser médica e se casar com Boyd, nessa ordem. Em Topaz concluiu o secundário sem o menor esforço e se graduou com honra, mas a educação superior estava fora do seu alcance. Algumas universidades do Leste do país recebiam um reduzido número de estudantes de origem japonesa, escolhidos entre os mais brilhantes dos campos de concentração, que também podiam obter ajuda financeira do governo, mas, com o antecedente de James, uma marca de infâmia para os Fukuda, ela não tinha chance. Também não podia deixar sua família; sem Charles, sentia-se responsável pelo irmão caçula e pelos pais. Enquanto isso, trabalhava no hospital, junto aos médicos e às enfermeiras do acampamento, recrutados entre os prisioneiros. Seu mentor era um médico branco, um certo Frank Delillo, de cinquenta e tantos anos, que fedia a suor, tabaco e uísque; era fracassado na vida privada mas competente e abnegado na profissão, e tomou Megumi sob suas asas desde o primeiro dia, quando ela se apresentou no hospital, de saia plissada e blusa engomada, para se oferecer como aprendiz, conforme disse. Ambos tinham acabado de chegar a Topaz. Megumi começou tirando urinóis e lavando utensílios, mas demonstrou tanta vontade e aptidão que rapidamente Delillo a nomeou sua assistente.

— Vou estudar medicina quando a guerra acabar — anunciou ela.

— Isso pode demorar mais do que você consegue esperar, Megumi. Aviso que ser médica vai lhe custar muito, sendo mulher e ainda por cima japonesa.

— Sou americana, como o senhor — replicou a jovem.

— Bom, não importa. Não saia do meu lado, e alguma coisa você vai aprender.

Megumi tomou o conselho ao pé da letra. Colada a Frank Delillo, pôde suturar ferimentos, imobilizar fraturas com talas, tratar de queimaduras e dar assistência em partos; não fazia nada mais complicado, porque os casos graves eram mandados para os hospitais de Delta ou Salt Lake City. Seu trabalho a mantinha absorta dez horas por dia, mas em algumas noites ela se encontrava por um tempinho com Boyd Anderson, sob o manto protetor de Frank Delillo, a única pessoa, além de Ichimei, que sabia do segredo deles. Apesar dos riscos, os namorados completaram dois anos de amor clandestino, amparados pela sorte. A aridez do terreno não oferecia lugares onde fosse possível se esconder, mas os jovens nisseis conseguiam, com desculpas engenhosas, escapar da vigilância dos pais e dos olhares indiscretos. Esse, porém, não era o caso de Megumi, porque Boyd, de uniforme, capacete e fuzil, não podia andar como coelho entre as escassas moitas disponíveis. Os quartéis, escritórios e alojamentos dos brancos, onde os dois poderiam fazer um refúgio, eram separados do acampamento, e ela não teria tido acesso a esses locais sem a divina intervenção de Frank Delillo, que não só lhe conseguiu uma permissão para transpor os controles como também se ausentava convenientemente de seu quarto. Ali, na desordem e na imundície em que Delillo vivia, entre cinzeiros cheios de guimbas e garrafas vazias, Megumi perdeu a virgindade, e Boyd ganhou o céu.

O gosto de Ichimei pela jardinagem, transmitido por seu pai, se aguçou em Topaz. Muitos dos prisioneiros, que haviam ganhado a vida na agricultura, desde o princípio se propuseram a cultivar hortas, sem que a paisagem erma e o clima implacável conseguissem dissuadi-los. Regavam manualmente, contando as gotas d'água, e protegiam as plantas com toldos de papel no verão e fogueiras no auge do inverno, conseguindo, assim, arrancar do deserto hortaliças e frutas. Nunca faltava comida nos refeitórios, sendo possível encher o prato e repetir, mas, sem a firme determinação desses camponeses, a alimentação teria consistido somente em produtos enlatados. Nada de bom pode crescer em um pote, diziam. Ichimei frequentava a escola quando havia aulas e passava o resto do dia nas hortas. Seu apelido de "dedos verdes" não demorou a substituir seu nome, porque tudo o que ele tocava germinava e crescia. À noite, depois de entrar na fila duas vezes no refeitório, uma para seu pai e outra para si mesmo, encadernava meticulosamente contos e textos escolares enviados por professores distantes para os pequenos nisseis. Era um menino servil e prestativo; podia passar horas imóvel, observando as montanhas arroxeadas contra um céu de cristal, perdido em seus pensamentos e emoções. Diziam que ele tinha vocação de monge e que no Japão poderia ser noviço em um mosteiro zen. Embora a fé Oomoto rechaçasse o proselitismo, Takao pregava obstinadamente sua religião a Heideko e aos filhos, mas o único que a abraçou com fervor foi Ichimei, porque combinava com seu temperamento e com a ideia que, desde muito criança, ele fazia da vida. Praticava Oomoto com o pai e com um casal issei de outra barraca. No campo, havia serviços budistas e várias denominações cristãs, mas só eles pertenciam à Oomoto; às vezes, Heideko os acompanhava, sem muita convicção; Charles e James nunca se interessaram pelas crenças do pai, e Megumi, para horror de Takao e assombro de Heideko, se converteu ao cristianismo. Atribuiu a decisão a um sonho revelador no qual Jesus lhe aparecera.

— Como você sabe que era Jesus? — interpelou-a Takao, lívido de ira.
— Quem mais anda por aí com uma coroa de espinhos? — retrucou ela.

Teve que comparecer a aulas de religião ministradas pelo pastor presbiteriano e a uma breve cerimônia privada de confirmação, à qual compareceram somente Ichimei, por curiosidade, e Boyd Anderson, profundamente comovido por aquela prova de amor. Naturalmente, o pastor deduziu que a conversão da moça tinha mais a ver com o guarda do que com o cristianismo, mas não fez objeções. Deu-lhes sua bênção, perguntando-se mentalmente em que recanto do universo aquele casal poderia se estabelecer.

Arizona

Em dezembro de 1944, poucos dias antes que a Corte Suprema declarasse por unanimidade que os cidadãos americanos de qualquer ascendência cultural não podiam ser detidos sem causa, o chefe militar de Topaz, escoltado por dois soldados, entregou a Heideko Fukuda uma bandeira dobrada em triângulo e pendurou no peito de Takao uma fita roxa com uma medalha, enquanto o lamento fúnebre de uma corneta dava um nó na garganta das centenas de pessoas agrupadas em torno da família para honrar Charles Fukuda, morto em combate. Heideko, Megumi e Ichimei choravam, mas a expressão de Takao era indecifrável. Naqueles anos no campo de concentração, seu rosto havia se solidificado numa máscara hierática de orgulho, mas sua postura encolhida e seu silêncio obstinado delatavam o homem alquebrado em que ele se transformara. Aos cinquenta e dois anos, nada restava de sua capacidade de deleite ante uma planta que brotava, de seu suave senso de humor, de seu entusiasmo por construir um futuro para os filhos, da ternura discreta que antes havia compartilhado com Heideko. O sacrifício heroico de Charles, o filho mais velho, que deveria sustentar a família quando ele já não pudesse fazê-lo, foi a pancada que o derrotou. Charles pereceu na Itália, como centenas de outros nipo-americanos do 442º Regimento de Infantaria, apelidado Purple Heart Battalion, Batalhão do Coração Púrpura, pelo extraordinário número de medalhas por coragem. Esse regimento, composto exclusivamente de nisseis, chegaria a ser o mais condecorado na história militar dos Estados Unidos, mas, para os Fukuda, isso nunca seria um consolo.

Em 14 de agosto de 1945, o Japão se rendeu, e os campos de concentração começaram a ser fechados. Os Fukuda receberam vinte e cinco dólares e uma passagem de trem para o interior do Arizona. Assim como o restante dos prisioneiros, nunca mais mencionariam em público aqueles anos de humilhação nos quais sua lealdade e seu patriotismo haviam sido postos em dúvida; sem honra, a vida valia muito pouco. *Shikata ga nai*. Não lhes foi permitido retornar a São Francisco, onde tampouco havia algo que os atraísse. Takao tinha perdido o direito ao arrendamento das terras que antes cultivava e ao aluguel de sua casa; nada lhe restava de suas economias ou do dinheiro que Isaac Belasco lhe entregara quando ele fora detido. Tinha um permanente ruído de motor no peito, tossia sem parar e mal suportava a dor nas costas, sentindo-se incapaz de voltar ao trabalho pesado da agricultura, a única atividade disponível para um homem de sua condição. A julgar por sua frieza, a situação precária de sua família pouco lhe importava; sua tristeza se cristalizara em indiferença. Sem a solicitude de Ichimei, que se empenhava em fazê-lo comer e em acompanhá-lo, ele teria se jogado num canto, fumando até morrer, enquanto a mulher e a filha trabalhavam por longos turnos em uma fábrica para manter modestamente a família. Finalmente os isseis poderiam adquirir cidadania, mas nem isso conseguiu arrancar Takao de sua prostração. Durante trinta e cinco anos, ele havia desejado ter os direitos de qualquer americano, e agora que a oportunidade se apresentava, a única coisa que queria era retornar ao Japão, sua pátria derrotada. Heideko tentou levá-lo para se registrar no Serviço Nacional de Imigração, mas acabou indo sozinha, porque as poucas frases que seu marido pronunciava eram para maldizer os Estados Unidos.

Megumi teve que postergar de novo sua decisão de estudar medicina e o sonho de se casar, mas Boyd Anderson, transferido para Los Angeles, não a esqueceu nem por um momento. As leis contra matrimônio e coabitação entre raças haviam sido abolidas em quase todos os Estados, mas uma união como a deles ainda causava escândalo; nenhum dos dois se atrevera a confessar aos respectivos pais que estavam juntos havia mais de três anos. Para Takao Fukuda, isso teria sido um cataclismo; ele jamais aceitaria a relação da filha com um branco, muito menos com um que patrulhava as cercas de arame de sua prisão em Utah. Seria obrigado a repudiá-la e a perdê-la também. Já havia perdido Charles na guerra; de James, deportado para o Japão, não esperava voltar a ter notícias. Os pais de Boyd Anderson, imigrantes suecos de primeira geração, instalados em Omaha, tinham ganhado a vida com uma leiteria, até que se arruinaram nos anos 1930 e acabaram administrando um cemitério. Eram gente de honestidade inquestionável, muito religiosa e tolerante em matéria racial, mas seu filho não iria lhes mencionar Megumi antes que ela aceitasse uma aliança de noivado.

Toda segunda-feira, Boyd iniciava uma carta e diariamente ia acrescentando parágrafos, inspirados pelo *A Arte de Escrever Cartas de Amor* — um manual em voga entre os soldados retornados da guerra, que haviam deixado namoradas em outras latitudes —, e na sexta-feira a levava ao correio. Dois sábados por mês, esse homem metódico se propunha a telefonar para Megumi, coisa que nem sempre conseguia, e aos domingos apostava no hipódromo. Carecia da compulsão irresistível do jogador e os vaivéns do acaso o deixavam nervoso, afetando sua úlcera no estômago, mas tinha descoberto por acaso sua boa sorte nas corridas de cavalos e a utilizava para aumentar seu soldo esquálido. À noite, estudava mecânica, planejando pedir baixa da carreira militar e abrir uma oficina no Havaí. Acreditava que esse era o lugar mais propício para se instalar, porque lá havia uma população japonesa numerosa, que se livrara do insulto de ser trancafiado, embora o ataque do Japão tivesse ocorrido ali. Em suas cartas, Boyd procurava convencer Megumi das vantagens do Havaí, onde eles poderiam criar os filhos com menos ódio racial, mas a jovem não estava pensando em filhos. Megumi mantinha uma lenta e tenaz correspondência com alguns médicos chineses para averiguar formas de estudar medicina oriental, já que a ocidental lhe era negada. Não demoraria a descobrir que, também para isso, o fato de ser mulher e sua origem japonesa eram obstáculos intransponíveis, tal como lhe adiantara seu mentor, Frank Delillo.

Aos quatorze anos, Ichimei entrou para a escola secundária. Já que Takao estava imobilizado em sua melancolia e Heideko mal falava quatro palavras em inglês, coube a Megumi agir como responsável pelo irmão. No dia em que foi matriculá-lo, imaginou que Ichimei se sentiria em casa ali, porque o edifício era tão feio e o terreno tão inóspito quanto em Topaz. Foram recebidos pela diretora do estabelecimento, Miss Brody, que durante os anos da guerra se empenhara em convencer os políticos e a opinião pública de que os filhos de famílias japonesas tinham direito à educação, como todo americano. Havia coletado milhares de livros para enviar aos campos de concentração. Ichimei tinha encadernado vários desses livros e os recordava perfeitamente, porque cada um trazia uma anotação de Miss Brody na folha de rosto. O garoto imaginava essa benfeitora como a fada madrinha do conto da Cinderela e topou com uma mulher robusta, com braços de lenhador e voz de pregoeiro.

— Meu irmão está atrasado nos estudos. Não é bom em leitura nem escrita, e tampouco em aritmética — disse Megumi, constrangida.

— Então, em que você é bom, Ichimei? — perguntou Miss Brody ao garoto.

— Desenhar e plantar — respondeu Ichimei num sussurro, com o olhar fixo na ponta dos sapatos.

— Perfeito! É justamente disso que estamos precisando aqui! — exclamou Miss Brody.

Na primeira semana, os outros meninos bombardearam Ichimei com apelidos contra sua raça difundidos durante a guerra, mas que ele não tinha escutado em Topaz. Também não sabia que os japoneses eram mais odiados do que os alemães, nem tinha visto as historietas ilustradas nas quais os asiáticos apareciam como degenerados e brutais. Aguentou as zombarias com seu comedimento de sempre, mas, na primeira vez em que um grandalhão lhe encostou a mão, deu-lhe uma rasteira que o fez voar pelos ares com uma chave de judô que aprendera com seu pai, a mesma usada anos antes para demonstrar a Nathaniel Belasco as possibilidades das artes marciais. Foi enviado de castigo à sala da diretora. "Fez muito bem, Ichimei", limitou-se ela a comentar. Depois dessa chave de braço magistral, ele pôde cursar os quatro anos de escola pública sem ser agredido.

16 de fevereiro de 2005

Fui a Prescott, no Arizona, para visitar Miss Brody. Ela completou noventa e cinco anos, e muitos de seus ex-alunos nos reunimos para homenageá-la. Está muito bem para a idade; basta dizer que me reconheceu assim que me viu. Imagine! Quantas crianças passaram pelas mãos dela? Como consegue recordar todas? Lembrou-se de que eu pintava os cartazes para as festas da escola e de que aos domingos trabalhava em seu jardim. Fui péssimo aluno no secundário, mas Miss Brody me dava as notas de presente. Graças a ela, não sou completamente analfabeto e agora posso lhe escrever, minha amiga.

    Esta semana em que não pudemos nos ver foi muito longa. A chuva e o frio contribuíram para que tudo fosse particularmente triste. Também não consegui encontrar gardênias para lhe enviar, desculpe. Telefone-me, por favor.

Ichi

Boston

No primeiro ano longe de Ichimei, Alma vivia atenta à correspondência, mas, com o tempo, acostumou-se ao silêncio do amigo, tal como se acostumara ao silêncio dos pais e do irmão. Seus tios procuravam protegê-la das más notícias que chegavam da Europa, especialmente sobre o destino dos judeus. Alma perguntava por sua família e devia se conformar com respostas tão fantasiosas que a guerra adquiria o mesmo tom das lendas do Rei Artur, as quais lera com Ichimei na pérgula do jardim. Segundo sua tia Lillian, a falta de cartas se devia a problemas com o correio da Polônia, e, no caso de seu irmão Samuel, a medidas de segurança na Inglaterra. Samuel cumpria missões vitais, perigosas e secretas na Força Aérea Real, dizia Lillian; estava condenado ao mais severo anonimato. Não queria contar à sobrinha que o irmão dela havia caído com seu avião na França. Isaac mostrava a Alma os avanços e retrocessos das tropas aliadas, marcando-os com tachinhas em um mapa, mas não tinha coragem para lhe dizer a verdade sobre seus pais. Desde que os Mendel haviam sido despojados de seus bens e encarcerados no infame gueto de Varsóvia, os Belasco não tinham notícias deles. Isaac contribuía com grandes somas para as organizações que tentavam ajudar as pessoas no gueto e sabia que o número de judeus deportados pelos nazistas, entre julho e setembro de 1942, chegava a mais de duzentos e cinquenta mil; também sabia das milhares de mortes diárias por inanição e enfermidades. O muro coroado de arame, que separava o gueto do resto da cidade, não era completamente impermeável; assim como entravam alguns alimentos e remédios contrabandeados e saíam as horrorosas imagens de crianças agonizando de fome, existiam formas de se comunicar. Se nenhum dos recursos empregados para localizar os pais de Alma dera resultado, e se o avião de Samuel tinha se espatifado, só cabia supor que os três haviam morrido, mas, enquanto não houvesse provas irrefutáveis, Isaac Belasco evitaria essa dor à sua sobrinha.

Por algum tempo, Alma pareceu ter se adaptado aos tios, aos primos e à casa de Sea Cliff, mas na puberdade voltou a ser a menina taciturna que era quando chegara à Califórnia. Desenvolveu-se cedo, e o primeiro assalto dos hormônios coincidiu com a ausência indefinida de Ichimei. Tinha dez anos quando os dois se separaram com a promessa de permanecerem unidos mentalmente e através do correio, onze quando as cartas começaram a se tornar escassas e doze quando a distância se tornou intransponível, e ela se resignou a perder Ichimei. Cumpria sem reclamar suas obrigações numa escola da qual não gostava e se comportava de acordo com as expectativas de sua família adotiva, tentando passar despercebida para evitar perguntas sentimentais, que desencadeariam a tormenta de rebeldia e angústia que ela carregava por dentro. Nathaniel era o único a quem não enganava com sua conduta irrepreensível. O garoto dispunha de um sexto sentido para adivinhar quando sua prima estava trancada no armário; vinha pé ante pé do outro extremo da mansão, tirava-a do esconderijo com súplicas sussurradas para não despertar o pai, que tinha bom ouvido e sono leve, agasalhava-a na cama e ficava ao seu lado até que ela adormecesse. Também ele andava pela vida pisando prudentemente em ovos e com uma tempestade em seu âmago. Contava os meses que lhe faltavam para concluir o secundário e ir estudar leis em Harvard, porque nem pensou em se opor aos desígnios do pai. A mãe queria que ele frequentasse a Escola de Direito de São Francisco, em vez de fazê-lo no extremo oposto do continente; mas Isaac Belasco sustentava que o rapaz precisava ir para longe, tal como ele fizera nessa idade. Seu filho devia se tornar um homem responsável e de bem, um *mensch*.

Alma encarou a decisão de Nathaniel de ir para Harvard como uma ofensa pessoal e acrescentou o primo à lista dos que a abandonavam: primeiro seu irmão e seus pais, depois Ichimei e agora ele. Concluiu que seu destino era perder as pessoas a quem mais amava. Continuava apegada a Nathaniel como no primeiro dia no cais de São Francisco.

— Eu vou lhe escrever — assegurou-lhe ele.

— Ichimei me disse a mesma coisa — replicou ela, furiosa.

— Ichimei está num campo de concentração, Alma. Eu vou estar em Harvard.

— Mais longe ainda. Não fica em Boston?

— Vou vir passar todas as férias com você, prometo.

Enquanto ele fazia os preparativos para a viagem, Alma o seguia pela casa como uma sombra, inventando pretextos para retê-lo e, quando isso não deu resultado, inventando razões para amá-lo menos. Aos oito anos, havia se apaixonado por Ichimei com a intensidade dos amores da infância e por Nathaniel com o sereno amor da velhice. Em seu coração, ambos exerciam funções diferentes e eram igualmente indispensáveis; estava segura de que sem Ichimei e sem Nathaniel não poderia sobreviver. Havia amado o primeiro com veemência; precisava vê-lo a cada momento, fugir com ele para o jardim de Sea Cliff, que se estendia até a praia, fartamente dotado de maravilhosos esconderijos para descobrirem juntos a linguagem infalível das carícias. Desde que Ichimei fora para Topaz, ela se alimentava das recordações do jardim e das páginas de seu diário, cheias até as bordas de suspiros em letra miúda. Nessa idade, já dava mostras de uma tenacidade fanática para o amor. Com Nathaniel, em contraposição, não lhe ocorreria se esconder no jardim. Amava-o ciumentamente e acreditava conhecê-lo como ninguém, tinham dormido de mãos dadas nas noites em que ele a resgatava do armário, ele era seu confidente, seu amigo íntimo. Na primeira vez em que descobriu manchas escuras na calcinha, esperou tremendo de terror que Nathaniel voltasse da escola para arrastá-lo até o banheiro e lhe mostrar a prova incontestável de que estava sangrando por baixo. Nathaniel tinha uma ideia aproximada da causa, mas não das providências práticas, e coube-lhe perguntar à mãe, porque Alma não se atrevera. O garoto se inteirava de tudo o que ocorria à menina. Ela lhe dera a cópia das chaves de seus diários íntimos, mas ele não precisava lê-los para estar em dia.

Alma terminou o secundário um ano antes de Ichimei. Por essa época, haviam perdido todo o contato, mas ela o sentia presente, porque no monólogo ininterrupto de seu diário escrevia a ele, mais por hábito de fidelidade do que por nostalgia. Tinha se resignado a não voltar a vê-lo, mas, na falta de outros amigos, alimentava um amor de heroína trágica com as lembranças dos jogos secretos no jardim. Enquanto ele trabalhava de sol a sol como peão em uma plantação de beterrabas, ela se submetia de má vontade aos bailes de debutantes que sua tia Lillian lhe impunha comparecer. Havia festas na mansão dos tios e outras no pátio interno do Hotel Palace, com seu meio século de história, seu fabuloso teto de vidro, enormes luminárias de cristal e palmeiras tropicais em vasos de louça portuguesa. Lillian assumira o dever de casá-la bem, convencida de que seria mais fácil do que havia sido casar suas filhas pouco agraciadas, mas tropeçou na sabotagem que Alma fazia contra seus melhores planos. Isaac Belasco se envolvia muito pouco na vida das mulheres da família, mas, nessa ocasião, não conseguiu se calar.

— Isto de andar à caça de um noivo é indigno, Lillian!

— Como você é inocente, Isaac! Acha que estaria casado comigo se minha mãe não tivesse arremessado um laço em seu pescoço?

— Alma é uma pirralha. Casar antes dos vinte e cinco anos deveria ser ilegal.

— Vinte e cinco?! Nessa idade ela não vai encontrar um bom partido em lugar nenhum, Isaac; estarão todos fisgados — alegou Lillian.

A sobrinha queria ir estudar longe e Lillian acabou cedendo; um ou dois anos de educação superior caem bem a qualquer pessoa, pensou. Combinaram que Alma faria uma faculdade para mulheres em Boston, onde ainda estava Nathaniel, que poderia protegê-la dos perigos e tentações dessa cidade. Lillian parou de lhe apresentar candidatos em potencial e se empenhou em preparar o enxoval necessário, de saias rodadas e conjuntos de casaquinho e suéter de lã em tons pastéis, porque estavam na moda, ainda que em nada favorecessem uma garota de ossos longos e feições fortes, como Alma.

A jovem insistiu em viajar sozinha, apesar da apreensão da tia, que havia procurado em vão alguém que fosse naquela direção para mandá-la com uma pessoa de respeito; ela partiu em um voo da Braniff para Nova York, onde tomaria o trem para Boston. Ao desembarcar, encontrou Nathaniel no aeroporto. Os pais tinham-no avisado por telegrama, e ele decidiu esperá-la para acompanhá-la no trem. Os primos se abraçaram com o carinho acumulado em sete meses, desde a última visita de Nathaniel a São Francisco, e se atualizaram atropeladamente de notícias familiares, enquanto um carregador negro de uniforme recolhia a bagagem em um carrinho para segui-los até o táxi. Nathaniel contou as malas e caixas de chapéus e perguntou à prima se ela estava trazendo roupa para vender.

— Você não pode me criticar, porque sempre foi um almofadinha — replicou ela.

— Quais são os seus planos, Alma?

— O que lhe disse por carta, primo. Você sabe que eu adoro seus pais, mas estou sufocando naquela casa. Preciso me tornar independente.

— Estou vendo. Com o dinheiro do meu pai?

Alma não tinha atentado para esse detalhe. O primeiro passo para se tornar independente era conseguir um diploma do que quer que fosse. Sua vocação ainda não estava definida.

— Sua mãe anda me procurando um marido. Não me atrevo a dizer a ela que vou me casar com Ichimei.

— Acorde, Alma, faz dez anos que Ichimei desapareceu de sua vida.

— Oito, não dez.

— Tire-o da cabeça. Mesmo no caso pouco provável de que ele reaparecesse e estivesse interessado em você, sabe muito bem que não poderia se casar com ele.

— Por quê?

— Ora, por quê! Porque ele é de outra raça, de outra classe social, de outra cultura, de outra religião, de outro nível econômico. Quer mais razões?

— Então acabarei solteirona. E você? Tem alguma namorada, Nat?

— Não, mas, se vier a ter, você será a primeira a saber.

— Melhor assim. Podemos fazer de conta que estamos noivos.

— Para quê?

— Para desanimar qualquer bobalhão que se aproxime de mim.

A prima havia mudado de aspecto nos últimos meses; já não era uma colegial de meias curtas, pois a roupa nova a tornava uma mulher elegante, mas Nathaniel, depositário de suas confidências, não se impressionou com o cigarro nem com o conjunto azul-marinho ou o chapéu, as luvas e os sapatos cor de cereja. Alma continuava sendo uma menina mimada e se agarrou a ele, assustada com a multidão e o ruído de Nova York, e não o soltou até se ver no seu quarto de hotel. "Fique para dormir comigo, Nat", suplicou, com a expressão horrorizada que tinha, na infância, no armário dos soluços, mas ele havia perdido a inocência e, agora, dormir com ela tinha outro significado. No dia seguinte, tomaram o trem para Boston, carregando a bagagem complicada.

Alma imaginava que a faculdade de Boston seria uma extensão mais livre da escola secundária, que ela havia cursado num instante. Aprontava-se para exibir seu enxoval, levar vida boêmia nos cafés e bares da cidade com Nathaniel e assistir a algumas aulas em seu tempo livre, para não decepcionar os tios. Não demoraria a descobrir que ninguém a olhava, havendo centenas de moças mais sofisticadas do que ela, que seu primo tinha sempre uma desculpa para deixá-la plantada e que estava muito malpreparada para enfrentar os estudos. Coube-lhe dividir o quarto com uma jovem gorducha da Virginia, a qual, na primeira ocasião, lhe apresentou provas bíblicas da superioridade da raça branca. Negros, amarelos e peles-vermelhas descendiam dos macacos; Adão e Eva eram brancos; Jesus podia ser americano, ela não tinha certeza. Não aprovava a conduta de Hitler, dizia, mas convinha admitir que no assunto dos judeus ele estava com a razão: eram uma raça condenada, tendo matado Jesus. Alma pediu transferência para outro quarto. A mudança demorou duas semanas e sua nova companheira se revelou uma compilação de manias e fobias, mas pelo menos não era antissemita.

A jovem passou os três primeiros meses confusa, sem conseguir se organizar nem nas coisas mais simples, tais como refeições, lavanderia, transporte ou horário das aulas; disso haviam se encarregado primeiro suas tutoras e depois sua abnegada tia Lillian. Nunca havia feito a cama ou passado a ferro uma blusa; para isso, existiam as empregadas domésticas. Tampouco precisara se limitar a um orçamento, porque na casa dos tios não se falava em dinheiro. Surpreendeu-se quando Nathaniel lhe explicou que na mesada dela não estavam incluídos restaurantes, salões de chá, manicure, cabeleireiro ou massagista. Uma vez por semana, o primo aparecia, caderno e lápis na mão, para ensiná-la a fazer a conta das despesas. Ela prometia se emendar, mas na semana seguinte estava novamente no vermelho. Sentia-se estrangeira naquela cidade senhorial e soberba; suas colegas a excluíam e os rapazes a ignoravam, mas nada disso ela confessava aos tios nas cartas, e sempre que Nathaniel lhe sugeria voltar para casa, repetia que qualquer coisa era preferível a passar pela humilhação de retornar com o rabo entre as pernas. Trancava-se no banheiro, como antes fazia no armário, e abria o chuveiro para que o ruído abafasse os palavrões com que xingava sua má sorte.

Em novembro, caiu sobre Boston todo o peso do inverno. Alma havia passado seus sete primeiros anos em Varsóvia, mas não recordava o clima; nada a preparara para o que houve nos meses seguintes. Açoitada por granizo, tempestades e neve, a cidade perdeu a cor; foi-se a luz, tudo ficou cinza e branco. Vivia-se portas adentro, tremendo, o mais perto possível dos radiadores de calefação. Por mais roupa que Alma vestisse, o frio lhe rachava a pele e lhe infiltrava os ossos assim que ela botava a cabeça para fora. Suas mãos incharam, os pés tiveram frieiras, a tosse e a coriza tornaram-se eternas. Precisava de toda a sua força de vontade para sair da cama de manhã, agasalhar-se como um esquimó e desafiar a intempérie para atravessar de um edifício a outro na faculdade, encostada às paredes para que o vento não a derrubasse, arrastando os pés no gelo. As ruas ficavam intransitáveis; os veículos amanheciam totalmente cobertos por colinas de neve, que os donos deviam retirar com pás e picaretas; as pessoas andavam encolhidas, envoltas em lãs e peles; desapareceram as crianças, os bichos de estimação e os pássaros.

E então, quando finalmente havia aceitado a derrota e admitido para Nathaniel que estava pronta para telefonar aos tios e pedir que a resgatassem daquele frigorífico, Alma teve o primeiro encontro com Vera Neumann, a artista plástica e empresária que colocara sua arte ao alcance das pessoas comuns em lenços, lençóis, toalhas de mesa, pratos, roupas, enfim, qualquer coisa que se pudesse pintar ou estampar. Vera tinha registrado sua marca em 1942 e em poucos anos criara um mercado. Alma recordava vagamente que tia Lillian competia com as amigas para ser a primeira a exibir em cada temporada os lenços ou os vestidos com os novos desenhos de Vera, mas não sabia nada sobre a artista. Chegou à palestra dela por acaso, para fugir do frio entre duas aulas, e se viu no fundo de uma sala cheia, cujas paredes estavam cobertas de tecidos pintados. Todas as cores que haviam fugido do inverno de Boston estavam naquelas paredes, ousadas, caprichosas, fantásticas.

O público recebeu a conferencista com aplausos, de pé, e mais uma vez Alma constatou a medida de sua própria ignorância. Não desconfiava que a designer dos lenços de sua tia Lillian fosse uma celebridade. Vera Neumann não impressionava por sua presença; media um metro e cinquenta e era uma pessoa tímida, escondida atrás de enormes lentes de armação escura que lhe cobriam metade do rosto. Contudo, assim que ela abriu a boca, ninguém duvidou de que se tratava de uma giganta. Alma quase não conseguia vê-la sobre o tablado, mas escutou cada uma de suas palavras, sentindo o estômago comprimido em um punho, com a clara intuição de que aquele momento seria definitivo para ela. Em uma hora e quinze minutos, essa mulherzinha excêntrica, brilhante, feminista e diminuta aturdiu a audiência com os relatos de suas viagens incansáveis, fonte de inspiração para suas diversas coleções: Índia, China, Guatemala, Islândia, Itália e o resto do planeta. Falou de sua filosofia, das técnicas que empregava, da comercialização e difusão de seus produtos, dos obstáculos superados pelo caminho.

Nessa noite, Alma telefonou a Nathaniel para lhe anunciar seu futuro com gritos de entusiasmo: seguiria os passos de Vera Neumann.

— De quem?

— Da pessoa que desenhou os lençóis e toalhas de mesa dos seus pais, Nat. Não pretendo continuar perdendo tempo com aulas que não vão me servir para nada. Decidi estudar desenho e pintura na universidade. Vou frequentar os ateliês de Vera e depois viajarei pelo mundo, como ela.

Meses mais tarde, Nathaniel concluiu os estudos de Direito e retornou a São Francisco, mas Alma não quis acompanhá-lo, apesar da pressão de tia Lillian para que voltasse à Califórnia. Suportou quatro invernos em Boston sem mencionar de novo o clima, desenhando e pintando incansavelmente. Carecia da desenvoltura de Ichimei para o desenho e da audácia de Vera Neumann para a cor, mas se propôs a substituir com bom gosto o que lhe faltava em talento. Já então possuía uma visão clara do rumo a seguir. Seus desenhos seriam mais refinados do que os de Vera, porque sua intenção não era satisfazer o gosto popular e triunfar no comércio, mas criar por diversão. A possibilidade de trabalhar para viver nunca lhe passou pela cabeça. Nada de lenços por dez dólares ou lençóis e guardanapos no atacado; pintaria ou estamparia somente certas peças de roupa, sempre em seda da melhor qualidade, cada uma assinada por ela. O que saísse de suas mãos seria tão exclusivo e caro que as amigas de sua tia Lillian chegariam a matar para obtê-lo. Nesses anos, venceu a paralisia que aquela cidade imponente lhe provocava: aprendeu a se movimentar, a tomar coquetéis sem ficar bêbada e a fazer amizades. Chegou a se sentir tão bostoniana que quando ia de férias à Califórnia acreditava estar em um país atrasado de outro continente. Também conseguiu alguns admiradores nas pistas de dança, onde a prática frenética com Ichimei durante sua infância rendeu dividendos, e teve uma primeira relação sexual sem cerimônia, atrás de algumas moitas durante um piquenique. Isso aplacou sua curiosidade e seu complexo por ser virgem após os vinte anos. Depois teve dois ou três encontros similares com diferentes rapazes, nada memoráveis, que confirmaram sua decisão de esperar por Ichimei.

Ressurreição

Algumas semanas antes da formatura, Alma telefonou a Nathaniel em São Francisco para organizar os detalhes da viagem dos Belasco a Boston. Era a primeira mulher da família a obter um diploma universitário, e o fato de que fosse em Design e História da Arte, cursos relativamente obscuros, não lhe tirava o mérito. Até mesmo Martha e Sarah assistiriam à cerimônia, em parte porque pretendiam ir depois a Nova York para fazer compras, mas tio Isaac estaria ausente; o cardiologista o proibira de entrar num avião. Ele estava disposto a desobedecer à ordem, porque Alma estava mais entrincheirada em seu coração do que suas próprias filhas, mas Lillian não deixou. Na conversa com o primo, Alma comentou, de passagem, que havia vários dias tinha a impressão de ser espiada. Não atribuía ao fato grande importância, disse; seguramente era coisa de sua imaginação, pois estava nervosa com os exames finais, mas Nathaniel insistiu em saber todos os detalhes: alguns telefonemas anônimos nos quais alguém — uma voz masculina com sotaque estrangeiro — perguntara se era ela na linha e, em seguida, desligara; a incômoda sensação de estar sendo observada e seguida; um homem que havia feito perguntas sobre ela entre suas colegas, e, pela descrição que as amigas fizeram dele, parecia ser o mesmo que ela tinha visto várias vezes nos últimos dias em sala de aula, nos corredores, na rua. Nathaniel, com sua suspicácia de advogado, aconselhou-a a avisar por escrito à polícia do campus, como medida legal de precaução: se algo acontecesse, suas suspeitas teriam sido registradas. Também ordenou que ela não saísse sozinha à noite. Alma não lhe deu ouvidos.

Era a temporada de festas extravagantes, nas quais os estudantes se despediam da universidade. Cercada por música, álcool e dança, Alma esqueceu a sombra sinistra que havia imaginado, até a sexta-feira anterior à sua graduação. Havia passado boa parte da noite numa farra sem limites, bebendo demais e mantendo-se de pé com cocaína, duas coisas que tolerava mal. Às três da madrugada, um ruidoso grupo de jovens num carro conversível a deixou em frente ao seu alojamento. Cambaleando, desgrenhada e com os sapatos na mão, Alma procurou a chave na bolsa, mas não conseguiu encontrá-la antes de cair de joelhos e vomitar até não lhe restar nada no estômago. Os engulhos secos prosseguiram por longos minutos, durante os quais lhe corriam lágrimas pelo rosto. Tentou se levantar, encharcada de suor, com espasmos no estômago, tremendo e gemendo de desolação. De repente, duas garras se cravaram em seus braços. Ela se sentiu erguida do pavimento e posta de pé. "Alma Mendel, você devia se envergonhar!" Não reconheceu a voz dos telefonemas anônimos. Dobrou-se, vencida de novo pela náusea, mas as garras a apertaram com mais firmeza. "Solte-me, solte-me!", resmungou, esperneando. Um tapa na cara lhe devolveu por um instante um pouco de sobriedade, e ela conseguiu ver a forma de um homem, um rosto obscuro, cortado por riscos como cicatrizes, um crânio raspado. Inexplicavelmente sentiu um tremendo alívio, fechou os olhos e se abandonou à desgraça da embriaguez e à incerteza de estar no abraço férreo do desconhecido que acabara de bater nela.

Às sete da manhã do sábado, Alma despertou envolta num cobertor áspero, que lhe arranhava a pele, no assento traseiro de um carro. Cheirava a vômito, urina, cigarro, álcool. Não sabia onde estava e não recordava nada do acontecido na noite anterior. Sentou-se e procurou ajeitar a roupa, dando-se conta então de que havia perdido o vestido e a anágua; estava de sutiã, calcinha e cinta-liga, com as meias rasgadas e descalça. Sinos impiedosos badalavam dentro de sua cabeça. Ela sentia frio, a boca seca e muito medo. Voltou a se deitar, encolhida, gemendo e chamando por Nathaniel.

Momentos mais tarde sentiu que a sacudiam. Abriu as pálpebras a duras penas e, tentando focalizar o que via, distinguiu a silhueta de um homem, que havia aberto a porta do carro e se inclinava sobre ela.

— Café e aspirinas. Isso vai ajudá-la um pouco — disse ele, passando-lhe um copo de papel e dois comprimidos.

— Deixe-me, tenho que ir — retrucou ela, com a língua dormente, tentando se reerguer.

— Você não pode ir a lugar nenhum nestas condições. Sua família vai chegar daqui a algumas horas. A formatura é amanhã. Tome o café. E caso queira saber, eu sou seu irmão Samuel.

Assim ressuscitou Samuel Mendel, onze anos depois de ter morrido no norte da França.

Depois da guerra, Isaac Belasco obtivera provas convincentes do destino que haviam tido os pais de Alma num campo de extermínio nazista, perto da aldeia de Treblinka, no norte da Polônia. Os russos não documentaram a liberação do campo, como os americanos tinham feito em outros lugares, e oficialmente sabia-se muito pouco do que acontecera naquele inferno, mas a Agência Judaica calculava que ali pereceram oitocentas e quarenta mil pessoas, entre julho de 1942 e outubro de 1943, das quais oitocentas mil eram judias. Quanto a Samuel Mendel, Isaac averiguou que o avião dele tinha sido abatido na zona da França ocupada pelos alemães e que, de acordo com os registros militares dos ingleses, não houvera sobreviventes. Por essa época, Alma estava sem saber de sua família havia vários anos, e tinha dado todos como mortos muito antes de seu tio confirmar a verdade. Ao tomar conhecimento dos fatos, Alma não chorou por eles como seria cabível de se esperar, porque naqueles anos vinha praticando tanto o controle de seus sentimentos que perdera a capacidade de expressá-los. Isaac e Lillian consideraram necessário pôr um ponto final nessa tragédia e levaram Alma à Europa. No cemitério da aldeia francesa onde caíra o avião de Samuel, instalaram uma placa em sua homenagem, levando o seu nome e as datas de nascimento e morte. Não conseguiram autorização para visitar a Polônia, controlada pelos soviéticos; essa peregrinação, porém, seria realizada por Alma muito mais tarde. A guerra terminara quatro anos antes, mas a Europa ainda estava em ruínas e massas de pessoas deslocadas vagavam, em busca de uma pátria. A conclusão de Alma foi que uma só vida não lhe bastaria para pagar o privilégio de ser a única sobrevivente de sua família.

Abalada pela declaração do desconhecido que dizia ser Samuel Mendel, Alma se endireitou no assento do carro e em três goles tomou o café e as aspirinas. O homem não se parecia com o irmão de quem ela se despedira no cais de Danzig, um jovem de faces rubicundas e expressão brincalhona. Seu verdadeiro irmão era essa lembrança desfocada e não o indivíduo que estava à sua frente, enxuto, seco, de olhos duros e boca cruel, pele queimada pelo sol e cara marcada por profundas rugas e algumas cicatrizes.

— Como posso ter a certeza de que é meu irmão?

— Não pode. Mas eu não estaria perdendo meu tempo com você, se não fosse.

— Onde estão minhas roupas?

— Na lavanderia. Ficam prontas daqui a uma hora. Temos tempo para conversar.

* * *

Samuel contou que, quando derrubaram seu avião, a última imagem diante dos seus olhos foi o mundo visto do alto, girando e girando. Não tinha conseguido se lançar de paraquedas, disso estava seguro, porque teria sido descoberto pelos alemães, e não pôde explicar claramente como não morreu quando a máquina se espatifou e se incendiou; supunha que tivesse sido ejetado de seu assento na queda, indo parar nas copas das árvores, onde ficara pendurado. A patrulha inimiga encontrou o corpo do copiloto, que estava no avião, e não procurou mais. Ele foi resgatado por membros da resistência francesa, com ossos quebrados e sem memória; ao verem que era circuncidado, entregaram-no a um grupo da resistência judaica. Durante meses esconderam-no em grutas, estábulos, esconderijos subterrâneos, fábricas abandonadas e casas de gente bondosa, disposta a ajudá-lo, mudando de um lugar a outro com frequência, até que seus ossos partidos se calcificaram, ele deixou de ser um peso e pôde se incorporar ao grupo como combatente. A neblina que lhe ofuscava a mente demorou muito mais a se dissipar do que os ossos a se curar. Pelo uniforme que usava quando o encontraram, sabia que vinha da Inglaterra. Entendia inglês e francês, mas respondia em polonês; muitos meses se passariam até que ele recuperasse os outros idiomas que dominava. Como não sabiam seu nome, seus companheiros o apelidaram de Cara Cortada, por causa das cicatrizes, mas ele decidiu que se chamaria Jean Valjean, como o protagonista do romance de Victor Hugo, que lera durante sua recuperação. Lutou ao lado dos companheiros numa guerra de escaramuças que parecia sem destino. As forças alemãs eram tão eficientes, seu orgulho tão monumental, sua sede de poder e de sangue tão insaciável, que as ações de sabotagem do grupo de Samuel não conseguiam sequer arranhar a couraça do monstro. Viviam nas sombras, movendo-se como ratazanas desesperadas, com uma sensação constante de fracasso e inutilidade, mas seguiam adiante, porque não havia alternativa. Saudavam-se com uma só palavra: vitória. Despediam-se da mesma forma: vitória. O final era previsível: capturado durante uma ação, foi enviado a Auschwitz.

Terminada a guerra, depois de sobreviver ao campo de concentração, Jean Valjean conseguiu desembarcar clandestinamente na Palestina, aonde chegavam hordas de refugiados judeus, embora a Grã-Bretanha, que controlava a região, procurasse impedi-los, a fim de evitar conflito com os árabes. A guerra o transformara num lobo solitário que nunca baixava as defesas. Conformava-se com namoros casuais, até que uma companheira do Mossad, uma investigadora minuciosa e destemida da agência israelita de espionagem na qual havia ingressado, anunciou que ele seria pai. Chamava-se Anat Rákosi e havia emigrado da Hungria com o pai, únicos sobreviventes de uma família numerosa. Mantinha com Samuel uma relação cordial, sem romance nem futuro, que lhes era cômoda e que não teria mudado não fosse pela inesperada gravidez. Anat acreditava ser estéril por causa da fome, das pancadas, dos estupros e dos "experimentos" médicos que havia sofrido. Ao constatar que não era um tumor aquilo que lhe avolumava o ventre, mas um bebê, atribuiu-o a uma brincadeira de Deus. Não contou ao amante até o sexto mês. "Não diga! Eu achava que você finalmente estava engordando um pouco", foi o comentário dele, mas não conseguiu dissimular o entusiasmo. "A primeira providência será averiguar quem é você, para que esta criatura saiba de onde provém. O sobrenome Valjean é melodramático", replicou ela. Jean Valjean havia postergado ano após ano a decisão de investigar sua identidade, mas Anat assumiu de imediato a tarefa, com a mesma tenacidade com que descobria para o Mossad os esconderijos dos criminosos nazistas que haviam escapado aos julgamentos de Nuremberg. Começou por Auschwitz, o último paradeiro de Samuel antes do armistício, e foi seguindo passo a passo o fio da história. Balançando o barrigão, foi à França para falar com um dos poucos membros da resistência judaica que ainda restavam no país, e ele a ajudou a localizar os combatentes que haviam resgatado o piloto do avião inglês; não foi fácil, porque depois da guerra resultou que todos os franceses eram heróis da resistência. Anat acabou em Londres examinando os arquivos da Força Aérea Real, nos quais encontrou várias fotografias de jovens se assemelhavam a seu amante. Telefonou para ele e leu cinco nomes. "Algum lhe soa conhecido?", perguntou. "Mendel! Tenho certeza. Meu sobrenome é Mendel", replicou ele, mal contendo o soluço preso na garganta.

— Meu filho tem quatro anos, chama-se Baruj, como nosso pai. Baruj Mendel — contou Samuel a Alma, sentado ao lado dela no banco traseiro do carro.

— Você se casou com Anat?

— Não. Estamos experimentando viver juntos, mas não é fácil.

— Faz quatro anos que você sabe de mim. E só agora lhe ocorreu vir me ver? — criticou-o Alma.

— Procurá-la para quê? O irmão que você conheceu morreu num acidente aéreo. Não resta nada do rapaz que se alistou como piloto na Inglaterra. Conheço a história, porque Anat insiste em repeti-la, mas não a sinto como minha; é uma narrativa oca, sem significado. A verdade é que não me lembro de você, mas tenho certeza de que somos irmãos, porque Anat não se engana nesse tipo de coisa.

— Pois eu, sim, me lembro de que tive um irmão que brincava comigo e tocava piano, mas você não se parece com ele.

— Não nos vemos há muitos anos, e, como eu já lhe disse, não sou mais o mesmo.

— Por que resolveu vir agora?

— Não vim por sua causa; estou numa missão, mas não posso falar disso. Aproveitei a viagem para vir a Boston e procurar você, porque Anat acha que Baruj precisa de uma tia. O pai dela morreu alguns meses atrás. Não resta ninguém das nossas famílias, só você. Não pretendo lhe impor nada, Alma; só quero que saiba que estou vivo e que tem um sobrinho. Anat lhe mandou isto — disse Samuel.

Passou a ela uma fotografia colorida do menino com os pais. Anat Rákosi aparecia sentada, com o filho no colo; uma mulher muito magra, pálida, de óculos redondos. Junto deles estava Samuel, também sentado, com os braços cruzados sobre o peito. O menino tinha as feições fortes e o cabelo crespo e escuro do pai. Atrás da foto, Samuel havia escrito um endereço de Tel Aviv.

— Venha nos visitar, Alma, para conhecer Baruj — disse ele ao se despedir, depois de recuperar o vestido na lavanderia e de conduzi-la de volta ao alojamento.

A espada dos Fukuda

Nas semanas de sua agonia, com os pulmões carcomidos pelo câncer, respirando em estertores como um peixe fora d'água, Takao Fukuda demorava a morrer. Quase não conseguia falar e estava tão débil que suas tentativas de se comunicar por escrito eram inúteis, porque suas mãos inchadas e trêmulas não podiam traçar os delicados caracteres japoneses. Negava-se a comer e, ao primeiro descuido da família ou das enfermeiras, arrancava o tubo de alimentação. Logo afundou em um pesado torpor, mas Ichimei, que se revezava com a mãe e a irmã para lhe fazer companhia no hospital, sabia que ele estava consciente e angustiado. Ajeitava os travesseiros para mantê-lo semierguido, enxugava-lhe o suor, friccionava-lhe a pele escamada com loção, colocava-lhe pedacinhos de gelo na língua, falava-lhe de plantas e jardins. Em um desses momentos de intimidade, percebeu que os lábios do pai se moviam repetidamente, modulando algo que parecia o nome de uma marca de cigarros, mas a ideia de que, naquelas circunstâncias, ele ainda quisesse fumar parecia tão descabelada que o jovem a descartou. Passou a tarde procurando decifrar o que Takao tentava lhe transmitir. "Kemi Morita? É isso que você está dizendo, papai? Quer vê-la?", perguntou finalmente. Takao assentiu, com a pouca energia que lhe restava. Era a líder espiritual da Oomoto, uma mulher com fama de falar com os espíritos, a quem Ichimei conhecia, porque ela viajava frequentemente para se reunir com as pequenas comunidades de sua religião.

— Papai quer que chamemos Kemi Morita — disse Ichimei a Megumi.
— Kemi Morita mora em Los Angeles, Ichimei.
— Quanto resta de nossas economias? Podemos comprar a passagem para ela.

Quando Kemi Morita chegou, Takao já não se movia e tampouco abria os olhos. Seu único sinal de vida era o ronronar do respirador; estava suspenso no limbo, esperando. Megumi conseguiu que uma colega da fábrica lhe emprestasse o carro e foi buscar a sacerdotisa no aeroporto. A mulher parecia um menino de dez anos usando um pijama branco. Seu cabelo grisalho, os ombros encurvados e o modo como arrastava os pés contrastavam com o rosto liso, sem rugas, uma máscara de serenidade cor de bronze.

Kemi Morita se aproximou da cama em passinhos curtos e segurou a mão de Takao. O paciente entreabriu os olhos e demorou um pouco a reconhecer sua mestra espiritual, até que uma expressão quase imperceptível animou seu rosto devastado. Ichimei, Megumi e Heideko recuaram até o fundo do quarto, enquanto Kemi murmurava uma longa oração ou um poema, num japonês arcaico. Depois colou a orelha à boca do moribundo. Após longos minutos, Kemi beijou Takao na testa e se voltou para a família.

— A mãe, o pai e os avós de Takao estão aqui. Vieram de muito longe para guiá-lo até o Outro Lado — disse em japonês, apontando para o pé da cama. — Takao está pronto para ir, mas antes quer mandar uma mensagem a Ichimei. Esta é a mensagem: "A katana dos Fukuda está enterrada num jardim sobre o mar. Não pode ficar ali. Ichimei, você deve recuperá-la e colocá-la no lugar que cabe a ela, no altar dos antepassados de nossa família."

Ichimei recebeu a mensagem fazendo uma profunda mesura, levando as mãos juntas à fronte. Não recordava claramente a noite em que haviam enterrado a espada dos Fukuda, pois os anos tinham apagado a cena de sua mente, mas Heideko e Megumi sabiam qual era esse jardim sobre o mar.

— Takao também pede um último cigarro — acrescentou Kemi Morita, antes de se retirar.

Ao voltar de Boston, Alma constatou que em seus anos de ausência a família Belasco havia mudado mais do que as cartas mostravam. Nos primeiros dias se sentiu à parte, como uma visita de passagem, perguntando-se qual era seu lugar naquela família e que diabos iria fazer com sua vida. São Francisco lhe parecia provinciana; para criar um nome com sua pintura ela teria que ir para Nova York, onde estaria entre artistas famosos e mais perto da influência da Europa.

Tinham nascido três netos Belasco, um menino de três meses, de Martha, e as gêmeas de Sarah, que por um erro das leis da genética haviam saído com aspecto de escandinavas. Nathaniel estava cuidando da firma do pai, morava sozinho numa cobertura com vista para a baía e preenchia as horas livres navegando em seu veleiro. Era de poucas palavras e poucos amigos. Aos vinte e sete anos, continuava resistindo à campanha agressiva da mãe para lhe arrumar uma esposa conveniente. Sobravam candidatas, porque Nathaniel provinha de boa família, tinha dinheiro e pinta de galã, era o *mensch* que seu pai desejava e que todas as moças casamenteiras da colônia judaica cobiçavam. Tia Lillian havia mudado pouco, continuava a mulher bondosa e ativa de sempre. Conversava aos gritos, porque sua surdez se acentuara, e sua cabeça estava cheia de fios brancos, que não tingia porque não desejava parecer mais jovem, e sim o contrário. Sobre seu marido haviam caído duas décadas de supetão, e os poucos anos que os separavam em idade pareciam ter triplicado. Isaac sofrera um ataque cardíaco e, embora tivesse se recuperado, estava debilitado. Por disciplina, ia diariamente ao escritório e lá permanecia algumas horas, mas havia delegado o trabalho a Nathaniel; abandonara por completo a vida social, que nunca o atraíra, lia muito, deleitava-se com a paisagem do mar e da baía, que avistava da pérgula do jardim; também cultivava mudas na estufa e estudava textos sobre leis e sobre plantas. Tinha se abrandado, e as mínimas emoções marejavam os seus olhos. Lillian vivia com uma lança de medo cravada no estômago. "Jure que não vai morrer antes de mim, Isaac", exigia nos momentos em que ele ficava sem ar e se arrastava até a cama para despencar tão pálido quanto os lençóis, com os ossos travados. Lillian nada sabia de cozinha, sempre contando com um chef, mas, desde que o marido começou a definhar, ela mesma lhe preparava sopas infalíveis com as receitas que sua mãe lhe deixara, anotadas à mão em um caderno. Obrigara-o a procurar uma dúzia de médicos, acompanhava-o às consultas para evitar que ele escondesse seus males e administrava os medicamentos. Além disso, usava recursos esotéricos. Invocava Deus, não só ao amanhecer e ao entardecer, como era recomendado, mas a toda hora: *Shemá Ysrael, Adonai Eloeinu, Adonai Ehad*. Por proteção, Isaac dormia com um olho de vidro turco e uma mão de Fátima de latão pintado, pendurados na cabeceira da cama; havia sempre uma vela acesa sobre sua cômoda, junto a uma Bíblia hebraica, outra cristã e um frasco de água benta, que uma das empregadas da casa trouxera da capela de São Judas.

— O que é isto? — perguntou Isaac, no dia em que a estatueta de um esqueleto com chapéu apareceu sobre seu criado-mudo.

— O Barão Samedi. Mandei buscar em Nova Orleans. É a divindade da morte e também da saúde — informou Lillian.

O primeiro impulso de Isaac foi retirar com um tapa todos os fetiches que haviam invadido seu quarto, mas o amor por sua mulher falou mais alto. Não custava nada fazer vista grossa se isso servisse para auxiliar Lillian, que ia deslizando inexoravelmente pela ladeira do temor. Não podia oferecer a ela outro consolo. Estava perplexo diante de sua própria deterioração física, porque havia sido forte e saudável e se acreditava indestrutível. Uma fadiga assustadora lhe corroía os ossos, e somente sua determinação de elefante lhe permitia cumprir as responsabilidades que se impusera. Entre elas estava a de permanecer vivo para não decepcionar a mulher.

O retorno de Alma lhe trouxe um sopro de energia. Não era inclinado a demonstrações sentimentais, mas a saúde ruim o tornara vulnerável, e ele precisava tomar muito cuidado para que a torrente de ternura que carregava no íntimo não transbordasse. Só Lillian, nos momentos de intimidade, vislumbrava esse lado da personalidade do marido. Isaac via no filho Nathaniel a bengala em que se apoiava, seu melhor amigo, sócio e confidente, mas nunca tivera necessidade de dizer a ele nada disso; ambos o davam por entendido, e expressar essa fragilidade em palavras iria constrangê-los. Tratava Martha e Sarah com o afeto de um patriarca benévolo, mas, em segredo, havia confessado à esposa que não gostava muito das filhas, pois as achava mesquinhas. Lillian também não gostava muito delas, mas não admitia por nada. Quanto aos netos, Isaac os comemorava de longe. "Vamos esperar que cresçam um pouco, ainda não são pessoas", dizia em tom de brincadeira, como desculpa, mas no fundo era assim que os via. Por Alma, contudo, sempre teve um fraco.

Quando, em 1939, essa sobrinha chegou da Polônia para viver em Sea Cliff, Isaac tomou tanto carinho por ela que mais tarde haveria de sentir uma alegria culpada pelo desaparecimento dos pais da garota, porque lhe dava a oportunidade de substituí-los no coração dela. Não se propôs a formá-la, como fizera com seus próprios filhos, mas somente a protegê-la, e isso o deixou livre para amá-la. Entregou a Lillian a tarefa de atender às necessidades juvenis de Alma, enquanto ele se divertia desafiando-a intelectualmente e compartilhando com ela suas paixões pela botânica e pela geografia. Mostrando-lhe seus livros sobre jardins, teve a ideia de criar a Fundação Belasco. Passaram meses analisando juntos diferentes possibilidades antes que a ideia se concretizasse, e foi Alma, então com treze anos, que sugeriu plantar jardins nos bairros mais pobres da cidade. Isaac a admirava; observava fascinado a evolução da mente da menina, compreendia sua solidão e se comovia quando ela se aproximava dele em busca de companhia. Alma se sentava ao seu lado, com a mão sobre seu joelho, para ver televisão ou estudar os livros de jardinagem, e o peso e o calor dessa mão pequenina eram um presente precioso para ele. Por sua vez, Isaac lhe acariciava a cabeça ao passar, sempre que ninguém estivesse presente, e comprava guloseimas para deixar embaixo do travesseiro dela. A moça que retornou de Boston, com cabelo de corte geométrico, lábios vermelhos e pisando forte não era a Alma temerosa de antes, que dormia abraçada ao gato porque tinha medo de dormir sozinha. Uma vez superado o mútuo constrangimento, no entanto, os dois voltaram à delicada relação que haviam tido por mais de uma década.

— Lembra-se dos Fukuda? — perguntou Isaac à sobrinha, dentro de poucos dias.

— Como não iria me lembrar?! — exclamou Alma, sobressaltada.

— Ontem um dos filhos dele me telefonou.

— Ichimei?

— Sim. É o mais novo, não? Perguntou se podia vir me ver; tem algo para conversar comigo. Estão vivendo no Arizona.

— Tio, Ichimei é meu amigo e não o vejo desde que aprisionaram sua família. Posso estar presente nessa conversa, por favor?

— Ele deu a entender que se trata de algo privado.

— Quando vem?

— Eu lhe aviso, Alma.

Quinze dias mais tarde, Ichimei chegou à casa de Sea Cliff, usando um terno escuro comum e gravata preta. Alma o esperava com o coração disparado e, antes que ele pudesse tocar a campainha, abriu a porta e se jogou em seus braços. Continuava mais alta do que ele e quase o derrubou com o impacto. Ichimei, desconcertado, porque se surpreendeu ao vê-la e porque as demonstrações de afeto em público eram malvistas entre japoneses, não soube como responder a tanta efusividade, mas Alma não lhe deu tempo para pensar; segurou-o pela mão, puxou-o para dentro da casa repetindo seu nome, com os olhos úmidos, e, assim que cruzaram o umbral, beijou-o na boca. Isaac Belasco estava na biblioteca, em sua poltrona favorita, com Neko, o gato de Ichimei, já com dezesseis anos, no colo. Pôde ver a cena e, chocado, se escondeu atrás do jornal, até que finalmente Alma conduziu o rapaz à sua presença. A jovem os deixou sozinhos e fechou a porta.

Em poucas palavras, Ichimei contou a Isaac Belasco o destino que sua família tivera, o qual este já conhecia, porque desde o telefonema havia investigado o máximo possível sobre os Fukuda. Não apenas sabia do fim de Takao e Charles, da deportação de James e da pobreza em que se encontravam a viúva e os dois filhos que restavam, como havia tomado algumas providências a respeito. A única novidade que Ichimei lhe trouxe foi a mensagem de Takao sobre a espada.

— Lamento muito o falecimento de Takao. Ele foi meu amigo e meu mestre. Também lamento o que aconteceu a Charles e James. Ninguém tocou o local onde está a katana de sua família, Ichimei. Pode levá-la quando quiser, mas ela foi enterrada com uma cerimônia, e creio que seu pai gostaria de que fosse desenterrada com igual solenidade.

— Claro, senhor. Por enquanto, não tenho onde colocá-la. Poderia deixá-la aqui? Não seria por muito mais tempo, espero.

— Essa espada honra esta casa, Ichimei. Tem pressa em retirá-la?

— O lugar dela é no altar dos meus antepassados, mas por enquanto não temos casa nem altar. Minha mãe, minha irmã e eu vivemos numa pensão.

— Quantos anos você tem, Ichimei?

— Vinte e dois.

— Já é maior de idade, chefe de sua família. Cabe a você se encarregar do negócio que fiz com seu pai.

Isaac Belasco explicou ao estupefato Ichimei que em 1941 havia constituído uma sociedade com Takao Fukuda para um viveiro de flores e plantas decorativas. A guerra impediu que a sociedade começasse a funcionar, mas nenhum dos dois encerrou o compromisso de palavra que haviam assumido, de modo que o acordo continuava de pé. Existia um terreno apropriado em Martínez, a leste da baía de São Francisco, que ele havia comprado a um ótimo preço. Tratava-se de dois hectares de terra plana, fértil e bem-irrigada, com uma casa modesta, mas decente, onde os Fukuda poderiam viver até conseguirem algo melhor. Ichimei teria que trabalhar muito duramente para levar adiante o negócio, tal como havia sido acordado com Takao.

— A terra nós já temos, Ichimei. Vou investir o capital inicial na preparação do terreno e no plantio, e o resto cabe a você. Com as vendas, irá pagando sua parte como puder, sem pressa nem juros. Quando for cabível, passaremos a sociedade para o seu nome. Por enquanto, o terreno está em nome da Sociedade Belasco, Fukuda e Filhos.

Não disse que a sociedade e a compra da terra haviam sido realizadas menos de uma semana antes. Ichimei descobriria isso quatro anos mais tarde, quando foi transferir o negócio para o seu nome.

Os Fukuda regressaram à Califórnia e se instalaram em Martínez, a quarenta e cinco minutos de São Francisco. Ichimei, Megumi e Heideko, trabalhando lado a lado, de sol a sol, obtiveram a primeira colheita de flores. Comprovaram que a terra e o clima eram os melhores que se podia desejar; só faltava colocar o produto no mercado. Heideko havia demonstrado ter mais valentia e músculos do que qualquer outro dos Fukuda. Em Topaz, desenvolvera espírito combativo e de organização; no Arizona, levara adiante sua família, porque Takao mal conseguia respirar, entre cigarros e ataques de tosse. Tinha amado o marido com a feroz lealdade de quem não questiona seu destino de esposa, mas enviuvar foi uma libertação. Quando voltou com os filhos à Califórnia e topou com dois hectares de possibilidades, colocou-se à frente da empresa sem vacilar. No princípio Megumi teve que obedecer à mãe e pegar enxada e ancinho para trabalhar no campo, mas tinha a mente voltada para um futuro muito diferente da agricultura. Ichimei amava a botânica e possuía uma vontade férrea para o trabalho pesado, mas carecia de senso prático e de olho para o dinheiro. Era idealista, sonhador, inclinado ao desenho e à poesia, com mais aptidão para a meditação do que para o comércio. Não foi vender em São Francisco sua espetacular colheita de flores até que a mãe o mandasse tirar a terra das unhas, vestir terno, camisa branca e gravata colorida — nada de luto —, carregar a caminhonete e dirigir até a cidade.

Megumi havia feito uma lista das lojas de flores mais elegantes, e Heideko, levando a lista na mão, visitou uma por uma. Ficava no veículo, porque estava consciente de seu aspecto de camponesa japonesa e do seu péssimo inglês, enquanto Ichimei, com as orelhas vermelhas de vergonha, oferecia sua mercadoria. Tudo o que se relacionava com dinheiro o deixava constrangido. Segundo Megumi, seu irmão não tinha sido feito para viver na América, sendo discreto, austero, passivo e humilde; se dependesse dele, andaria coberto por uma tanga, mendigando alimento com uma escudela, como os anacoretas e profetas da Índia.

Nessa noite, Heideko e Ichimei voltaram de São Francisco com a caminhonete vazia. "Primeira e última vez que o acompanho, filho. Você é responsável por esta família. Não podemos comer flores; você tem que negociá-las", disse Heideko. Ichimei tentou delegar esse papel à irmã, mas Megumi já estava com um pé na porta de saída. Perceberam o quanto era fácil obter bom preço pelas flores e calcularam que poderiam pagar pela terra em quatro ou cinco anos, desde que vivessem com o mínimo e não acontecesse uma desgraça maior. Além disso, depois de ver a colheita, Isaac lhes prometeu que obteria um contrato com o Hotel Fairmont para a manutenção dos espetaculares ramos de flores frescas do hall de recepção e dos salões, que davam fama ao estabelecimento.

Por fim a família começava a se reerguer, depois de treze anos de má sorte, e então Megumi anunciou que havia completado trinta anos e era hora de iniciar seu próprio caminho. Enquanto isso, Boyd Anderson tinha se casado e se divorciado, era pai de dois meninos e voltara a implorar a Megumi que fosse para o Havaí, onde ele prosperava com sua oficina mecânica e uma frota de caminhões. "Esqueça o Havaí. Se você quiser estar comigo, terá que ser em São Francisco", respondeu ela. Havia decidido estudar enfermagem. Em Topaz, fizera vários partos e sempre que recebia uma criatura recém-nascida experimentava a mesma sensação de êxtase, a emoção mais semelhante a uma revelação divina que ela podia imaginar. Esse aspecto da obstetrícia, dominado por médicos e cirurgiões, começava a ser delegado às parteiras, e ela queria estar na vanguarda da profissão. Foi aceita em um programa de enfermagem e saúde feminina, que tinha a vantagem de ser grátis. Ao longo dos três anos seguintes, Boyd Anderson continuou cortejando-a com parcimônia, à distância, convencido de que Megumi, assim que obtivesse o diploma, se casaria com ele e iria para o Havaí.

27 de novembro de 2005

Parece incrível, Alma: Megumi resolveu se aposentar. Custou-lhe tanto obter o diploma, e seu amor pela profissão é tão grande, que pensávamos que ela nunca pararia. Calculamos que, em quarenta e cinco anos, ela trouxe ao mundo uns cinco mil e quinhentos bebês. É sua contribuição à explosão demográfica, como diz. Completou oitenta anos, está viúva há uma década e tem cinco netos; é hora de descansar, mas cismou que vai montar um negócio de comida. Ninguém a entende na família, porque minha irmã é incapaz de fritar um ovo. Tive algumas horas livres para pintar. Desta vez não vou recriar a paisagem de Topaz, como tantas outras vezes. Estou pintando uma trilha nas montanhas ao sul do Japão, perto de um templo muito antigo e isolado. Precisamos voltar juntos ao Japão; eu gostaria de lhe mostrar esse templo.

Ichi

O amor

Aquele ano de 1955 não foi só de esforço e suor para Ichimei. Foi também o ano de seus amores. Alma abandonou o projeto de voltar para Boston, de se transformar em uma segunda Vera Neumann e de viajar pelo mundo; seu único propósito na vida era estar com Ichimei. Encontravam-se quase todos os dias ao anoitecer, quando as tarefas do campo terminavam, em um motel a nove quilômetros de Martínez. Alma sempre chegava primeiro e pagava o quarto a um empregado paquistanês, que a perscrutava dos pés à cabeça com profundo desprezo. Ela o fitava, orgulhosa e insolente, até que o homem baixava os olhos e lhe entregava a chave. A cena se repetia, idêntica, de segunda a sexta-feira.

Em casa, Alma anunciou que estava fazendo aulas vespertinas na universidade, em Berkeley. Para Isaac Belasco, que se orgulhava de ter ideias avançadas e de poder fazer negócios ou cultivar amizade com seu jardineiro, teria sido inaceitável que alguém de sua família tivesse relações íntimas com um dos Fukuda. Quanto a Lillian, em seus planos Alma se casaria com um *mensch* da colônia judaica, tal como haviam feito Martha e Sarah, e isso não se discutiria. O único que sabia do segredo de Alma era Nathaniel, que também não o aprovava. Alma não lhe contou sobre o motel, e ele não fez perguntas, porque preferia não saber dos detalhes. Não podia continuar desqualificando Ichimei como uma veleidade de sua prima, da qual ela se curaria assim que voltasse a vê-lo, mas esperava que Alma compreendesse em algum momento que os dois nada tinham em comum. Não recordava a relação que ele mesmo tivera com Ichimei na infância, exceto as aulas de artes marciais na rua Pine. Depois que entrara para o secundário e as peças teatrais no sótão acabaram, vira-o muito pouco, embora Ichimei fosse toda hora a Sea Cliff para brincar com Alma. Quando os Fukuda retornaram a São Francisco, Nathaniel esteve com ele brevemente em algumas ocasiões, enviado pelo pai a fim de lhe entregar dinheiro para o viveiro. Não entendia que diabos sua prima via no rapaz, um tipo sem conteúdo, que passava sem deixar marcas, o oposto do homem forte e seguro de si que poderia manejar uma mulher tão complicada como Alma. Estava seguro de que sua opinião sobre Ichimei seria a mesma ainda que este não fosse japonês; a raça não tinha nada a ver com isso, era uma questão de temperamento. Faltava a Ichimei aquela dose de ambição e agressividade necessária aos homens, que ele mesmo precisara desenvolver por força de vontade. Recordava muito bem seus anos de medo, o tormento da escola e o esforço descomunal de estudar para uma profissão na qual era necessária uma malignidade que ele não tinha. Era grato ao pai por tê-lo induzido a seguir os seus passos, porque como advogado havia endurecido, adquirido pele de jacaré para se garantir sozinho e seguir adiante. "Isso é o que você acha, Nat, mas você não conhece Ichimei e tampouco a si mesmo", retrucou Alma, quando ele lhe expôs sua teoria sobre a masculinidade.

A lembrança dos meses benditos em que se encontrava com Ichimei naquele motel, onde não podiam apagar a luz por causa das baratas noctívagas que saíam dos cantos, sustentou Alma nos anos vindouros, quando ela tentou, com rigor extremo, arrancar de si o amor e o desejo e substituí-los pela penitência da fidelidade. Com Ichimei, descobriu as múltiplas sutilezas do amor e do prazer, desde a paixão desenfreada e urgente até os momentos sagrados em que a emoção os dominava e eles permaneciam imóveis, deitados frente a frente na cama, fitando-se longamente, agradecidos por sua sorte, humildes por terem tocado o mais profundo de suas almas, purificados por terem-se desprendido de todo artifício e por jazerem juntos totalmente vulneráveis, em tal êxtase que já não podiam distinguir entre o gozo e a tristeza, entre a exaltação da vida e a tentação doce de morrer ali mesmo, para não se separarem mais. Isolada do mundo pela magia do amor, Alma podia ignorar as vozes dentro de sua razão chamando-a à razão, clamando por prudência, advertindo-a sobre as consequências. Só viviam para o seu encontro do dia; não havia amanhã nem ontem, só importava aquele quarto insalubre com sua janela emperrada, seu cheiro de mofo, seus lençóis gastos e o ruído perene do ventilador. Só existiam eles dois, o primeiro beijo ofegante ao cruzarem o umbral, antes de trancar a porta, as carícias ainda de pé, o despojar-se da roupa, que permanecia largada onde caísse, os corpos nus, trêmulos, sentir o calor, o sabor e o odor do outro, a textura da pele e do cabelo, a maravilha de se perder no desejo até à extenuação, de cochilar abraçados por um momento e voltar ao prazer renascido, às brincadeiras, ao riso e às confidências, ao prodigioso universo da intimidade. Os dedos verdes de Ichimei, capazes de devolver a vida a uma planta agonizante ou de montar um relógio às cegas, revelaram a Alma sua própria natureza encabritada e faminta. Ela se entretinha chocando-o, desafiando-o, vendo-o enrubescer, encabulado e divertido. Ela era ousada, ele era prudente, ela era ruidosa no orgasmo, ele lhe tapava a boca. A ela ocorria um rosário de palavras românticas, apaixonadas, lisonjeiras e indecentes para lhe soprar ao ouvido ou lhe escrever em cartas urgentes, ele mantinha a reserva própria de seu temperamento e de sua cultura.

Alma se deixou levar pela alegria inconsciente do amor. Perguntava-se como ninguém percebia o resplendor em sua pele, a escuridão sem fim de seus olhos, a leveza de seus passos, a languidez em sua voz, a ardente energia que ela não podia nem queria controlar. Nessa época escreveu no diário que andava flutuando e sentia borbulhas de água mineral na pele, eriçando-lhe de prazer os pelos; que seu coração aumentara como um balão e ia explodir, mas não cabia mais ninguém exceto Ichimei nesse imenso coração inflado, o resto da humanidade tendo desaparecido; que se estudava nua diante do espelho imaginando que era Ichimei que a observava do outro lado do vidro, admirando suas pernas longas, suas mãos fortes, seus seios firmes de mamilos escuros, seu ventre liso com uma tênue linha de pelos negros do umbigo ao púbis, seus lábios pintados, sua pele de beduína; que dormia com o rosto enterrado numa camiseta dele, impregnada de seu aroma de jardim, húmus e suor; que tapava os ouvidos para evocar a voz lenta e suave de Ichimei, seu riso vacilante, que contrastava com o dela, exagerado e buliçoso, seus conselhos de cautela, suas explicações sobre plantas, suas palavras de amor em japonês, porque em inglês lhe pareciam insubstanciais, suas exclamações deslumbradas ante os desenhos que ela lhe mostrava e ante os planos de imitar Vera Neumann, sem se deter nem por um instante para lamentar que ele mesmo, que tinha verdadeiro talento, mal havia podido pintar quando conseguia algumas horas depois do trabalho embrutecedor da terra, antes de ela aparecer em sua vida açambarcando todo o seu tempo livre e engolindo todo o seu ar. A necessidade de Alma de saber-se amada era insaciável.

Rastros do passado

No início, Alma Belasco e Lenny Beal, o amigo recém-chegado a Lark House, propuseram-se a usufruir da vida cultural de São Francisco. Iam ao cinema, ao teatro, a concertos e exposições, experimentavam restaurantes exóticos e passeavam com a cadela. Pela primeira vez em três anos, Alma voltou ao camarote da família na ópera, mas seu amigo se confundiu com o enredo do primeiro ato e dormiu no segundo, antes que Tosca conseguisse cravar uma faca de mesa no coração de Scarpia. Desistiram da ópera. Lenny tinha um automóvel mais confortável que o de Alma, e os dois costumavam ir a Napa a fim de desfrutar da bucólica paisagem de vinhedos e de provar vinhos, ou a Bolinas para sentir o cheiro de maresia e comer ostras, mas acabaram se cansando do esforço de se manterem jovens e ativos e foram cedendo à tentação do repouso. Em vez de tantas saídas, que exigiam que se deslocassem, que procurassem estacionamento e ficassem de pé, assistiam filmes na televisão, escutavam música em seus apartamentos ou visitavam Cathy levando uma garrafa de champanhe *rosé* para acompanhar o caviar que a filha da doutora, aeromoça da Lufthansa, trazia de suas viagens. Lenny colaborava na clínica da dor ensinando os pacientes a fazer máscaras para o teatro de Alma com papel machê e cimento dental. Passavam tardes lendo na biblioteca, a única área comum mais ou menos silenciosa; o ruído era um dos inconvenientes de viver em comunidade. Se não houvesse alternativa, jantavam no refeitório de Lark House, sob o escrutínio de outras mulheres, invejosas da boa sorte de Alma. Irina se sentia deslocada, embora às vezes a incluíssem nas saídas; ela já não era indispensável para Alma. "Isso está só na sua cabeça, Irina. Lenny não compete com você em nada", dizia Seth para consolá-la, mas também estava preocupado, porque, se sua avó reduzisse as horas semanais de trabalho de Irina, ele teria menos oportunidades de ver a moça.

Nessa tarde Alma e Lenny estavam sentados no jardim, lembrando o passado, como faziam frequentemente, enquanto a pouca distância Irina dava banho em Sofia com a mangueira. Alguns anos antes, Lenny vira na internet uma organização dedicada a resgatar cães da Romênia, onde eles vagavam pelas ruas em patéticas matilhas, e a trazê-los para São Francisco a fim de doá-los a almas inclinadas a esse tipo de caridade. Cativado pela cara de Sofia, com sua mancha preta no olho, ele não pensou duas vezes: preencheu o formulário on-line, enviou os cinco dólares requeridos e no dia seguinte foi buscá-la. Na descrição, haviam se esquecido de mencionar que a cachorrinha não tinha uma pata. Mas com as patas restantes levava uma vida normal. A única sequela do acidente era que ela destruía uma das extremidades de qualquer coisa que tivesse quatro pernas, como cadeiras e mesas, mas Lenny resolvia isso com uma reserva inesgotável de bonecos de plástico; quando a cadela deixava um deles maneta ou coxo, Lenny imediatamente lhe entregava outro, e assim se entendiam. A única debilidade de caráter de Sofia era a deslealdade para com o dono. Apaixonou-se por Catherine Hope e, ao menor descuido, corria como uma bala para procurá-la e, com um salto, subia em seu colo. Gostava de andar de cadeira de rodas.

Sofia se mantinha quieta sob o jorro da mangueira, enquanto Irina lhe falava em romeno para disfarçar que escutava a conversa entre Alma e Lenny, com a intenção de transmiti-la a Seth. Sentia-se mal por espiá-los, mas investigar o mistério daquela mulher se tornara um vício que ela compartilhava com Seth. Sabia, porque Alma lhe contara, que a amizade com Lenny havia começado em 1984, ano em que morreu Nathaniel Belasco, e que tinha durado poucos meses; porém, as circunstâncias lhe conferiram tal intensidade que, quando os dois se reencontraram em Lark House, puderam retomá-la como se nunca tivessem se distanciado. Nesse momento, Alma explicava a Lenny que aos setenta e oito anos havia renunciado ao seu papel de matriarca dos Belasco, cansada de dar ouvidos às pessoas e às normas, como havia feito desde criança. Estava em Lark House havia três anos e gostava dali cada vez mais. Impusera isso a si mesma como uma penitência, disse; como uma forma de pagar pelos privilégios de sua vida, pela vaidade e pelo materialismo. O ideal seria passar o resto dos seus dias em um mosteiro, mas não era vegetariana e a meditação lhe dava dor nas costas, por isso se mudara para Lark House, mesmo diante do horror do filho e da nora, que prefeririam vê-la de cabeça raspada em Dharamsala. Em Lark House sentia-se muito bem, não tinha renunciado a nada essencial e, se necessário, estava a vinte minutos de Sea Cliff, embora não voltasse à casa da família, que nunca sentira como própria, para nada além dos almoços, tendo a casa primeiro pertencido aos seus sogros e depois ao seu filho e à nora. No começo não falava com ninguém; era como estar sozinha num hotel de segunda categoria, mas com o tempo fizera algumas amizades e, desde que Lenny havia chegado, sentia-se muito acompanhada.

— Você poderia ter escolhido algo melhor do que isto, Alma.

— Não preciso de nada melhor. A única coisa que me faz falta é uma lareira no inverno. Gosto de olhar o fogo ardendo; é como o fluxo incessante das ondas do mar.

— Conheço uma viúva que passou os últimos seis anos em cruzeiros. Assim que o navio chega ao porto final, sua família entrega a ela a passagem para outra volta ao mundo.

— Como o meu filho e a minha nora não pensaram nessa solução? — riu Alma.

— A vantagem é que, se você morrer em alto-mar, o capitão lança o cadáver na água e sua família economiza com o enterro — acrescentou Lenny.

— Aqui eu estou bem, Lenny. Estou descobrindo quem sou, uma vez despojada de meus adornos e apetrechos; é um processo bastante lento, mas muito útil. Todo mundo deveria fazer isso no final da vida. Se eu tivesse disciplina, trataria de passar à frente do meu neto e escrever minhas próprias memórias. Disponho de tempo, liberdade e silêncio, o que nunca tive na agitação da vida que levava. Estou me preparando para morrer.

— Ainda lhe falta muito para isso, Alma. Você está esplêndida.

— Obrigada. Deve ser por causa do amor.

— Amor?

— Digamos que conto com alguém. Você sabe a quem me refiro: Ichimei.

— Incrível! Há quantos anos estão juntos?

— Vejamos, vou fazer as contas... Eu gosto dele desde que nós dois tínhamos cerca de oito anos, mas, como amantes, temos cinquenta e oito, desde 1955, com algumas interrupções prolongadas.

— Por que se casou com Nathaniel? — perguntou Lenny.

— Porque ele quis me proteger, e naquele momento eu precisava dessa proteção. Lembre-se de como ele era nobre. Nat me ajudou a aceitar o fato de que existem forças mais poderosas do que minha vontade, forças até mais poderosas do que o amor.

— Eu gostaria de conhecer Ichimei, Alma. Avise-me quando ele vier vê-la.

— Nosso caso continua secreto — respondeu ela, enrubescendo.

— Por quê? Sua família entenderia.

— Não é pelos Belasco, mas pela família de Ichimei. Por respeito à mulher, aos filhos e aos netos dele.

— Depois de tantos anos, a mulher dele deve saber, Alma.

— Nunca fez a menor menção a isso. Eu não gostaria de fazê-la sofrer; Ichimei não me perdoaria. E, também, a situação tem suas vantagens.

— Quais?

— Para começar, nunca tivemos que lidar com problemas domésticos, filhos, dinheiro e tantos outros que os casais enfrentam. Só nos juntamos para nos amar. Além disso, Lenny, uma relação clandestina deve ser defendida; é frágil e preciosa. Você sabe disso melhor do que ninguém.

— Nós dois nascemos com meio século de atraso. Alma. Somos especialistas em relações proibidas.

— Ichimei e eu tivemos uma oportunidade quando éramos muito jovens, mas eu não me atrevi. Não consegui renunciar à segurança e fiquei presa às convenções. Eram os anos cinquenta, o mundo era muito diferente. Você se lembra?

— Como não me lembraria? Uma relação assim era quase impossível. Você teria se arrependido, Alma. Os preconceitos acabariam destruindo os dois e matando o amor.

— Ichimei sabia disso e nunca me pressionou.

Após uma longa pausa em que permaneceram absortos, contemplando o afã dos beija-flores numa touceira de brincos-de-princesa, enquanto Irina demorava deliberadamente para enxugar Sofia com uma toalha e escová-la, Lenny disse a Alma que lamentava que os dois não se tivessem visto em quase três décadas.

— Eu soube que você estava vivendo em Lark House. É uma coincidência que me obriga a acreditar no destino, Alma, porque entrei na lista de espera há anos, muito antes de você vir. Fui adiando a decisão de visitá-la, porque não queria desenterrar histórias mortas — disse ele.

— Não estão mortas, Lenny. Agora estão mais vivas do que nunca. Isso acontece com a idade: as histórias do passado ganham vida e grudam em nossa pele. Estou contente porque vamos passar juntos os próximos anos.

— Não serão anos, mas meses, Alma. Tenho um tumor cerebral inoperável e me resta pouco tempo antes que comecem os sintomas mais evidentes.

— Meu Deus, sinto muito, Lenny!

— Por quê? Eu vivi o suficiente, Alma. Com tratamento agressivo, poderia durar um pouco mais, porém não vale a pena me submeter a isso. Sou covarde, temo a dor.

— Surpreende-me que tenham aceitado você em Lark House.

— Todos ignoram o que eu tenho, e não há motivo para divulgá-lo, já que não ocuparei um lugar aqui por muito tempo. Vou embora assim que minha condição se agravar.

— Como você vai saber?

— Por enquanto tenho dor de cabeça, fraqueza, uma certa lentidão. Já não me atrevo a andar de bicicleta, que foi a paixão da minha vida, porque caí várias vezes. Sabia que atravessei de bicicleta os Estados Unidos, do Pacífico ao Atlântico, em três ocasiões? Pretendo desfrutar o tempo que me resta. Depois viriam vômitos, dificuldade para caminhar e falar, os olhos falhariam, eu teria convulsões... Mas não vou esperar tanto. Tenho que agir enquanto estiver bem de cabeça.

— Como a vida passa depressa, Lenny!

A declaração de Lenny não surpreendeu Irina. A morte voluntária era discutida com naturalidade entre os residentes mais lúcidos de Lark House. Segundo Alma, havia no planeta um excesso de anciãos que viviam muito mais do que o necessário para a biologia e do que o possível para a economia, e não fazia sentido obrigá-los a permanecer presos a um corpo dolorido ou a uma mente desesperada. "Poucos velhos estão contentes, Irina. A maioria sofre privações, não tem boa saúde nem família. Esta é a etapa mais frágil e mais difícil da vida, até mais do que a infância, porque piora com o passar dos dias e não há outro futuro exceto a morte." Irina comentou isso com Cathy, a qual sustentava que dentro em pouco seria possível optar pela eutanásia, que seria um direito em vez de um crime. Cathy sabia que várias pessoas em Lark House estavam munidas do necessário para um suicídio digno, e, embora entendesse as razões para alguém tomar essa decisão, ela não pretendia ir embora desse modo. "Eu vivo com dor permanente,

Irina; mas, se me distraio, é suportável. O pior foi a reabilitação, depois das operações. Nem mesmo a morfina aliviava a dor. A única coisa que me ajudava era saber que aquilo não ia durar para sempre. Tudo é temporário." Irina imaginou que Lenny, por sua profissão, contava com drogas mais eficientes do que as provenientes da Tailândia, que chegavam embrulhadas em papel pardo e sem identificação.

— Estou tranquilo, Alma — acrescentou Lenny. — Desfruto da minha vida, especialmente do tempo que você e eu temos passado juntos. Estou me preparando há muito tempo; isso não me pegou desprevenido. Aprendi a prestar atenção ao corpo. O corpo nos informa de tudo, basta escutá-lo. Eu soube da minha doença antes que ela fosse diagnosticada e sei que qualquer tratamento seria inútil.

— Você tem medo? — perguntou Alma.

— Não. Suponho que depois da morte seja o mesmo que antes de nascer. E você?

— Um pouco... Imagino que após a morte não haja contato com este mundo, nada de sofrimento, personalidade, memória; como se esta Alma Belasco nunca tivesse existido. Talvez algo transcenda: o espírito, a essência do ser. Mas lhe confesso que temo me desprender do corpo. Espero que nessa hora Ichimei esteja comigo ou Nathaniel venha me buscar.

— Se o espírito não tem contato com este mundo, como você disse, não vejo como Nathaniel pode vir buscá-la — comentou ele.

— Claro. É uma contradição — riu Alma. — Estamos tão agarrados à vida, Lenny! Você diz que é covarde, mas é preciso ser muito forte para se despedir de tudo e cruzar uma porta que não sabemos aonde conduz.

— Por isso eu vim para cá, Alma. Não creio que possa fazer isso sozinho. Achei que você seria a única pessoa que poderia me ajudar, a única a quem poderia solicitar que esteja comigo quando chegar o momento de morrer. Estou pedindo muito?

22 de outubro de 2002

Ontem, Alma, quando por fim pudemos nos encontrar para comemorar nossos aniversários, notei seu mau humor. Você disse que de repente, sem saber como, alcançamos os setenta. Teme que o corpo falhe conosco, e também isso a que chama feiura da velhice, embora você seja mais bonita hoje do que aos vinte e três. Não estamos velhos por termos completado setenta anos. Começamos a envelhecer no momento em que nascemos, mudamos a cada dia, a vida é um contínuo fluir. Evoluímos. A única diferença é que agora estamos um pouco mais perto da morte. E o que tem isso de ruim? O amor e a amizade não envelhecem.

Ichi

Luz e sombra

O exercício sistemático de recordar para o livro do neto foi proveitoso para Alma Belasco, ameaçada como estava, em sua idade, pela fragilidade da mente. Antes se perdia em labirintos, e, se quisesse resgatar algum fato preciso, não o encontrava, mas, para dar a Seth respostas satisfatórias, dedicou-se a reconstituir o passado com certa ordem, em vez de fazê-lo aos saltos e cambalhotas, da mesma forma que com Lenny Beal no ócio de Lark House. Visualizava caixas de diferentes cores, uma para cada ano de sua existência, e colocava dentro suas experiências e seus sentimentos. Empilhava-as no grande armário de três portas da casa de seus tios Belasco, no qual, aos sete anos, chorava aos litros. As caixas virtuais transbordavam de saudades e alguns remorsos; nelas, estavam bem-guardados os terrores e as fantasias da infância, as ousadias da juventude, as dores, os trabalhos, as paixões e os amores da maturidade. Com ânimo leve, porque tentava perdoar todos os seus erros, menos aqueles que haviam provocado sofrimento em outras pessoas, colava os retalhos de sua biografia e os apimentava com toques de fantasia, permitindo-se exageros e mentiras, já que Seth não podia refutar o conteúdo da memória dela. Fazia isso como um exercício de imaginação, mais do que por vontade de mentir. Ichimei, contudo, ela guardava em segredo, sem imaginar que às suas costas Irina e Seth estivessem investigando o âmbito mais precioso e oculto de sua existência, o único que ela não podia revelar, porque, se o fizesse, Ichimei desapareceria, e nesse caso não haveria razão para continuar vivendo.

Irina era seu copiloto nesse voo rumo ao passado. As fotografias e outros documentos passavam por suas mãos; era ela quem os classificava, quem ia montando os álbuns. As perguntas de Irina ajudavam Alma a se encaminhar quando se distraía em becos sem saída, e assim sua vida foi se aclarando e se definindo. Irina submergiu na existência da outra como se estivessem juntas em um romance vitoriano: a senhora de alta estirpe e sua dama de companhia capturadas no tédio de eternas xícaras de chá, numa casa de campo. Alma sustentava que todos possuem um jardim interior, privado, onde podem se refugiar, mas Irina não desejava ver o seu; preferia substituí-lo pelo de Alma, mais amável do que o próprio. Conhecia a menina melancólica vinda da Polônia, a jovem Alma de Boston, a artista e esposa; sabia de seus vestidos e chapéus preferidos, do primeiro ateliê de pintura, onde ela trabalhara sozinha experimentando com pincéis e cores antes de definir seu estilo, de suas antigas malas de viagem, de couro gasto e cobertas de etiquetas adesivas que ninguém mais usava. Essas imagens e experiências eram nítidas, precisas, como se Irina tivesse existido nessas épocas e convivido com Alma em cada uma dessas circunstâncias. Parecia-lhe maravilhoso que bastasse o poder evocativo das palavras ou de uma fotografia para fazê-las reais e permitir-lhe apoderar-se delas.

Alma Belasco havia sido uma mulher enérgica, ativa, tão intolerante com as próprias debilidades como era com as alheias, mas a idade estava suavizando-a; tinha mais paciência com o próximo e consigo mesma. "Se nada me doer, é porque amanheci morta", dizia ao despertar, quando precisava alongar os músculos aos poucos a fim de prevenir as cãibras. Seu corpo não funcionava como antes, fazendo com que ela precisasse recorrer a estratégias para evitar escadas ou adivinhar o sentido de uma frase quando não a escutava; tudo lhe custava mais esforço e tempo e havia coisas que ela simplesmente não podia fazer, tais como dirigir à noite, abastecer o carro, abrir uma garrafa de água ou carregar as sacolas do supermercado. Para isso precisava de Irina. Sua mente, em compensação, estava clara, recordando o presente tão bem quanto o passado, desde que não caísse na tentação da desordem; não lhe falhavam a atenção nem o raciocínio. Ainda conseguia desenhar e tinha a mesma intuição para a cor; ia ao ateliê, mas pintava pouco, porque se cansava, preferindo delegar tarefas a Kirsten e aos ajudantes. Não mencionava suas limitações, enfrentando-as sem estardalhaço, mas Irina as conhecia. Detestava a fascinação dos velhos pelos próprios achaques e enfermidades, um assunto que não interessava a ninguém, nem mesmo aos médicos. "A crença muito difundida, que ninguém se atreve a expressar em público, é que nós velhos estamos sobrando, ocupamos espaço e recursos que cabem a quem é produtivo", dizia. Não reconhecia muitas das pessoas nas fotos, gente sem importância de seu passado, que podia ser eliminada. Nas outras, as que Irina colava nos álbuns, era capaz de apreciar as etapas de sua vida, o passar dos anos, aniversários, festas, férias, formaturas e casamentos. Tratava-se de momentos felizes; ninguém fotografava as dores. Ela aparecia pouco, mas no início do outono Irina pôde apreciar melhor a mulher que Alma havia sido. Os retratos dela feitos por Nathaniel, que eram parte do patrimônio da Fundação Belasco, foram descobertos pelo mundinho artístico de São Francisco, e um jornal chegou a dizer que Alma era "a mulher mais bem-fotografada da cidade".

No Natal do ano anterior, uma editora italiana havia publicado uma seleção de fotos de autoria de Nathaniel Belasco numa edição de luxo; meses mais tarde, um agente americano esperto organizou uma exposição em Nova York e outra na mais prestigiosa galeria de arte da rua Geary, em São Francisco. Alma se negou a participar desses projetos e a falar com a imprensa. Preferia ser lembrada como a modelo da época das imagens, e não como a anciã do presente, disse, mas confessou a Irina que não era por vaidade, e sim por prudência. Não tinha forças para rever esse aspecto de seu passado; temia os detalhes, invisíveis a olho nu, que a câmera pudesse revelar. Contudo, a insistência de Seth acabou vencendo tal resistência. Seu neto havia visitado várias vezes a galeria e estava impressionado; não permitiria que Alma perdesse a exposição, o que lhe parecia um insulto à memória de Nathaniel Belasco.

— Faça esse esforço pelo vovô, que vai se remexer no túmulo se a senhora não comparecer. Amanhã venho buscá-la. Peça a Irina que nos acompanhe. As duas vão se surpreender.

Tinha razão. Irina havia folheado o livro da editora italiana, mas nada a preparara para o impacto daqueles enormes retratos. Seth as levou no Mercedes Benz da família, porque os três não cabiam no carro de Alma e muito menos na moto dele; foram num horário tranquilo do meio da tarde, quando esperavam encontrar a galeria sem público. Só toparam com um mendigo caído na calçada em frente à porta e com um casal de turistas australianos, a quem a encarregada, uma boneca chinesa de porcelana, tentava vender alguma coisa, e por isso mal atentou para os recém-chegados.

Nathaniel Belasco fotografou sua esposa entre 1977 e 1983 com uma das primeiras câmeras Polaroid 20x24, capazes de captar detalhes ínfimos com fulminante precisão. Belasco não se incluía entre os célebres fotógrafos profissionais de sua geração, descrevendo a si mesmo como amador, mas era dos poucos com recursos suficientes para custear a câmera. Além disso, tinha uma modelo excepcional. A confiança de Alma no marido comoveu Irina; ao ver os retratos, ela sentiu pudor, como se profanasse um rito íntimo e cru. Entre o artista e a modelo não havia separação; estavam consolidados em um nó cego, e dessa simbiose nasciam fotografias sensuais, mas sem carga sexual. Em várias poses Alma estava nua e em atitude de abandono, sem consciência de ser observada. Na atmosfera etérea, fluida e translúcida de algumas imagens, a figura feminina se perdia no sonho do homem detrás da câmera; em outras, mais realistas, ela enfrentava Nathaniel com a tranquila curiosidade de uma mulher sozinha diante do espelho, à vontade em sua pele, sem reservas, com veias visíveis nas pernas, uma cicatriz de cesariana e o rosto marcado por meio século. Irina não conseguiria expressar sua própria perturbação, mas compreendeu as reticências de Alma ao não querer se mostrar em público através da lente clínica do marido, a quem a mulher parecia estar unida por um sentimento muito mais complexo e perverso do que o amor entre esposos. Nas brancas paredes da galeria, Alma se expunha agigantada e submissa. Em Irina, essa mulher inspirou certo temor; era uma desconhecida. Ela sentiu um aperto na garganta, e Seth, que talvez compartilhasse uma emoção semelhante, segurou-lhe a mão. Desta vez, Irina não a retirou.

Os turistas foram embora sem comprar nada, e a boneca chinesa se voltou para eles com avidez. Apresentou-se como Meili e passou a importuná-los com um discurso preparado sobre a câmera Polaroid, a técnica e a intenção de Nathaniel Belasco, as luzes e sombras, a influência da pintura flamenga. Alma escutou tudo achando graça, assentindo em silêncio. Meili não relacionou essa mulher de cabelos brancos à modelo dos retratos.

Na segunda-feira seguinte, ao término de seu turno em Lark House, Irina foi buscar Alma a fim de levá-la ao cinema para ver *Lincoln* de novo. Lenny havia partido por alguns dias a Santa Bárbara, e Irina recuperou temporariamente sua posição de adida cultural, como Alma a chamava antes de Lenny chegar a Lark House e lhe usurpar esse privilégio. Dias antes, haviam deixado o filme pela metade, porque Alma sentira uma pontada no peito tão dolorosa que soltara um grito, e tiveram que sair do cinema. Recusara a oferta do gerente, que pretendia chamar o pronto-socorro, porque a perspectiva de uma ambulância e de um hospital lhe parecia pior do que morrer ali mesmo. Irina a levou até Lark House. Havia algum tempo que Alma lhe entregava a chave de seu ridículo automóvel para que dirigisse, porque a jovem simplesmente se negava a arriscar sua vida como passageira; a audácia de Alma no trânsito havia aumentado à medida que falhavam os seus olhos e tremiam as suas mãos. Pelo caminho, a dor foi passando, mas ela chegou exangue, com o rosto lívido e as unhas azuladas. Irina a ajudou a se deitar e, sem lhe pedir autorização, chamou Catherine Hope, em quem confiava mais do que no médico da comunidade. Cathy acudiu apressada em sua cadeira, examinou Alma com a atenção e o cuidado que dedicava a tudo e determinou que ela consultasse um cardiologista o mais depressa possível. Nessa noite Irina improvisou uma cama no sofá do apartamento, que se revelou mais confortável do que o colchão no piso de seu quarto em Berkeley, e ficou com ela. Alma dormiu tranquila, com Neko deitado aos seus pés, mas amanheceu sem ânimo e, pela primeira vez desde que Irina a conhecia, decidiu passar o dia na cama. "Amanhã você vai me obrigar a me levantar, Irina, ouviu bem? Nada de ficar largada, com uma xícara de chá e um bom livro. Não quero acabar vivendo de pijama e pantufas. Os velhos que se metem na cama não se levantam mais." Fiel ao que dissera, no dia seguinte fez o esforço de começar a jornada como sempre, não se referiu de novo à fraqueza daquelas vinte e quatro horas, e Irina, que tinha outras coisas em mente, logo se esqueceu do episódio. Catherine Hope, em contraposição, se dispôs a não deixar Alma em paz até que ela procurasse um especialista, mas sua amiga deu um jeito de postergar essa providência.

Viram o filme sem incidentes, saíram do cinema empolgadas com Lincoln e com o ator que o representou, mas Alma estava cansada, e decidiram voltar ao apartamento em vez de irem a um restaurante, como haviam planejado. Ao chegar, Alma anunciou entre dois suspiros que estava com frio e se deitou, enquanto Irina preparava aveia com leite como jantar. Apoiada nos travesseiros, com um xale de avó nos ombros, Alma parecia ter cinco quilos a menos e dez anos a mais do que algumas horas antes. Irina acreditava que a mulher fosse invulnerável e, por isso, demorou até aquela noite para perceber o quanto ela mudara nos meses recentes. Tinha perdido peso, e em seu rosto devastado as olheiras violáceas lhe davam aspecto de guaxinim. Já não andava erguida nem pisava forte, vacilava ao se levantar de uma cadeira, pendurava-se ao braço de Lenny na rua, às vezes amanhecia assustada sem razão ou se sentia perdida, como se tivesse despertado num país desconhecido. Ia tão pouco ao ateliê que decidiu dispensar os ajudantes, e comprava revistinhas e bombons para Kirsten a fim de consolá-la em sua ausência. A segurança emocional de Kirsten dependia de sua própria rotina e de seu afeto; enquanto nada mudasse, ela estava contente. Sua funcionária vivia em um aposento em cima da garagem do irmão e da cunhada, mimada por três sobrinhos que ajudara a criar. Nos dias de trabalho, tomava, ao meio-dia, sempre o mesmo ônibus, que a deixava a duas quadras do ateliê. Abria o local com sua chave, arejava-o, limpava-o, sentava-se na cadeira de diretor de cinema com seu nome, que os sobrinhos lhe deram quando ela fizera quarenta anos, e comia o sanduíche de frango ou de atum que levava na mochila. Depois preparava os tecidos, pincéis e tintas, colocava para ferver a água do chá e, então, esperava, com os olhos grudados na porta. Alma, se não pretendesse ir, telefonava para o celular de Kirsten, conversava um pouco com ela e passava alguma tarefa que a mantivesse ocupada até as cinco, hora em que a mulher trancava bem trancado o ateliê e caminhava até o ponto, a fim de tomar o ônibus de volta para casa.

Um ano antes, Alma calculava viver sem alterações até os noventa, mas já não estava tão segura disso; desconfiava que a morte se aproximava. Antes podia senti-la passeando pelos arredores, depois passou a escutá-la murmurando pelos cantos em Lark House, e, agora, estava espiando seu apartamento. Aos sessenta, Alma pensava na morte como algo abstrato que não lhe concernia; aos setenta, considerava-a um parente distante, fácil de esquecer porque não era mencionado, mas que inexoravelmente chegaria de visita. Depois dos oitenta, porém, começou a se familiarizar com ela e a comentá-la com Irina. Podia vê-la aqui e ali, sob a forma de uma árvore caída no parque, de uma pessoa afetada pelo câncer, de seu pai e sua mãe atravessando a rua; podia reconhecê-los, porque estavam iguais à fotografia de Danzig. Às vezes era seu irmão Samuel, que morrrera pela segunda vez, pacificamente, na própria cama. Seu tio Isaac Belasco lhe aparecia vigoroso, como era antes que o coração parasse, mas tia Lillian chegava para saudá-la de vez em quando, no cochilo do amanhecer, tal como era no final da vida: uma velhinha vestida de lilás, cega, surda e feliz, porque acreditava que o marido segurava sua mão. "Olhe essa sombra na parede, Irina. Não parece a silhueta de um homem? Deve ser Nathaniel. Não se preocupe, menina, não estou demente, sei que é só minha imaginação." Falava a Irina sobre Nathaniel, da bondade dele, do talento para resolver problemas e enfrentar dificuldades, de como ele havia sido e continuava sendo seu anjo da guarda.

— É um modo de falar, Irina, os anjos não existem.

— Claro que existem! Se eu não tivesse dois anjos da guarda, já estaria morta, ou talvez tivesse cometido um crime e estivesse presa.

— Que ideias você tem, Irina! Na tradição judaica os anjos são mensageiros de Deus, não guarda-costas dos humanos; mas eu conto com meu próprio guarda-costas: Nathaniel. Sempre cuidou de mim, primeiro como um irmão mais velho, depois como um marido perfeito. Nunca pude retribuir tudo o que ele fez por mim.

— Estiveram casados por trinta anos, Alma, tiveram filho e netos, trabalharam juntos na Fundação Belasco, a senhora cuidou dele na doença e o apoiou até o final. Seguramente ele pensava o mesmo: que não poderia lhe retribuir tudo o que a senhora lhe fez.

— Nathaniel merecia muito mais amor do que eu dei a ele, Irina.

— Ou seja, amou-o mais como irmão do que como marido?

— Amigo, primo, irmão, marido... Não sei a diferença. Quando nos casamos, houve fofocas porque éramos primos, e isso era considerado incesto; acho que ainda é. Suponho que nosso amor sempre tenha sido incestuoso.

O agente Wilkins

Na segunda sexta-feira de outubro, Ron Wilkins apareceu em Lark House procurando Irina Bazili. Era um agente do FBI, afro-americano, de sessenta e cinco anos, corpulento, cabelos grisalhos e mãos expressivas. Surpreendida, Irina perguntou como ele a encontrara, e Wilkins lhe recordou que estar bem-informado era indispensável em seu ofício. Não se viam desde três anos antes, mas costumavam se falar por telefone. Wilkins ligava de vez em quando para saber dela. "Estou bem, não se preocupe. O passado ficou para trás, já nem me lembro de tudo aquilo", era a invariável resposta da moça; no entanto, os dois sabiam que não era verdade. Quando Irina o conhecera, Wilkins parecia prestes a arrebentar o terno com seus músculos de levantador de pesos; onze anos mais tarde, os músculos tinham se transformado em gordura, porém ele continuava dando a mesma impressão de juventude. Contou que era avô e mostrou a ela a fotografia do neto, um menino de dois anos, de pele muito mais clara do que a dele. "O pai é holandês", disse Wilkins, a título de explicação, embora Irina não tivesse perguntado do título. Acrescentou que estava em idade de se aposentar, que na verdade isso era praticamente uma obrigação da Agência, mas ele se mantinha aparafusado à sua cadeira. Não podia se afastar; continuava perseguindo o crime, ao qual havia dedicado a maior parte de sua vida profissional.

O agente chegou a Lark House no meio da manhã. Sentaram-se num banco do jardim para tomar o café aguado que sempre estava disponível na biblioteca e do qual ninguém gostava. Um vapor tênue se elevava da terra umedecida pelo orvalho da noite, e o ar começava a se aquecer ao pálido sol de outono. Podiam conversar em paz, estavam sozinhos. Alguns residentes já se encontravam em suas aulas matinais, mas a maioria se levantava tarde. Somente Victor Vikashev, o jardineiro-chefe, um russo com aspecto de guerreiro tártaro que trabalhava em Lark House havia dezenove anos, cantarolava na horta, e Cathy passou velozmente em sua cadeira de rodas rumo à clínica da dor.

— Tenho boas notícias para você, Elisabeta — anunciou Wilkins a Irina.

— Há anos ninguém me chama de Elisabeta.

— Claro. Desculpe.

— Lembre-se de que agora eu sou Irina Bazili. O senhor mesmo me ajudou a escolher esse nome.

— Mas me conte, menina. Como vai sua vida? Está fazendo terapia?

— Sejamos realistas, agente Wilkins. Sabe quanto eu ganho? Não posso bancar um psicólogo. O condado só paga três sessões, que já gastei, mas, como o senhor pode ver, não me suicidei. Levo uma vida normal, trabalho e pretendo fazer aulas pela internet. Quero estudar massagem terapêutica; é uma boa profissão para alguém com mãos fortes, como eu.

— Está sob supervisão médica?

— Sim. Estou tomando um antidepressivo.

— Onde mora?

— Em Berkeley, num quarto de bom tamanho e barato.

— Este emprego lhe convém, Irina. Aqui você tem tranquilidade, ninguém a incomoda, está em segurança. Deram-me muito boas referências suas. Conversei com o diretor, e ele disse que você é a melhor funcionária. Tem namorado?

— Tinha, mas morreu.

— Não diga! Jesus! Era só o que lhe faltava, menina, sinto muito. Como morreu?

— De velho, acho; ele tinha mais de noventa anos. Mas aqui há outros senhores de idade dispostos a se tornarem meus namorados.

Wilkins não achou graça. Mantiveram-se calados por um tempo, soprando e sorvendo o café dos copos de papel. Irina ficou subitamente agoniada de tristeza e solidão, como se os pensamentos daquele bom homem a tivessem invadido, misturando-se com os seus, e sentiu um nó na garganta. Respondendo a uma comunicação telepática, Ron Wilkins pousou um braço sobre os ombros dela e puxou-a para seu vasto peito. Cheirava a uma colônia adocicada, incongruente num homenzarrão como ele. Ela sentiu o calor que Wilkins emanava, a áspera textura de seu casaco contra a face, o peso reconfortante de seu braço, e descansou ali por alguns minutos, abrigada, aspirando aquele odor de cortesã enquanto ele lhe dava tapinhas nas costas, como faria com o neto para consolá-lo.

— Quais são essas notícias que o senhor me traz? — perguntou Irina, quando se recuperou um pouco.

— Indenização, Irina. Existe uma lei antiga, da qual ninguém se lembra, que dá às vítimas como você o direito de receber indenização. Com isso você poderia pagar suas despesas de terapia, da qual realmente precisa, seus estudos e, se tivermos sorte, poderia até dar a entrada em um pequeno apartamento.

— Isso em teoria, senhor Wilkins.

— Algumas pessoas já receberam indenização.

Ele explicou que, embora o caso de Irina não fosse recente, um bom advogado poderia provar que ela havia sofrido graves danos em consequência do ocorrido, que padecia de síndrome pós-traumática e precisava de ajuda psicológica e de medicamentos. Irina lhe recordou que o culpado não possuía bens que pudessem ser confiscados para indenizá-la.

— Prenderam outros homens da rede, Irina. Homens com poder e dinheiro.

— Esses homens não me fizeram nada. Só há um culpado, senhor Wilkins.

— Escute bem, menina. Você teve que mudar de identidade e de residência, perdeu a convivência com sua mãe, com seus colegas de escola e com as outras pessoas que conhecia, vivendo praticamente escondida em outro Estado. O que aconteceu não pertence ao passado; pode-se dizer que continua acontecendo e que há muitos culpados.

— Antes eu pensava assim, senhor Wilkins, mas decidi que não vou ser vítima para sempre. Já virei a página. Agora sou Irina Bazili e tenho outra vida.

— Muito me dói lhe recordar isto, mas você continua sendo uma vítima. Alguns dos acusados ficariam muito contentes em lhe pagar uma indenização para se salvarem do escândalo. Você me autoriza a dar seu nome a um advogado especializado no assunto?

— Não. Para que remexer isso de novo?

— Pense, menina. Pense muito bem e telefone para este número — disse o agente, dando a ela seu cartão.

Irina acompanhou Ron Wilkins até a saída e guardou o cartão sem a intenção de usá-lo; havia se arranjado sozinha, não precisava daquele dinheiro, que ela considerava imundo e que significava suportar de novo os mesmos interrogatórios e assinar declarações com os detalhes mais escabrosos. Não queria avivar as brasas do passado nos tribunais; era maior de idade e nenhum juiz a eximiria de enfrentar os acusados. E a imprensa? Tinha pavor de que as pessoas que lhe importavam ficassem sabendo, seus poucos amigos, as velhinhas de Lark House, Alma e, sobretudo, Seth Belasco.

* * *

Às seis da tarde, Cathy chamou Irina no celular e convidou-a para tomar chá na biblioteca. Instalaram-se num cantinho afastado, perto da janela e longe do trânsito de pessoas. Cathy não gostava do chá em preservativos, como chamava os saquinhos de Lark House, e tinha seu próprio bule, xícaras de porcelana e uma reserva inesgotável de chá em lata, de uma marca francesa, além de biscoitos amanteigados. Irina foi à cozinha para colocar água fervendo no bule e não procurou ajudar sua amiga no resto dos preparativos, porque esse ritual era importante para Cathy, que o cumpria apesar dos movimentos espasmódicos dos braços. Não podia levar aos lábios a delicada xícara, usando em vez disso uma de plástico e um canudinho, mas gostava de ver a xícara herdada de sua avó nas mãos da convidada.

— Quem era aquele homem negro que abraçou você no jardim hoje de manhã? — perguntou Cathy, depois de comentarem o último episódio de um seriado de tevê sobre mulheres na prisão, que as duas acompanhavam rigorosamente.

— Era só um amigo que eu não via há tempos... — balbuciou Irina, servindo-lhe mais chá para disfarçar o sobressalto.

— Não acredito, Irina. Faz tempo que a venho observando e sei que algo a está corroendo por dentro.

— A mim? Impressão sua, Cathy! Já lhe disse, era só um amigo.

— Ron Wilkins. A recepção me informou o nome dele. Fui perguntar quem tinha vindo visitá-la, porque me pareceu que aquele homem a deixou abalada.

Os anos de imobilidade e o esforço tremendo para sobreviver haviam reduzido o tamanho de Cathy, que parecia uma menina naquela volumosa cadeira de rodas, mas irradiava uma grande força, suavizada pela bondade que sempre tivera e que o acidente havia multiplicado. O sorriso permanente e o cabelo muito curto lhe davam um ar travesso, que contrastava com sua sabedoria de monge milenar. O sofrimento físico a libertara das cargas inevitáveis de personalidade e talhara seu espírito como um diamante. Os derrames cerebrais não afetaram seu intelecto, mas sim, como afirmava, ampliaram seus limites; em consequência, sua intuição despertou e permitiu que ela visse o invisível.

— Aproxime-se, Irina — disse.

As mãos de Cathy, pequenas e frias, com os dedos deformados pelas fraturas, se agarraram ao braço da moça.

— Sabe o que mais nos ajuda na desgraça, Irina? Falar. Ninguém pode andar sozinho pelo mundo. Por que você acha que eu montei a clínica da dor? Porque a dor compartilhada é suportável. A clínica serve aos pacientes, porém mais ainda a mim. Todos temos demônios nos cantos obscuros da alma, mas, se os trouxermos à luz, eles se apequenam, se enfraquecem, se calam e por fim nos deixam em paz.

Irina tentou se soltar daqueles dedos que pareciam pinças, mas não conseguiu. Os olhos acinzentados de Cathy se fixaram demoradamente nos seus, com tanta compaixão e afeto que ela não pôde rechaçá-la. Sentou-se no chão, pousou a cabeça nos joelhos nodosos de Cathy e se deixou acariciar por suas mãos rijas. Ninguém a tocara assim desde que ela havia se separado dos avós.

Cathy lhe disse que a tarefa mais importante na vida era aperfeiçoar os próprios atos, comprometer-se cem por cento com a realidade, empenhar toda a energia no presente e fazê-lo agora, de imediato. Não se pode esperar, ela aprendera isso desde o acidente. Em sua condição, tinha tempo para completar seus pensamentos, para se conhecer melhor. Ser, estar, amar a luz do sol, as pessoas, os pássaros. A dor ia e vinha, as náuseas iam e vinham, a constipação ia e vinha, mas, por alguma bendita razão, isso não a tomava por muito tempo. Em contraposição, estava presente para desfrutar de cada gota d'água no chuveiro, da sensação de mãos amigas lavando-lhe os cabelos com xampu, do frescor delicioso de uma limonada num dia de verão. Não pensava no futuro, somente no dia de hoje.

— O que estou tentando lhe dizer, Irina, é que você não deve continuar presa no passado e assustada com o futuro. Você só tem uma vida, mas, se a viver bem, é suficiente. A única realidade é o agora, este dia. O que está esperando para começar a ser feliz? Cada dia importa. Eu que o diga!

— A felicidade não é para todo mundo, Cathy.

— Claro que é. Todos nascemos felizes. Pelo caminho nossa vida se complica, mas podemos simplificá-la. A felicidade não é exuberante nem ruidosa, como o prazer ou a alegria. É silenciosa, tranquila, suave, é um estado interno de satisfação que começa quando a pessoa se permite amar a si mesma. Você deveria se amar como eu a amo e como a amam todos que a conhecem, especialmente o neto de Alma.

— Seth não me conhece.

— Não é culpa dele; o coitado vem há anos tentando se aproximar de você, qualquer um vê isso. Se não conseguiu, é porque você se mantém escondida. Fale-me desse Wilkins, Irina.

Irina Bazili tinha uma história oficial de seu passado, que ela havia construído com a ajuda de Ron Wilkins e que usava para satisfazer a curiosidade alheia, quando era impossível evitá-la. A história continha a verdade, mas não toda a verdade; só a parte tolerável. Aos seus quinze anos, os tribunais lhe haviam proporcionado uma psicóloga, que tratara dela por vários meses, até ela se negar a continuar falando do ocorrido e decidir adotar outro nome, ir para outro Estado e mudar de residência quantas vezes fossem necessárias para começar tudo de novo. A psicóloga lhe repetira que os traumas não desaparecem só por serem ignorados; são uma Medusa persistente que espera na sombra e, na primeira ocasião, ataca com sua cabeleira de serpentes. Em vez de lutar, Irina escapou; desde então sua existência havia sido uma fuga contínua, até que ela chegou a Lark House. Refugiava-se no trabalho e nos mundos virtuais dos videogames e dos romances fantásticos, nos quais não era Irina Bazili, mas uma valente heroína com poderes mágicos; o aparecimento de Wilkins, porém, fez desmoronar mais uma vez esse frágil universo quimérico. Seus pesadelos do passado eram como poeira assentada no caminho, bastando o menor sopro para levantá-la em torvelinhos. Rendida, ela compreendeu que só Catherine Hope, com seu escudo de ouro, poderia ajudá-la.

Tinha dez anos em 1997, quando seus avós receberam de Radmila uma carta que haveria de mudar seu destino. Sua mãe vira um programa de televisão sobre tráfico sexual e ficara sabendo que países como a Moldávia abasteciam de carne jovem os emirados árabes e os bordéis da Europa. Radmila recordava com calafrios o tempo que passara nas mãos de cafetões brutais na Turquia e, decidida a evitar que a filha sofresse a mesma sorte, convenceu o marido, o técnico americano que ela conhecera na Itália e que a levara para o Texas, a fazer com que a menina emigrasse para os Estados Unidos. Irina teria o que quisesse: a melhor educação, hambúrgueres e batatas fritas, sorvetes, e inclusive iriam à Disneyworld, conforme prometia sua carta. Os avós ordenaram a Irina que não contasse nada a ninguém, para evitar a inveja e o mau-olhado que costuma castigar os vaidosos, enquanto se cumpriam os trâmites para obter o visto. Esse imbróglio demorou dois anos. Quando por fim chegaram as passagens e o passaporte, Irina havia completado doze anos, mas parecia um menino malnutrido de oito, porque era baixinha, muito magra, com os cabelos claríssimos e indômitos. De tanto sonhar com a América, foi adquirindo consciência da miséria e da feiura que a rodeavam, as quais antes ela não havia notado porque não tinha base de comparação. Sua aldeia parecia ter sido vítima de um bombardeio; metade das casas estava fechada provisoriamente por tabiques ou em ruínas, matilhas famintas vagavam pelas ruas sem calçamento, galinhas soltas ciscavam no lixo, e os velhos se sentavam em seus umbrais fumando em silêncio, porque tudo já fora dito. Naqueles dois anos Irina se despediu das árvores uma a uma, das colinas, da terra e do céu, que segundo os avós eram os mesmos da época do comunismo e continuariam sendo para sempre. Despediu-se silenciosamente dos vizinhos e dos colegas da escola, despediu-se do burro, da cabra, dos gatos e do cão que a acompanharam na infância. Por último, despediu-se de Costea e Petruta.

Os avós prepararam uma caixa de papelão amarrada com barbantes cometendo a roupa de Irina e uma imagem nova de Santa Parescheva, que eles compraram numa loja de santos da aldeia mais próxima. Os três talvez suspeitassem que não voltariam a se ver. A partir de então, Irina criou o costume, onde quer que estivesse, mesmo que por uma só noite, de montar um altar no qual instalava a santa e a única fotografia existente de seus avós, retocada manualmente. Tinha sido tirada no dia do casamento deles, com seus trajes tradicionais, Petruta de saia bordada e touca de renda, Costea de calção até os joelhos, jaqueta curta e uma faixa larga na cintura, rígidos como estacas, irreconhecíveis, porque o trabalho ainda não lhes destruíra as costas. Não se passava um dia sem que Irina rezasse para eles, porque eram mais milagrosos do que Santa Parescheva; eram seus anjos da guarda, como havia dito a Alma.

De algum modo a menina chegou sozinha de Chisinau a Dallas. Antes, só tinha viajado uma vez, de trem com a avó, para visitar Costea no hospital da cidade mais próxima, quando o operaram da vesícula. Jamais tinha visto um avião de perto, só no ar, e todo o inglês que sabia eram as canções da moda, que ela havia memorizado de ouvido sem entender seu significado. A companhia aérea lhe pendurou ao pescoço um envelope de plástico com sua identificação, seu passaporte e sua passagem. Irina se absteve de comer e beber durante as onze horas de viagem, porque não sabia que a comida do avião era grátis e a aeromoça não lhe esclareceu isso, e também durante outras quatro horas em que permaneceu plantada e sem dinheiro no aeroporto de Dallas.

A porta de entrada para o sonho americano tinha sido aquele lugar enorme e confuso. A mãe e o padrasto haviam se equivocado com o horário de chegada do avião, segundo disseram quando finalmente apareceram para buscá-la. Irina não os conhecia, mas eles viram uma menininha muito loura sentada num banco com uma caixa de papelão aos pés e a identificaram pela fotografia que possuíam. Desse encontro, Irina só recordaria que ambos fediam a álcool, aquele odor azedo que ela conhecia bem, porque os avós e o resto dos habitantes da aldeia afogavam as desilusões em vinho caseiro.

Radmila e Jim Robyns, o marido, levaram a recém-chegada para sua casa, que a ela pareceu luxuosa, embora fosse uma construção comum de madeira, muito descuidada, num bairro de operários ao sul da cidade. A mãe tinha feito um esboço de decoração num dos quartos, com almofadas em forma de coração e um urso de pelúcia com um balão cor-de-rosa atado por um fio a uma das patas. Aconselhou a Irina que ficasse diante da televisão o maior número de horas que pudesse aguentar; era a melhor forma de aprender inglês, e assim ela mesma o tinha feito. Quarenta e oito horas depois, matriculou-a numa escola pública, com maioria de alunos negros e hispânicos, raças que a menina nunca tinha visto. Irina demorou um mês para aprender algumas frases em inglês, mas tinha bom ouvido e não demorou a conseguir acompanhar as aulas. Em um ano, chegou a falar o idioma sem sotaque.

Jim Robyns era eletricista e pertencia ao sindicato, recebia o máximo possível por hora e estava protegido em caso de acidentes e outros dissabores, mas nem sempre dispunha de emprego. Os contratos eram assinados por revezamento, de acordo com uma lista dos membros, começando por quem a encabeçasse, depois passando para o segundo da lista, o terceiro, e assim por diante. Quem terminava um contrato era colocado no final e, às vezes, esperava meses até que o chamassem de novo, a menos que tivesse boas conexões com os dirigentes do sindicato. Radmila trabalhava na seção de roupas infantis de uma loja de departamentos e levava uma hora e quinze minutos de ônibus para chegar lá e outro tanto para voltar para casa. Quando Jim Robyns estava empregado, as duas o viam muito pouco, porque ele aproveitava para trabalhar à extenuação; pagavam-lhe o dobro ou o triplo pelas horas extras. Nesses períodos não bebia nem se drogava, porque num descuido poderia se eletrocutar, mas nas longas temporadas de ócio se encharcava de álcool e usava tantas drogas misturadas que era surpreendente o fato de ele conseguir ficar de pé. "Meu Jim tem resistência de touro, nada o derruba", dizia Radmila, orgulhosa. Ela o acompanhava nas farras até onde sua resistência alcançasse, mas não tinha a mesma capacidade para a intoxicação e logo desabava.

Desde os primeiros dias de Irina na América, o padrasto a fez compreender suas regras, como as chamava. A mãe dela não soube, ou fingiu não saber, até dois anos mais tarde, quando Ron Wilkins bateu à porta e lhe mostrou o distintivo do FBI.

Segredos

Após repetidas súplicas de Irina e depois de ela mesma hesitar, Alma aceitou encabeçar o Grupo de Desapego, ideia que Irina teve quando percebeu o quão angustiados estavam os hóspedes de Lark House que se agarravam às suas posses, enquanto os que tinham menos viviam mais contentes. Tinha visto Alma se desprender de tantas coisas que chegou a temer precisar lhe emprestar sua escova de dentes, por isso pensou nela para estimular o grupo. A primeira reunião se realizaria na biblioteca. Tinham-se inscrito cinco interessados, entre os quais Lenny Beal, que se apresentaram pontualmente, mas Alma não chegou. Esperaram por ela quinze minutos antes que Irina fosse chamá-la. Encontrou o apartamento vazio e um bilhete de Alma anunciando que se ausentaria por alguns dias e pedindo-lhe que cuidasse de Neko. O gato estava doente e não podia ficar sozinho. Era proibido levar animais para o alojamento de Irina, então ela teve que contrabandeá-lo numa bolsa de supermercado.

Nessa noite Seth ligou para seu celular a fim de perguntar pela avó, porque na hora do jantar havia passado por Lark House para vê-la, não a encontrara e estava preocupado; acreditava que Alma não se recuperara completamente do episódio no cinema. Irina disse que Alma andava em outro de seus encontros amorosos, que esquecera o compromisso assumido, e que ela havia passado maus bocados com o Grupo de Desapego. Seth se reunira com um cliente no porto de Oakland e, como estava perto de Berkeley, convidou Irina para comer sushi; pareceu-lhe a comida mais propícia para falar do amante japonês. Ela estava na cama com Neko jogando *Elder Scrolls V*, seu videogame favorito, mas se vestiu e saiu. O restaurante era um retiro de paz oriental, todo de madeira clara, com compartimentos separados por biombos de papel de arroz e iluminados por globos vermelhos, cujo resplendor cálido convidava à tranquilidade.

— Para onde você acha que Alma vai quando desaparece? — perguntou-lhe Seth depois de pedir a comida.

Ela preencheu de saquê o copinho de cerâmica dele. Alma lhe dissera que, no Japão, o correto era a pessoa servir o vizinho de mesa e esperar que o outro lhe fizesse a mesma gentileza.

— Para uma pousada em Point Reyes, a mais ou menos uma hora e quinze de São Francisco. São cabanas rústicas de frente para a água, um lugar bastante reservado, com bons peixes e mariscos, sauna, linda vista e aposentos românticos. Nesta época faz frio, mas os quartos têm lareira.

— Como você sabe tudo isso?

— Pelos recibos do cartão de crédito de Alma. Procurei a pousada na internet. Suponho que ela se encontre lá com Ichimei. Você não está pensando em ir incomodá-la, Seth, ou está?

— Que ideia, ela jamais me perdoaria. Mas eu poderia mandar um dos meus investigadores dar uma olhada, disfarçadamente...

— Não!

— Não, claro que não. Mas admita que isso é preocupante, Irina. Minha avó está frágil; pode ter outro ataque como o do cinema.

— Ela ainda é dona da própria vida, Seth. Você sabe algo mais sobre os Fukuda?

— Sim. Resolvi perguntar ao meu pai, e ele se lembra de Ichimei.

* * *

Larry Belasco tinha doze anos em 1970, quando seus pais reformaram a casa de Sea Cliff e adquiriram o terreno vizinho para ampliar o jardim, que já era vasto e nunca se recuperara completamente da geada primaveril que o destruíra quando Isaac Belasco morrera e do abandono posterior. Segundo Larry, um dia apareceu um homem de traços asiáticos, com roupa de trabalho e boné de beisebol, que se recusou a entrar na casa sob o pretexto de que estava com as botas enlameadas. Era Ichimei Fukuda, dono do viveiro de flores e plantas ornamentais que antes tivera em sociedade com Isaac Belasco e que agora lhe pertencia. Larry pressentiu que sua mãe e aquele homem se conheciam. Seu pai explicou a Fukuda que desconhecia o mais elementar sobre jardins e que por isso seria Alma a tomar as decisões, o que o menino estranhou, porque Nathaniel dirigia a Fundação Belasco e, ao menos em teoria, sabia muito de jardins. Dados o tamanho da propriedade e os planos grandiosos de Alma, a execução do projeto demorou vários meses para se concluir. Ichimei mediu o terreno, examinou a qualidade do solo, a temperatura e a direção do vento, traçou linhas e números em um bloco de desenho, seguido de perto por Larry, intrigado. Pouco depois chegou com uma equipe de seis trabalhadores, todos de sua raça, e o primeiro caminhão de materiais. Ichimei era um homem quieto e de gestos medidos, observava cuidadosamente, nunca parecia apressado, falava pouco e, quando o fazia, sua voz era tão baixa que Larry precisava se aproximar para ouvi-lo. Raramente iniciava a conversa ou respondia a perguntas sobre si mesmo, mas, como notou o interesse do garoto, falava-lhe da natureza.

— Meu pai disse algo muito curioso, Irina. Garantiu que Ichimei tem auréola — acrescentou Seth.

— O quê?

— Auréola, um halo invisível. É uma circunferência de luz na cabeça, como as que os santos têm nas pinturas religiosas. A de Ichimei é visível, mas meu pai me disse que nem sempre, só às vezes, dependendo da luz.

— Você está brincando, Seth...

— Meu pai não é de brincadeiras, Irina. Ah! Outra coisa: o homem deve ser uma espécie de faquir, porque controla sua pulsação e sua temperatura, pode aquecer uma das mãos como se ardesse de febre e congelar a outra. Ichimei demonstrou isso ao meu pai várias vezes.

— Foi o que Larry lhe disse, ou você está inventando?

— Juro que ele me disse. Meu pai é cético, Irina, não acredita em nada que não possa comprovar por si mesmo.

Ichimei Fukuda terminou o trabalho e acrescentou de brinde um pequeno jardim japonês, que ele desenhou especialmente para Alma e depois delegou a manutenção aos outros jardineiros. Larry só o via quando ele aparecia a cada temporada para supervisionar o local. Percebeu que Ichimei nunca conversava com Nathaniel, só com Alma, com quem mantinha uma relação formal, pelo menos na sua frente. Ichimei chegava à entrada de serviço com um buquê de flores, tirava os sapatos e entrava cumprimentando com uma breve mesura. Alma sempre estava à sua espera na cozinha e respondia à saudação da mesma maneira. Ela colocava as flores numa jarra, ele aceitava uma xícara de chá, e, por um momento, compartilhavam esse lento e silencioso ritual, uma pausa na vida de ambos. Depois de alguns anos, quando Ichimei não voltou a Sea Cliff, a mãe de Larry explicou que ele fora ao Japão.

— Já seriam amantes nessa época, Seth? — perguntou Irina.

— Não posso perguntar isso ao meu pai, Irina. Além disso, ele não saberia. Não sabemos quase nada dos nossos próprios pais. Mas vamos supor que fossem amantes em 1955; como minha avó disse a Lenny Beal, se separaram quando ela se casou com Nathaniel, se reencontraram em 1962 e desde então estão juntos.

— Por que em 1962? — intrigou-se Irina.

— Estou supondo, Irina, não tenho certeza. Nesse ano morreu meu bisavô Isaac.

Contou a ela sobre os dois funerais de Isaac Belasco e como justamente nesse momento a família soube do bem que o patriarca havia feito ao longo da vida, das pessoas que ele defendera de graça como advogado, do dinheiro que dera ou emprestara a quem passava apertos, das crianças alheias que educara e das causas nobres que apoiou. Seth havia descoberto que os Fukuda deviam muitos favores a Isaac Belasco, a quem respeitavam e amavam, e deduziu que sem dúvida deviam ter assistido a um dos funerais. Segundo a lenda familiar, pouco antes da morte de Isaac os Fukuda removeram uma espada antiga que haviam enterrado em Sea Cliff. No jardim ainda existia a placa que Isaac mandara instalar para marcar o local. O mais provável era que Alma e Ichimei tivessem se reencontrado nessa ocasião.

— De 1955 a 2013 são cinquenta e tantos anos; mais ou menos o que Alma mencionou a Lenny — calculou Irina.

— Se meu avô Nathaniel desconfiava que sua mulher tinha um amante, fingiu não saber. Em minha família, as aparências importam mais do que a verdade.

— Para você também?

— Não. Eu sou a ovelha negra. Basta lhe dizer que estou apaixonado por uma moça pálida como um vampiro da Moldávia.

— Os vampiros são da Transilvânia, Seth.

3 de março de 2004

Por estes dias me lembrei muito do senhor Isaac Belasco, porque meu filho Mike completou quarenta anos e decidi lhe entregar a katana dos Fukuda; é a ele que cabe o dever de cuidar dela. Seu tio Isaac me telefonou um dia, no início de 1962, para me dizer que talvez tivesse chegado o momento de remover a espada, que havia vinte anos estava enterrada no jardim de Sea Cliff. Seguramente já desconfiava que estivesse muito doente e que seu fim se aproximava. Fomos todos os que restávamos em nossa família: minha mãe, minha irmã e eu. Kemi Morita, a líder espiritual da Oomoto, nos acompanhou. No dia da cerimônia no jardim, você estava viajando com seu marido. Talvez seu tio tenha escolhido justamente aquela data para evitar que você e eu nos encontrássemos. O que ele sabia de nós? Suponho que muito pouco, mas era muito astuto.

Ichi

Enquanto Irina acompanhava o sushi com chá verde, Seth bebeu mais saquê do que podia suportar. O conteúdo do copinho desaparecia em um gole, e Irina, distraída com a conversa, voltava a enchê-lo. Nenhum dos dois se deu conta quando o garçom, vestido de quimono azul com uma bandana na testa, trouxe outra garrafa. Na hora da sobremesa — sorvete de caramelo —, Irina notou a expressão bêbada e suplicante de Seth, sinal de que havia chegado o momento de se despedir, antes que a situação ficasse incômoda, mas não podia abandoná-lo naquele estado. O garçom se ofereceu para chamar um táxi, mas Seth recusou. Saiu aos tropeços, apoiado em Irina, e lá fora o ar frio acentuou o efeito do saquê.

— Acho que não devo dirigir... Posso passar a noite com você? — balbuciou ele, enrolando a língua.

— E o que vai fazer com a moto? Aqui, podem roubá-la.

— Ao caralho com a moto.

Foram caminhando dez quadras até o quarto de Irina, o que lhes tomou quase uma hora porque Seth ia em passo de caranguejo. Ela vivera em lugares piores, mas, na companhia de Seth, sentiu vergonha daquele casarão desconjuntado e sujo. Compartilhava a morada com quatorze inquilinos amontoados em quartos feitos com divisórias de aglomerado, alguns sem janela ou ventilação. Era um dos imóveis regulados de Berkeley que os donos não se davam ao trabalho de manter, porque não podiam aumentar o aluguel. Da pintura exterior só restavam manchas, as persianas tinham se desprendido dos suportes, e no pátio se acumulavam objetos descartados e inúteis: pneus rasgados, pedaços de bicicletas, um vaso sanitário cor de abacate que estava ali havia quinze anos. O interior da casa cheirava a uma mistura de incenso de patchuli e sopa estragada de couve-flor. Ninguém limpava os corredores nem os banheiros comuns. Irina tomava banho em Lark House.

— Por que você vive nesta pocilga? — perguntou Seth, escandalizado.

— Porque é barata.

— Então você é muito mais pobre do que eu imaginava, Irina.

— Não sei o que você imaginava, Seth. Quase todo mundo é mais pobre do que os Belasco.

Ajudou-o a tirar os sapatos e o jogou sobre o colchão estendido no piso que servia de cama. Os lençóis estavam limpos, como tudo naquele quarto, porque os avós haviam ensinado a Irina que a pobreza não é desculpa para a imundície.

— O que é isto? — perguntou Seth, apontando para uma campainha na parede, presa por um cordão que passava ao quarto vizinho por um buraco.

— Nada, não se preocupe.

— Como assim, nada? Quem mora do outro lado?

— Tim, meu amigo da cafeteria e meu sócio no negócio de dar banho em cães. Às vezes tenho pesadelos e, se eu começar a gritar, ele puxa o cordão, a campainha toca e eu acordo. É um acordo que temos.

— Você sofre de pesadelos, Irina?

— Claro. Você não?

— Não. Mas tenho sonhos eróticos, isto sim. Quer que eu lhe conte um?

— Durma, Seth.

Em menos de dois minutos, ele havia obedecido. Irina deu o remédio de Neko, lavou-se com a jarra de água e a bacia que mantinha num canto, tirou os jeans e a blusa, vestiu uma camiseta velha e se encolheu grudada à parede, separada de Seth pelo gato. Custou muito a adormecer, consciente da presença do homem ao seu lado, dos ruídos da casa e do ranço de couve-flor. A única janelinha para o mundo exterior ficava tão alta que só se vislumbrava um pequeno quadrilátero de céu. Às vezes, a lua passava para saudar rapidamente, antes de seguir seu curso, mas aquela não era uma dessas benditas noites.

Irina despertou com a pouca luz matinal que entrava no quarto e constatou que Seth não estava mais lá. Já eram nove da manhã, e ela deveria ter saído uma hora e meia antes para ir trabalhar. Doíam-lhe a cabeça e todos os ossos, como se tivesse sido contagiada por osmose pela ressaca do saquê.

A confissão

Alma não voltou nesse dia nem no seguinte a Lark House e também não telefonou para pedir notícias de Neko. O gato não tinha comido em três dias e mal bebia a água que Irina lhe metia na garganta com uma seringa; o remédio não fizera efeito. Estava prestes a recorrer a Lenny Beal para que a levasse ao veterinário, mas Seth Belasco apareceu em Lark House, fresquinho, barbeado, com roupa limpa e ar de contrição, envergonhado pelo episódio da noite anterior.

— Acabo de descobrir que o saquê tem dezessete por cento de teor alcoólico — disse.

— Está com a moto? — interrompeu-o Irina.

— Sim. Encontrei-a intacta, lá onde a deixamos em Berkeley.

— Então me leve ao veterinário.

Neko foi atendido pelo doutor Kallet, o mesmo que anos antes havia amputado a pata de Sofia. Não era coincidência: o veterinário prestava serviço voluntário na organização que dava cães romenos para adoção, e Lenny o recomendara a Alma. O doutor Kallet diagnosticou um bloqueio intestinal; o gato devia ser operado imediatamente, mas Irina não podia tomar essa decisão, e Alma não atendia o celular. Seth se responsabilizou, pagou o depósito de setecentos dólares que lhes exigiram e entregou o gato à enfermeira. Pouco depois estava com Irina na cafeteria, onde ela havia trabalhado antes de se empregar com Alma. Foram recebidos por Tim, que em três anos não tinha progredido nada.

Seth ainda sentia o estômago revolvido pelo saquê, mas a mente se desanuviara e ele havia chegado à conclusão de que seu dever de cuidar de Irina não podia ser postergado. Não estava apaixonado da forma como estivera antes por outras mulheres, com uma paixão possessiva sem espaço para a ternura. Desejava-a e havia esperado que enveredasse pelo caminho estreito do erotismo, mas sua paciência tinha sido inútil; era hora de passar à ação ou de renunciar definitivamente a ela. Algo no passado de Irina a freava; não havia outra explicação para seu temor visceral à intimidade. A ideia de recorrer aos investigadores do escritório o tentava o tentava, mas ele havia decidido que Irina não merecia essa deslealdade. Supusera que a incógnita se esclareceria em algum momento e engolira as perguntas, mas já estava farto de ter tanta cerimônia com ela. O mais urgente era tirá-la da toca de ratos onde vivia. Havia preparado seus argumentos como se fosse enfrentar um júri, mas, quando a viu diante de si, com sua carinha de duende e sua boina lamentável, esqueceu o discurso e lhe propôs bruscamente que fosse morar com ele.

— Meu apartamento é confortável, me sobram metros quadrados, você teria quarto e banheiro privados. Grátis.

— Em troca de quê? — perguntou ela, incrédula.

— De você trabalhar para mim.

— Em quê, exatamente?

— No livro sobre os Belasco. Exige muita pesquisa, e eu não tenho tempo para isso.

— Eu trabalho quarenta horas por semana em Lark House e mais doze para sua avó, além de dar banho em cachorros nos finais de semana. E pretendo começar a estudar à noite. Tenho menos tempo do que você, Seth.

— Você poderia deixar tudo, menos minha avó, e se dedicar ao meu livro. Teria onde morar e um bom salário. Quero experimentar como seria viver com uma mulher; nunca fiz isso, e é melhor praticar um pouco.

— Vejo que meu quarto o chocou. Não quero que você tenha pena de mim.

— Não tenho pena de você. Neste momento, tenho é raiva.

— Você pretende que eu largue meu emprego, minha renda segura, o quarto com aluguel fixo em Berkeley que me custou muito conseguir, me aloje em seu apartamento por um tempo e vá para a rua quando você se cansar de mim. Muito conveniente.

— Você não entende nada, Irina!

— Entendo, sim, Seth. Você quer uma secretária com cama.

— Pelo amor de Deus! Não vou implorar, Irina, mas aviso que estou a ponto de dar meia-volta e desaparecer da sua vida. Você sabe o que eu sinto por você; é óbvio até para minha avó.

— Alma? O que sua avó tem a ver com isto?

— Foi ideia dela. Eu queria lhe propor que nos casássemos e pronto, mas ela disse que seria melhor experimentarmos viver juntos por um ou dois anos. Isso daria tempo a você de se acostumar comigo e, aos meus pais, de se acostumarem ao fato de você não ser judia e ser pobre.

Irina não tentou conter o pranto. Escondeu o rosto entre os braços cruzados sobre a mesa, aturdida pela dor de cabeça, que havia aumentado durante aquelas horas, e confusa por uma avalanche de emoções contrárias: carinho e gratidão por Seth, vergonha de suas próprias limitações, desespero por seu futuro. Esse homem lhe oferecia o amor dos romances, mas isso não era para ela. Podia amar os anciãos de Lark House, Alma, alguns amigos, como seu sócio Tim, que nesse momento a observava preocupado lá do balcão, seus avós instalados no tronco de uma sequoia, Neko, Sofia e os outros bichos de estimação da residência; podia amar Seth mais do que a qualquer um na vida, mas não o suficiente.

— O que houve, Irina? — perguntou ele, desconcertado.

— Nada a ver com você. São coisas do passado.

— Então me conte.

— Para quê? Isso não tem importância — replicou ela, assoando o nariz com um guardanapo de papel.

— Tem muita importância, Irina. Ontem à noite eu quis segurar sua mão e você quase me bateu. Claro, tinha razão, eu estava parecendo um porco. Desculpe. Não voltará a acontecer, prometo. Amo você há três anos, você sabe muito bem. O que está esperando para me corresponder? Tome cuidado, saiba que eu posso conseguir outra garota da Moldávia, há centenas dispostas a se casar em troca do visto americano.

— Boa ideia, Seth.

— Comigo você seria feliz, Irina. Sou o melhor sujeito do mundo, totalmente inofensivo.

— Nenhum advogado americano de motocicleta é inofensivo, Seth. Mas reconheço que você é uma pessoa fantástica.

— E então? Aceita?

— Não posso. Se você conhecesse minhas razões, fugiria correndo.

— Vejamos se eu adivinho: tráfico de animais exóticos em extinção? Não importa. Venha ver meu apartamento, e depois você decide.

O apartamento, em um edifício moderno no Embarcadero, com zelador e elevador com espelhos biselados, era tão impecável que dava a impressão de estar desabitado. Afora um sofá de couro cor de espinafre, um televisor gigante, uma mesa de vidro com revistas e livros empilhados em ordem e luminárias dinamarquesas, não havia mais nada naquele Saara de grandes janelas e pisos de parquê escuro. Nada de tapetes, quadros, enfeites ou plantas. Na cozinha predominava uma grande mesa de granito preto e uma brilhante coleção de panelas e frigideiras de cobre, sem uso, que pendiam de alguns ganchos no teto. Por curiosidade, Irina espiou dentro do refrigerador e viu suco de laranja, vinho branco e leite desnatado.

— Alguma vez você come algo sólido, Seth?

— Sim, na casa dos meus pais ou em restaurantes. Aqui falta uma mão feminina, como diz minha mãe. Você sabe cozinhar, Irina?

— Batatas e repolho.

O quarto, que segundo Seth estava esperando-a, era sóbrio e viril como o resto do apartamento: só continha uma cama ampla com uma colcha de linho cru e grandes almofadas em três tons de café, que não contribuíam para alegrar o ambiente, uma mesa de cabeceira e uma cadeira de metal. Da parede cor de areia pendia uma das fotografias em preto e branco de Alma tirada por Nathaniel Belasco, mas, à diferença das outras, que a Irina haviam parecido tão reveladoras, nesta só se via metade de seu rosto adormecido, numa atmosfera nebulosa de sonho. Foi o único adorno que Irina viu no deserto de Seth.

— Há quanto tempo você mora aqui? — perguntou ela.

— Cinco anos. Gostou?

— A vista é impressionante.

— Mas o apartamento lhe parece muito estéril — concluiu Seth. — Bom, se você quiser fazer mudanças, teremos que combinar os detalhes. Nada de franjas nem cores pastéis, pois não combinam com minha personalidade, mas estou disposto a fazer leves concessões na decoração. Não de imediato, e sim mais adiante, quando você me suplicar que nos casemos.

— Obrigada, mas por enquanto me leve ao metrô, preciso voltar ao meu quarto. Acho que estou gripada; todo o meu corpo está doendo.

— Não, senhorita. Vamos pedir comida chinesa, ver um filme e esperar que o doutor Kallet nos telefone. Vou lhe dar aspirina e chá, isso ajuda com o resfriado. Pena que eu não tenha canja de galinha, é um remédio infalível.

— Desculpe, mas eu poderia tomar um banho de banheira? Não faço isso há anos; uso os chuveiros dos funcionários em Lark House.

Era uma tarde luminosa e, pela grande janela junto à banheira, apreciava-se o panorama da cidade agitada, o trânsito, os veleiros na baía, a multidão nas ruas, a pé, de bicicleta, de patins, os clientes nas mesas sob os toldos alaranjados das calçadas, a torre do relógio do Ferry Building. Tremendo, Irina se afundou até as orelhas na água quente e sentiu como iam relaxando seus músculos dormentes e destravando os ossos doloridos; mais uma vez, bendisse o dinheiro e a generosidade dos Belasco. Pouco depois, Seth lhe avisou, do outro lado da porta, que a comida havia chegado, mas ela continuou de molho por mais meia hora. Por fim se vestiu sem vontade, sonolenta, tonta. O cheiro das embalagens de papelão com porco agridoce, *chow mein* e pato laqueado lhe produziu um espasmo de náusea. Encolheu-se no sofá, adormeceu e só acordou várias horas mais tarde, quando já havia escurecido lá fora. Seth lhe acomodara um travesseiro embaixo da cabeça, cobrira-a com uma manta e estava sentado num canto do sofá, vendo seu segundo filme da noite — espiões, crimes internacionais e vilões da máfia russa —, com os pés dela sobre seus joelhos.

— Eu não quis acordá-la. Kallet ligou e disse que Neko saiu bem da operação, mas tem um tumor grande no baço, e isso é o começo do fim — anunciou.

— Coitadinho, espero que não esteja sofrendo...

— Kallet não o deixará sofrer, Irina. Como está a dor de cabeça?

— Não sei. Estou com muito sono. Você não drogou o chá, não é, Seth?

— Sim, coloquei ketamina. Por que não se deita na cama e dorme como se deve? Você está com febre.

Levou-a para o quarto da foto de Alma, tirou-lhe os sapatos, ajudou-a a se deitar, agasalhou-a e depois foi terminar de ver seu filme. No dia seguinte Irina acordou tarde, depois de transpirar e se livrar da febre; sentia-se melhor, mas ainda tinha as pernas bambas. Encontrou um bilhete de Seth na grande mesa preta da cozinha: "O café está preparado para ser coado, ligue a cafeteira. Minha avó retornou a Lark House, contei a ela sobre Neko. Ela vai avisar a Voigt que você está doente e não irá trabalhar. Descanse. Eu ligo mais tarde. Beijos. Seu futuro marido." Também havia uma quentinha de canja de galinha com cabelo-de-anjo, uma caixinha de framboesas e uma sacola de papel com pão doce de uma pastelaria próxima.

Seth retornou antes da seis da tarde, depois de ir aos tribunais, ansioso para vê-la. Telefonara várias vezes para conferir se ela não tinha fugido, mas temia que, num impulso de última hora, Irina tivesse desaparecido. Ao pensar nela, a primeira imagem que lhe vinha à mente era a de uma lebre pronta para sair em disparada, e a segunda era seu rosto pálido, atento, a boca entreaberta, os olhos redondos de assombro, escutando as histórias de Alma, devorando-as. Mal abriu a porta, sentiu a presença de Irina. Antes de vê-la soube que estava ali; o apartamento estava habitado, o tom areia das paredes parecia mais cálido, o piso tinha um brilho acetinado que ele nunca notara, o próprio ar se tornara mais amável. Ela veio ao seu encontro com passo vacilante, os olhos inchados de sono e o cabelo bagunçado como uma peruca esbranquiçada. Seth abriu os braços, e ela, pela primeira vez, se refugiou neles. Permaneceram abraçados por um tempo que, para ela, pareceu uma eternidade e, para ele, acabou em um suspiro, e em seguida Irina o conduziu pela mão até o sofá. "Temos que conversar", disse.

Catherine Hope a fizera prometer, depois de escutar sua confissão, que contaria tudo a Seth, não só para arrancar de dentro de si aquela planta maligna que a envenenava, como também porque ele merecia saber a verdade.

* * *

No final do ano 2000, o agente Ron Wilkins havia colaborado com dois investigadores do Canadá para identificar a origem de centenas de imagens, circulando pela internet, de uma menina de uns nove anos, submetida a tais excessos de depravação e violência que possivelmente não tinha sobrevivido. Eram as favoritas dos colecionadores especializados em pornografia infantil, que negociavam as fotos e os vídeos privadamente através de uma rede internacional. A exploração sexual de crianças não era nenhuma novidade; havia perdurado por séculos totalmente impune, mas os agentes contavam com uma lei, promulgada em 1978, que a declarava ilegal nos Estados Unidos. A partir desse ano, a produção e a distribuição de fotografias e filmes se reduziu, porque os ganhos não compensavam os riscos legais, mas logo veio a internet e o mercado se expandiu de maneira incontrolável. Calculava-se que existiam centenas de milhares de sites dedicados à pornografia infantil e mais de vinte milhões de consumidores, metade deles nos Estados Unidos. O desafio consistia em descobrir os clientes, porém o mais importante era prender os produtores. O codinome que deram ao caso da menina de cabelo muito louro, com orelhas pontudas e uma covinha no queixo, foi Alice. O material era recente. Desconfiavam que Alice podia ser mais velha do que aparentava, porque os produtores esforçavam-se para que suas vítimas parecessem o mais jovens possível, como exigiam os consumidores. Após quinze meses de intensa colaboração, Wilkins e os canadenses encontraram o rastro de um dos colecionadores, um cirurgião plástico de Montreal. Revistaram-lhe a casa e a clínica, confiscaram seus computadores e encontraram mais de seiscentas imagens, entre as quais duas fotografias e um vídeo de Alice. O cirurgião foi detido e aceitou colaborar com as autoridades em troca de uma sentença menos severa. Com a informação e os contatos obtidos, Wilkins entrou em ação. O corpulento agente descrevia a si mesmo como rastreador, dizendo que, tendo farejado uma pista, nada podia distraí-lo: ele a perseguia até o final e não descansava até localizá-la. Fazendo-se passar por aficionado, baixou várias fotos de Alice, modificou-as digitalmente para que parecessem originais e o rosto dela não aparecesse, embora, para os entendidos, fossem reconhecíveis, e com elas obteve acesso à rede usada pelo colecionador de Montreal. Logo conseguiu vários interessados. Já dispunha da primeira pista; o resto seria questão de faro.

Uma noite, em novembro de 2002, Ron Wilkins tocou a campainha de uma casa em um bairro modesto ao sul de Dallas, e Alice abriu a porta. Ele a identificou de imediato; era inconfundível. "Vim falar com seus pais", disse, com um suspiro de alívio, porque não tivera certeza de que ela estava viva. Era um daqueles períodos afortunados em que Jim Robyns estava trabalhando em outra cidade e a menina se encontrava sozinha com a mãe. O agente mostrou seu distintivo do FBI e não esperou ser convidado: empurrou a porta e adentrou a casa, diretamente na sala. Irina recordaria para sempre esse momento como se acabasse de vivê-lo: o gigante negro, seu cheiro adocicado de flores, sua voz profunda e lenta, suas mãos grandes e finas, de palmas cor-de-rosa. "Quantos anos você tem?", perguntou-lhe ele. Radmila já estava na segunda vodca e na terceira garrafa de cerveja, mas ainda se acreditava lúcida e tratou de intervir com o argumento de que sua filha era menor de idade e as perguntas deviam ser dirigidas a si. Wilkins calou-a com um gesto. "Vou fazer quinze", respondeu Alice com um fio de voz, como se tivesse sido apanhada em flagrante, e o homem estremeceu, porque sua única filha, a luz de sua vida, tinha a mesma idade. Alice tivera uma infância de privações, com insuficiência de proteínas, desenvolvera-se tarde e, com sua baixa estatura e seus ossos delicados, podia passar facilmente por uma menina muito menor. Wilkins calculou que se naquele momento Alice parecia ter doze anos, nas primeiras imagens que haviam circulado na internet aparentaria nove ou dez. "Preciso falar a sós com sua mãe", pediu-lhe Wilkins, envergonhado. Mas nesses minutos Radmila havia entrado no estágio agressivo da embriaguez e insistiu, aos gritos, em sua filha poder ouvir qualquer coisa que o agente precisasse dizer. "Não é, Elisabeta?" A garota assentiu, como que hipnotizada, com os olhos fixos na parede. "Lamento muito, menina", disse Wilkins, e colocou sobre a mesa meia-dúzia de fotografias. E, assim, Radmila enfrentou aquilo que vinha acontecendo em sua própria casa durante mais de dois anos e ela se negara a ver; e, assim, Alice ficou sabendo que milhares de homens em todas as partes do mundo a tinham visto nos "jogos" privados com seu padrasto. Havia anos se sentia suja, má e culpada; depois de ver as fotografias sobre a mesa, quis morrer. Não havia redenção possível para ela.

Jim Robyns lhe assegurara que aqueles jogos com o pai ou com tios eram normais, que muitos meninos e meninas participavam deles de boa vontade e agradecidos. Essas crianças eram especiais. Mas ninguém falava disso, era um segredo bem-guardado, e ela não devia mencioná-lo nunca a ninguém, nem às amigas, nem às professoras, e muito menos ao médico, porque as pessoas diriam que era pecadora, imunda, ficaria sozinha e sem amigos; até sua própria mãe a rejeitaria, pois Radmila era muito ciumenta. Por que resistia? Queria presentes? Não? Bom, então ele pagaria como se ela fosse uma mocinha adulta: não diretamente a ela, mas aos avós. Ele mesmo se encarregaria de enviar dinheiro para o casal na Moldávia, em nome da neta; ela devia escrever um cartão para acompanhar o dinheiro, mas sem dizer a Radmila, isso também seria um segredo entre os dois. Às vezes, os velhos precisavam de uma remessa extra, tinham que consertar o telhado ou comprar outra cabra. Sem problema, ele tinha bom coração, compreendia que a vida era difícil na Moldávia. Ainda bem que Elisabeta tivera a sorte de vir para a América, mas não convinha estabelecer o precedente do dinheiro fácil, ela devia ganhá-lo, certo? Devia sorrir, isso não lhe custava nada; devia colocar a roupa que ele exigia; devia se submeter às cordas e aos ferros; devia beber gim para relaxar, com suco de maçã para a garganta não arder, logo se acostumaria com o sabor, queria mais açúcar? Apesar do álcool, das drogas e do medo, em algum momento ela se deu conta de que havia câmeras no galpão das ferramentas, a "casinha" deles dois, onde ninguém, nem sua mãe, podia entrar. Robyns lhe jurou que as fotos e os vídeos eram privados, pertenciam somente a ele, ninguém os veria nunca, ele os guardaria de lembrança para que o acompanhassem por mais alguns anos, quando ela fosse para a faculdade. Como ele sentiria sua falta!

A presença daquele negro desconhecido, com suas mãos grandes e seus olhos tristes e suas fotografias, provava que o padrasto havia mentido. Tudo o que acontecera no galpão circulava na internet e continuaria circulando, não podia ser recolhido ou destruído, existiria para sempre. A cada minuto, em algum lugar, alguém estaria violando-a, alguém estaria se masturbando com seu sofrimento. Durante o resto de sua vida, aonde quer que ela fosse, alguém poderia reconhecê-la. Não havia escapatória. O horror nunca terminaria. O cheiro de álcool e o sabor de maçã sempre a devolveriam à "casinha"; ela sempre andaria olhando por cima do ombro, fugindo; sempre sentiria repugnância ao ser tocada.

Nessa noite, depois que Ron Wilkins se foi, a menina se trancou em seu quarto, paralisada de terror e asco, segura de que o padrasto a mataria quando voltasse, tal como lhe avisara que faria se ela revelasse uma só palavra sobre os jogos. Morrer era sua única saída, mas não nas mãos dele, não sob a forma lenta e atroz que descrevia com frequência, sempre com novos detalhes.

Enquanto isso, Radmila tragou o restante da garrafa de vodca, ficou inconsciente e passou as dez horas seguintes caída no chão da cozinha. Quando se recuperou um pouco da ressaca, partiu a bofetadas para cima da filha, a sedutora, a puta que havia pervertido seu marido. A cena durou pouco, porque nesse momento chegou uma viatura com dois policiais e uma assistente social, enviados por Wilkins. Prenderam Radmila e levaram a menina para um hospital psiquiátrico infantil, enquanto o Tribunal de Menores decidia o que fazer com ela. Não voltaria a ver nem a mãe nem o padrasto.

Radmila teve tempo de avisar a Jim Robyns que estavam à sua procura, e ele fugiu do país; porém, não contava com Ron Wilkins, que passou os quatro anos seguintes procurando-o pelo mundo, até que o descobriu na Jamaica e o conduziu algemado para os Estados Unidos. A vítima não teve que enfrentá-lo no julgamento, porque os advogados ouviram suas declarações em particular e a juíza a eximiu de se apresentar ao tribunal. Através dela, a garota ficou sabendo que seus avós tinham morrido e que as remessas de dinheiro nunca haviam sido enviadas. Jim Robyns recebeu uma pena de dez anos de prisão, sem liberdade condicional.

— Faltam três anos e dois meses. Quando sair, ele vai me procurar e eu não terei onde me esconder — concluiu Irina.

— Você não vai precisar se esconder. Vão colocá-lo sob uma ordem de restrição. Se ele se aproximar de você, voltará para a prisão. Eu estarei ao seu lado e vou me assegurar de que a ordem seja cumprida.

— Mas você não vê que é impossível, Seth? A qualquer momento alguém do seu círculo, um sócio, um amigo, um cliente, seu próprio pai, pode me reconhecer. Neste exato momento, estou em milhares e milhares de telas.

— Não, Irina. Você é uma mulher de vinte e seis anos, e a que circula na internet é Alice, uma menininha que já não existe. Os pedófilos não se interessam mais por você.

— Está enganado. Tive que fugir várias vezes, de diferentes lugares, porque algum desgraçado me persegue. Não me adianta nada recorrer à polícia; eles não podem impedir que o sujeito faça minhas fotos circularem. Eu pensava que tingindo o cabelo de preto ou usando maquiagem passaria despercebida, mas não funcionou. Eu tenho uma cara fácil de identificar, que não mudou muito nesses anos. Nunca estou tranquila, Seth. Se seus pais me rejeitariam porque sou pobre e não sou judia, já imaginou como seria se descobrissem tudo isso?

— Contaremos a eles, Irina. Terão uma certa dificuldade de aceitar, mas creio que vão acabar gostando ainda mais de você, por tudo o que passou. São pessoas muito boas. Você já sofreu por muito tempo, agora deve começar o tempo de sarar e perdoar.

— Perdoar, Seth?

— Do contrário, o rancor vai destruí-la. Quase todas as feridas saram com carinho, Irina. Você tem que amar a si mesma e a mim. Combinado?

— Foi o que Cathy me aconselhou.

— Então escute-a, essa mulher sabe muito. Aceite minha ajuda. Não sou nenhum sábio, mas sou bom companheiro e já lhe dei muitas mostras de tenacidade. Nunca me dou por vencido. Conforme-se, Irina, porque não pretendo deixá-la em paz. Sente meu coração? Está chamando por você — disse ele, tomando-lhe a mão e levando-a ao próprio peito.

— Há outra coisa também, Seth.

— Ainda mais?

— Desde que o agente Wilkins me salvou do meu padrasto, ninguém me tocou... Você sabe a que me refiro. Estive sempre sozinha, e prefiro assim.

— Bem, Irina, isso terá que mudar, mas iremos com calma. O que aconteceu não tem nada a ver com o amor, e nunca mais vai lhe acontecer. Também não tem a ver conosco. Uma vez você me disse que os velhos fazem amor sem pressa. Não é má ideia. Vamos nos amar como um casal de avozinhos, o que acha?

— Não creio que eu vá conseguir, Seth.

— Então teremos que procurar uma terapia. Pronto, agora pare de chorar. Está com fome? Penteie o cabelo, vamos sair para comer e falar dos pecados da minha avó, isso sempre melhora o nosso ânimo.

Tijuana

Nos meses abençoados de 1955 em que Alma e Ichimei puderam se amar livremente no miserável motel de Martínez, ela lhe contou que era estéril. Mais do que uma mentira, foi um desejo, uma ilusão. Alma fez isso para preservar a espontaneidade entre os lençóis, porque confiava num diafragma e porque sua menstruação sempre havia sido tão irregular que o ginecologista, a quem tia Lillian a levara algumas vezes, diagnosticara-lhe cistos nos ovários que afetariam sua fertilidade. Como tantas outras coisas, Alma postergava a operação, já que a maternidade era a última de suas prioridades. Imaginou que, magicamente, a ela não ocorreria o inconveniente de engravidar nessa etapa de sua juventude; tais acidentes aconteciam com mulheres de outra classe, sem educação nem recursos. Não percebeu sua situação até a décima semana, porque não fazia a conta de seus ciclos, e, quando soube, confiou na sorte por mais duas semanas. Talvez fosse um erro de cálculo, pensou; mas, caso se tratasse do mais temível, com exercícios violentos o problema se resolveria sozinho; começou a ir para todo canto de bicicleta, pedalando com fúria. A cada momento verificava se havia sangue em sua roupa íntima e, com o passar dos dias, foi ficando sempre mais angustiada, mas continuou comparecendo aos encontros com Ichimei e fazendo amor com a mesma frenética ansiedade com que pedalava colina acima e colina abaixo na bicicleta. Finalmente, quando não pôde continuar ignorando os seios inchados, o enjoo matinal e os sobressaltos de ansiedade, não recorreu a Ichimei, mas a Nathaniel, como havia feito desde que eram crianças. Para evitar o risco de os tios ficarem sabendo, foi vê-lo na Assessoria Jurídica Belasco & Belasco, o mesmo escritório na rua Montgomery que existia desde os tempos do patriarca, inaugurado em 1920, com seus móveis solenes e estantes de livros de Direito encadernados em couro verde-escuro, um mausoléu da Lei onde os tapetes persas abafavam os passos e as pessoas falavam em sussurros confidenciais.

Nathaniel estava atrás de sua escrivaninha, sem casaco, com a gravata afrouxada e o cabelo revolto, rodeado de pilhas de documentos e alfarrábios abertos, mas ao vê-la avançou de imediato para abraçá-la. Alma escondeu o rosto na curva do pescoço dele, profundamente aliviada por poder descarregar seu drama sobre esse homem que nunca lhe falhara. "Estou grávida", foi a única frase que conseguiu dizer. Sem soltá-la, Nathaniel a conduziu até o sofá, e os dois se sentaram lado a lado. Alma então contou a ele sobre o amor, o motel, e sobre como a gravidez não era culpa de Ichimei, mas dela, e acrescentou que o amante, se soubesse, seguramente insistiria em se casar e assumir a responsabilidade pela criança; ela, porém, havia pensado muito e não tinha coragem de renunciar ao que sempre tivera e se tornar a mulher de Ichimei; adorava-o, mas sabia que as desvantagens da pobreza acabariam com o amor. Diante da escolha entre uma vida de dificuldades econômicas, inserida na comunidade japonesa, com a qual não tinha nada em comum, ou permanecer protegida em seu próprio ambiente, era vencida pelo medo do desconhecido; sua fraqueza a envergonhava, Ichimei merecia amor incondicional, era um homem maravilhoso, um sábio, um santo, uma alma pura, um amante delicado e terno em cujos braços ela se sentia feliz, disse, numa sequência de frases atropeladas, assoando o nariz para não chorar, tentando manter certa dignidade, e acrescentou que Ichimei vivia num plano espiritual e sempre iria ser um simples jardineiro, em vez de desenvolver seu enorme talento artístico ou procurar que seu viveiro de flores se tornasse um grande negócio; nada disso, ele não aspirava a algo mais, bastava-lhe ganhar o suficiente para se manter, não estava nem aí para a prosperidade ou o sucesso, gostava mesmo era da meditação e da serenidade, mas isso não enchia barriga e ela não pretendia formar uma família numa casinhola de tábuas com teto de metal corrugado e viver entre agricultores com uma pá nas mãos. "Eu sei, Nathaniel, me perdoe, você me avisou mil vezes, e não lhe dei ouvidos; você tinha razão, você sempre tem razão, agora vejo que não posso me casar com Ichimei, mas também não posso renunciar a amá-lo, sem ele eu secaria como uma planta no deserto, morreria, e de agora em diante vou ter mais cuidado, tomar precauções, isto não voltará a acontecer, eu lhe prometo, Nathaniel, lhe juro"; e continuou falando e falando sem pausas, atolada em justificativas e em culpa. Nathaniel a escutou sem interromper, até que ela ficou sem fôlego para continuar se lamentando e sua voz se enfraqueceu em um murmúrio.

— Vejamos se entendi, Alma. Você está grávida e não pretende contar a Ichimei... — resumiu Nathaniel.

— Não posso ter um filho sem me casar, Nat. Você tem que me ajudar. É o único a quem posso recorrer.

— Um aborto? É ilegal e perigoso, Alma. Não conte comigo.

— Escute, Nat. Eu verifiquei bem, é uma coisa segura, sem risco, e só custaria cem dólares, mas você tem que me acompanhar, porque é em Tijuana.

— Tijuana? No México, o aborto também é ilegal, Alma. Isto é uma loucura!

— Aqui é muito mais perigoso, Nat. Lá eles têm médicos que o fazem na cara da polícia, ninguém se importa.

Alma mostrou a ele um pedaço de papel com um número de telefone e explicou que já havia telefonado para falar com um tal de Ramón, em Tijuana. Tinha sido atendida por um homem, que lhe perguntou, em péssimo inglês, quem tinha feito a indicação, e se ela sabia das condições. Alma deu a ele o nome do contato, garantiu que levaria o dinheiro em espécie, e combinaram que dali a dois dias ele passaria para pegá-la em seu carro, às três da tarde, numa determinada esquina daquela cidade.

— Você disse a esse Ramón que irá acompanhada por um advogado? — perguntou Nathaniel, aceitando tacitamente o papel que ela lhe havia atribuído.

Partiram no dia seguinte às seis da manhã no Lincoln preto da família, que era melhor para uma viagem de quinze horas do que o carro esportivo de Nathaniel. No início Nathaniel, furioso e coagido, guardou um silêncio hostil, a boca apertada, o cenho franzido, as mãos crispadas no volante e os olhos fixos na estrada, mas, na primeira ocasião em que Alma pediu que ele se detivesse numa parada de caminhoneiros para ir ao toalete, acalmou-se. A jovem demorou meia hora no banheiro e, quando ele estava pensando em ir procurá-la, viu-a retornar descomposta ao automóvel. "Eu vomito de manhã, Nat, mas depois passa", explicou ela. No resto do caminho, Nathaniel tentou distraí-la, e acabaram cantando desafinado as canções mais grudentas de Pat Boone, as únicas que conheciam, até que ela, esgotada, se encostou nele, apoiando a cabeça em seu ombro e, em certos momentos, cochilando. Em San Diego, pararam em um hotel para comer e descansar. O recepcionista presumiu que os dois eram casados e lhes deu um quarto com cama de casal, onde eles se deitaram de mãos dadas, como na infância. Pela primeira vez em várias semanas, Alma dormiu sem pesadelos, enquanto Nathaniel permaneceu acordado até o amanhecer, sentindo o odor de xampu do cabelo da prima, pensando nos riscos, sentindo-se magoado e nervoso como se ele fosse o pai da criança, imaginando as repercussões, arrependido por ter aceitado essa aventura indigna em vez de subornar um médico na Califórnia, onde, pelo preço adequado, pode-se conseguir tudo, tal como em Tijuana. Com a primeira luz do dia batendo na renda das cortinas, foi vencido pelo cansaço e só acordou às nove, quando ouviu Alma no banheiro, vomitando. Deram-se tempo para cruzar a fronteira, com as demoras previsíveis, e comparecer ao encontro com Ramón.

O México veio ao encontro deles com os conhecidos clichês. Nunca haviam estado em Tijuana e esperavam uma aldeia adormecida, mas se viram numa cidade infinita, estridente de cor e de ruído, lotada de gente e de tráfego, onde ônibus desconjuntados e automóveis modernos circulavam ao lado de carroças puxadas por burros. O comércio oferecia, no mesmo local, produtos mexicanos de mercearia e eletrodomésticos americanos, sapatos e instrumentos musicais, peças de reposição para veículos, móveis, pássaros engaiolados e tortilhas. O ambiente cheirava a frituras e a lixo e vibrava com a música popular, os pregadores evangélicos e os comentários sobre futebol nos rádios dos bares e das *taquerías*. Tiveram dificuldade para se localizar; muitas ruas não tinham nome ou números e eles precisavam se informar a cada três ou quatro quadras, mas não entendiam as instruções em espanhol, que quase sempre consistiam em um gesto vago numa direção qualquer e um "ali adiante, logo depois da esquina". Frustrados, estacionaram o Lincoln perto de um posto de gasolina e seguiram a pé até encontrar o ponto de encontro, que resultou ser a interseção de quatro ruas movimentadas. Esperaram de braços dados, perante o escrutínio descarado de um cachorro solitário e um grupo de menininhos esfarrapados que pediam esmola. A única indicação que haviam recebido, afora o nome de uma das ruas que formavam o cruzamento, era uma loja de roupas de primeira comunhão e imagens de virgens e santos católicos, com o incongruente nome de "Viva Zapata".

Após vinte minutos de espera, Nathaniel decidiu que eles tinham sido enganados e deveriam voltar, mas Alma lhe recordou que a pontualidade não era uma das características daquele país e entrou na "Viva Zapata". Gesticulando, pediu emprestado um telefone e ligou para o número de Ramón, que tocou nove vezes, até que atendeu uma voz de mulher, com quem ela não conseguiu se entender em espanhol. Afinal, por volta das quatro da tarde, quando Alma já concordara em ir embora, parou na esquina o Ford 1949 cor de ervilha, com os vidros traseiros escuros, que Ramón havia descrito. Nos assentos dianteiros vinham dois homens, um jovem marcado por cicatrizes de varíola, com um topete na testa e frondosas costeletas, que ia ao volante, e um sujeito que desceu para deixá-los entrar, porque o carro era de duas portas. Apresentou-se como Ramón. Tinha uns trinta e tantos anos e exibia um bigode caprichado, cabelo com gel e penteado para trás, camisa branca, jeans e botas de bico fino com salto. Ambos estavam fumando. "O dinheiro", exigiu o do bigode, assim que eles entraram no carro. Nathaniel o entregou, o homem o contou e o meteu no bolso. Os quatro não trocaram uma só palavra no trajeto, que a Alma e Nathaniel pareceu longo; tinham certeza de que os sujeitos davam voltas e mais voltas para despistá-los, uma precaução excessiva, já que eles não conheciam a cidade. Alma, agarrada a Nathaniel, pensava em como seria aquela situação se estivesse sozinha, enquanto ele calculava que aqueles homens já tinham o pagamento e bem poderiam dar-lhes um tiro e lançá-los em um penhasco. Os dois não tinham dito a ninguém aonde iam, e semanas ou meses se passariam até que a família soubesse o que lhes acontecera.

Finalmente o Ford parou e os homens lhes indicaram que esperassem. O jovem do topete se dirigiu à casa, e o outro ficou vigiando do carro. Estavam diante de uma construção barata, semelhante a outras na mesma rua, em um bairro que Nathaniel achou pobre e sujo, mas pensou que não poderia avaliá-lo segundo os parâmetros de São Francisco. Minutos mais tarde, o jovem reapareceu. Os homens ordenaram a Nathaniel que descesse, revistaram-no da cabeça aos pés e fizeram menção de segurá-lo pelo braço para conduzi-lo, mas ele se soltou com um safanão e os encarou com um palavrão em inglês. Surpreendido, Ramón lhe fez um gesto conciliador. "Calma, cara, não houve nada", e riu, exibindo seus dentes de ouro. Ofereceu-lhe um cigarro, que Nathaniel aceitou. O outro ajudou Alma a sair do carro, e entraram todos na casa, que não era o antro de foragidos que Nathaniel temia, mas um modesto lar de família, com teto baixo, janelas pequenas, quente e escuro. Na sala havia dois meninos deitados no chão, brincando com soldadinhos de chumbo, uma mesa com cadeiras, um sofá coberto de plástico, uma pretensiosa luminária com franjas e um refrigerador barulhento como o motor de uma lancha. Da cozinha vinha o cheiro de cebola frita, e eles podiam ver uma mulher vestida de preto mexendo algo numa frigideira, a qual demonstrou tão pouca curiosidade pelos recém-chegados quanto as crianças. O jovem indicou uma cadeira a Nathaniel e foi até a cozinha, enquanto Ramón guiava Alma por um curto corredor até outro aposento com um poncho pendurado no umbral fazendo as vezes da porta.

— Espere! — deteve-o Nathaniel. — Quem vai fazer a intervenção?

— Eu — replicou Ramón, que pelo visto era o único a falar algum inglês.

— Entende de medicina? — perguntou Nathaniel, atentando para as mãos de unhas compridas e pintadas do homem.

Outra vez o riso simpático e o brilho do ouro, novos gestos tranquilizadores, algumas frases atamancadas explicando que ele tinha muita experiência e que aquilo levaria menos de quinze minutos, nenhum problema. "Anestesia? Não, *mano*, aqui não temos nada desse tipo, mas isto aqui ajuda", e passou a Alma uma garrafa de tequila. Como Alma hesitou, olhando a garrafa com desconfiança, Ramón tomou um longo gole, limpou a boca com a manga da camisa e a ofereceu de novo. Nathaniel viu a expressão de pânico no rosto lívido da prima e, de súbito, tomou a decisão mais importante de sua vida.

— Mudamos de ideia, Ramón. Vamos nos casar e ter o bebê. Pode ficar com o pagamento.

* * *

Alma teria muitos anos pela frente para esmiuçar conscienciosamente suas ações de 1955. Nesse ano ela aterrissou na realidade e foram inúteis suas manobras para atenuar a vergonha insuperável que a deixava aflita, vergonha pela imbecilidade de engravidar, por amar Ichimei menos do que a si mesma, por seu terror à pobreza, por ceder à pressão social e aos preconceitos de raça, por aceitar o sacrifício de Nathaniel, por não estar à altura da amazona moderna que fingia ser, por seu caráter pusilânime, convencional, e mais uma meia dúzia de denominações com as quais se castigava. Tinha consciência de que evitara o aborto por medo da dor e de morrer por hemorragia ou infecção, mas não por respeito ao ser que crescia em seu ventre. Voltou a se examinar diante do grande espelho do armário, mas não encontrou a Alma de antes, a moça ousada e sensual que Ichimei veria se estivesse ali, mas sim uma mulher covarde, presunçosa e egoísta. As desculpas eram inúteis; nada mitigava a sensação de ter perdido a dignidade. Anos depois, ao virar moda amar alguém de outra raça ou ter filhos sem se casar, Alma admitiria interiormente que seu preconceito mais enraizado era o de classe social, que ela jamais conseguiu superar. Apesar da agonia daquela viagem a Tijuana, que destruiu a ilusão do amor e a humilhou até o ponto em que notou que seu refúgio haveria de ser um orgulho monumental, nunca questionou sua decisão de esconder de Ichimei a verdade. Confessar significaria se expor em toda a sua covardia.

Ao voltar de Tijuana, marcou com Ichimei um horário antecipado em relação ao habitual, no motel de sempre, ao qual chegou arrogante e munida de mentiras, mas chorando por dentro. Dessa vez, Ichimei chegou antes dela e a esperava num daqueles quartos imundos, reino das baratas, que eles iluminavam com a chama do amor. Fazia cinco dias que não se viam e várias semanas em que algo turvo ofuscava a perfeição de seus encontros, algo ameaçador que Ichimei sentia envolvendo-os como uma neblina densa, mas que ela descartava frivolamente, acusando-o de ciúme desvairado. Ichimei notava algo diferente nela: estava ansiosa, falava demais e muito depressa, em questão de minutos mudava de humor e passava dos flertes e dos carinhos a um silêncio obstinado ou a uma irritação inexplicável. Alma estava se afastando emocionalmente, não havia dúvida, embora sua paixão brusca e sua veemência para alcançar o orgasmo repetidas vezes indicassem o contrário. Em certos momentos, quando descansavam abraçados depois de fazer amor, o rosto dela estava úmido. "São lágrimas de amor", dizia, mas para Ichimei, que jamais a vira chorar, pareciam lágrimas de desilusão, assim como as acrobacias sexuais lhe pareciam uma tentativa de distraí-lo. Com sua atávica discrição, procurou averiguar o que estava acontecendo com Alma, mas ela respondia às suas perguntas com riso zombeteiro ou com provocações vulgares que o incomodavam, ainda que fossem de brincadeira. Alma escapulia como uma lagartixa. Naqueles cinco dias de separação, que ela justificou alegando tratar-se de uma viagem obrigatória com a família a Los Angeles, Ichimei entrou num de seus períodos de introversão. Naquela semana continuou lavrando a terra e cultivando flores com a abnegação habitual, mas seus movimentos eram os de um homem hipnotizado. Sua mãe, que o conhecia melhor do que ninguém, absteve-se de lhe fazer perguntas e levou ela mesma a colheita às lojas de flores de São Francisco. Em silêncio e quietude, inclinado sobre as plantas, com o sol nas costas, Ichimei se deixou levar por seus pressentimentos, que raramente o enganavam.

Alma o viu na luz daquele quarto de aluguel, filtrada pelas cortinas gastas, e voltou a sentir as entranhas se rasgarem por conta da culpa. Por um instante muito breve, odiou aquele homem, que a obrigava a enfrentar a versão mais desprezível de si mesma, mas de imediato derrubou-a aquela onda de amor e desejo da qual ela sempre padecia na presença dele. Ichimei, de pé junto à janela, esperando-a, com sua imperturbável fortaleza interior, sua falta de vaidade, sua ternura e delicadeza, sua expressão serena; Ichimei, com seu corpo de madeira, seus cabelos fortes, seus dedos verdes, seus olhos carinhosos, sua risada que brotava em seu âmago, sua maneira de fazer amor com ela como se fosse a última vez. Não conseguiu olhá-lo no rosto e fingiu um acesso de tosse para aliviar o desassossego que a queimava por dentro. "O que está acontecendo, Alma?", perguntou Ichimei, sem tocá-la. E então ela lhe atirou o discurso preparado com esmero de advogado trapaceiro sobre como o amava e o amaria pelo resto dos seus dias, mas que essa relação carecia de futuro, que era impossível, que a família e os amigos começavam a desconfiar e a fazer perguntas, que eles provinham de mundos muito diferentes e cada um devia cumprir seu destino, que havia decidido prosseguir seus estudos de arte em Londres, e que os dois teriam que se separar.

Ichimei recebeu o bombardeio com a firmeza de quem se preparara para o ataque. Um longo silêncio se seguiu às palavras de Alma, e nessa pausa ela imaginou que podiam fazer amor desesperadamente uma vez mais, uma despedida ardente, um último presente aos sentidos antes do golpe final na ilusão que ela havia cultivado desde as carícias estabanadas no jardim de Sea Cliff, durante a infância. Começou a desabotoar a blusa, mas Ichimei a deteve com um gesto.

— Compreendo, Alma — disse.

— Peço perdão, Ichimei. Imaginei mil loucuras para continuarmos juntos; por exemplo, dispor de um refúgio onde nos amássemos, em vez deste motel asqueroso, mas sei que é impossível. Não aguento mais este segredo, está destruindo os meus nervos. Devemos nos separar para sempre.

— Para sempre é muito tempo, Alma. Creio que voltaremos a nos encontrar em melhores circunstâncias ou em outras vidas — disse Ichimei, procurando manter o equilíbrio, mas uma tristeza congelada transbordou de seu coração, embargando-lhe a voz.

Abraçaram-se desamparados, órfãos de amor. Os joelhos de Alma se dobraram, e ela esteve prestes a desabar sobre o peito firme do amante, a confessar tudo, até sua vergonha mais profunda, a suplicar que se casassem e vivessem numa choupana e criassem filhos mestiços, e a prometer que seria uma esposa submissa, renunciaria às suas pinturas em seda, ao bem-estar de Sea Cliff e ao futuro esplendoroso que lhe cabia por nascimento, renunciaria a muito mais somente por ele e pelo amor excepcional que os unia. Ichimei talvez tenha adivinhado tudo isso, pois usou de sua bondade e lhe impediu essa mortificação fechando-lhe a boca com um beijo casto e breve. Sem soltá-la, conduziu-a até a porta e dali até o automóvel dela. Beijou-a mais uma vez, na testa, e se dirigiu à sua caminhonete da floricultura, sem se voltar para um último olhar.

11 de julho de 1969

Nosso amor é inevitável, Alma. Eu sempre soube, mas durante anos me rebelei contra isso e tentei arrancar você do meu pensamento, já que, do meu coração, jamais conseguiria. Quando você me deixou sem me dar razões, não entendi e me senti enganado. Mas, em minha primeira viagem ao Japão, tive tempo de me acalmar e acabei aceitando que havia perdido você nesta vida. Deixei de fazer inúteis conjecturas sobre o que acontecera entre nós. Não esperava que o destino voltasse a nos juntar. Agora, depois de quatorze anos afastados, tendo pensado em você a cada dia desses quatorze anos, compreendo que nunca seremos casados, mas tampouco podemos renunciar ao que sentimos tão intensamente. Convido você a viver o nosso amor em uma bolha, protegida do contato com o mundo e preservada intacta, pelo resto de nossas vidas e para além da morte. Depende de nós que o amor seja eterno.

Ichi

Melhores amigos

Alma Mendel e Nathaniel Belasco se casaram numa cerimônia privada no terraço de Sea Cliff, num dia que começou tépido e ensolarado e foi esfriando e escurecendo com inesperadas nuvens densas que refletiam o estado de espírito dos noivos. Alma exibia olheiras cor de berinjela; havia passado a noite em claro, debatendo-se num mar de dúvidas, e assim que viu o rabino, correu para o banheiro, abalada até as entranhas pelo susto, mas Nathaniel se trancou com ela, mandou-a lavar o rosto com água fria e lhe ordenou se controlar e fazer uma cara boa. "Você não está sozinha nisto, Alma. Eu estou ao seu lado e sempre estarei", prometeu. O rabino, que no princípio se opusera ao casamento porque os dois eram primos, teve que aceitar a situação quando Isaac Belasco, o mais proeminente membro de sua congregação, lhe explicou que, dada a situação de Alma, não havia outro remédio senão casá-los. Disse que aqueles jovens se amavam desde crianças e que o afeto se transformara em paixão quando Alma retornou de Boston; esses acidentes aconteciam, assim era a condição humana; perante o fato consumado só restava abençoá-los. Martha e Sarah tiveram a ideia de divulgar alguma história para calar as fofocas; por exemplo, de que Alma havia sido adotada na Polônia pelos Mendel e, portanto, não era sua parente consanguínea, mas Isaac se opôs. Ao erro cometido, não podiam acrescentar uma mentira tão tosca. No fundo, estava feliz com a união das duas pessoas a quem mais amava no mundo, afora sua mulher. Preferia mil vezes que Alma se casasse com Nathaniel e ficasse firmemente amarrada à sua família a que o fizesse com um estranho e fosse embora dali. Lillian lhe recordou que das uniões incestuosas nasciam filhos deficientes, mas ele lhe assegurou que isso era superstição popular e só tinha fundamento científico nas comunidades fechadas, onde a procriação consanguínea se repetia ao longo de gerações. Não era o caso de Nathaniel e Alma.

Depois da cerimônia, à qual assistiram somente a família, o contador do escritório jurídico e os empregados da casa, serviu-se uma refeição formal a todos os presentes no grande salão de jantar da casa, que só era usado em ocasiões especiais. A cozinheira, sua ajudante, as arrumadeiras e o motorista se sentaram timidamente à mesa com os patrões, atendidos por dois garçons do *Ernie's*, o restaurante mais fino da cidade, que forneceu a comida. Essa novidade ocorreu a Isaac para estabelecer oficialmente o fato de que, a partir daquele dia, Alma e Nathaniel eram casados. Para os empregados domésticos, que os conheciam como membros da mesma família, não seria fácil se acostumar à mudança; de fato, uma arrumadeira que trabalhava para os Belasco havia quatro anos acreditava que fossem irmãos, porque, até aquele dia, a ninguém ocorrera lhe dizer que eram primos. O jantar começou em um silêncio sepulcral, os olhos fixos nos pratos, todos pouco à vontade, mas foram se animando à medida que o vinho passava e Isaac obrigava os comensais a brindarem ao casal. Alegre, expansivo, enchendo sua taça e as dos demais, Isaac parecia uma réplica saudável e juvenil do ancião em que se transformara nos últimos anos. Lillian, preocupada e temendo que o coração do marido falhasse, dava-lhe puxões na calça por baixo da mesa, para que se acalmasse. Finalmente, os noivos partiram uma torta de creme e marzipã com a mesma faca de prata com que Isaac e Lillian haviam partido uma semelhante em seu próprio casamento, muitos anos antes. Despediram-se de todos, um por um, e partiram de táxi, porque o motorista havia bebido tanto que choramingava na cadeira recitando em irlandês, sua língua materna.

Passaram a primeira noite de casados na suíte nupcial do Hotel Palace, o mesmo onde Alma havia suportado os bailes de debutantes, com champanhe, bombons e flores. No dia seguinte voariam para Nova York e de lá para a Europa, onde permaneceriam por duas semanas, uma viagem imposta por Isaac Belasco e que nenhum dos dois desejava. Nathaniel estava cuidando de vários casos legais e não queria se afastar do escritório, mas seu pai comprou as passagens, meteu-as no bolso dele e o convenceu a partir com o argumento de que a lua de mel era uma tradição; já circulavam suficientes fofocas sobre esse casamento precipitado entre primos para que acrescentassem mais uma. Alma se despiu no banheiro e voltou ao quarto usando a camisola e o robe de seda e renda que Lillian havia comprado às pressas junto com as outras peças de um enxoval improvisado. Deu um giro teatral para se exibir diante de Nathaniel, que a esperava vestido, sentado num banquinho ao pé da cama.

— Preste bem atenção, Nat, porque você não terá outra oportunidade de me admirar. A camisola já está apertada na cintura. Não creio que poderei usá-la de novo.

O marido adivinhou o tremor na voz dela, que o comentário coquete não dissimulara, e a chamou dando um tapinha no assento. Alma se sentou ao seu lado.

— Não tenho ilusões, Alma, sei que você ama Ichimei.

— Também amo você, Nat, não sei como explicar. Deve haver uma dúzia de mulheres em sua vida, não sei por que você nunca me apresentou nenhuma. Uma vez você me disse que, quando se apaixonasse, eu seria a primeira a saber. Depois que o neném nascer, vamos nos divorciar e você ficará livre.

— Não renunciei a nenhum grande romance por sua causa, Alma. E me parece de muito mau gosto você me propor divórcio na primeira noite de casados.

— Não brinque, Nat. Diga a verdade: você sente alguma atração por mim? Como mulher, quero dizer.

— Até agora, sempre a considerei minha irmã caçula, mas, com a convivência, isso pode mudar. Você gostaria disso?

— Não sei. Estou confusa, triste, aborrecida, com uma bagunça na cabeça e um filho na barriga. Você fez um péssimo negócio, casando comigo.

— Isso ainda veremos, mas saiba que serei um bom pai para o menino ou a menina.

— Essa criança vai ter traços asiáticos, Nat. Como vamos explicar?

— Não daremos explicações, e ninguém se atreverá a pedi-las, Alma. Cabeça erguida e boca fechada, essa é a melhor tática. O único que tem direito de perguntar é Ichimei Fukuda.

— Não voltarei a vê-lo, Nat. Obrigada, mil vezes obrigada pelo que está fazendo por mim. Você é a pessoa mais nobre do mundo, e tentarei ser uma esposa digna de tudo isso. Dias atrás eu pensava que, sem Ichimei, morreria, mas agora creio que, com sua ajuda, viverei. Não vou falhar com você. Serei sempre fiel, juro.

— Shhh... Não façamos promessas que talvez não possamos cumprir. Vamos percorrer esse caminho juntos, passo a passo, dia a dia, com a melhor das intenções. Essa é a única coisa que podemos prometer um ao outro.

Isaac Belasco havia rejeitado em cheio a ideia de que os recém-casados tivessem seu próprio lar, já que em Sea Cliff sobrava espaço e seu propósito de construir uma casa de tais dimensões sempre havia sido que várias gerações da família vivessem sob o mesmo teto. Além disso, Alma devia se cuidar e precisaria da atenção e da ajuda de Lillian e das primas; montar e administrar uma casa requeria um esforço desproporcional, determinou ele. Como argumento irrefutável, recorreu à chantagem emocional: desejava passar com eles a pouca vida que lhe restava, e que depois os dois fizessem companhia a Lillian na viuvez. Nathaniel e Alma aceitaram a decisão do patriarca. Ela continuou dormindo no quarto azul, onde a única mudança foi substituir sua cama por duas, separadas por um criado-mudo; Nathaniel pôs à venda sua cobertura e voltou à casa paterna. Transformou seu quarto de solteiro em gabinete, onde instalou uma escrivaninha, seus livros, sua música e um sofá. Todos em Sea Cliff sabiam que os horários do casal não propiciavam momentos de intimidade: ela se levantava ao meio-dia e ia para a cama cedo, ele trabalhava feito um louco, chegava tarde do escritório, trancava-se com seus livros e seus discos clássicos, deitava-se depois da meia-noite, dormia muito pouco e saía antes que ela acordasse; nos finais de semana jogava tênis, subia trotando o monte Tamalpais, ia dar voltas na baía com seu veleiro e retornava queimado pelo sol, suado e em paz. Também haviam notado que ele costumava dormir no sofá do gabinete, mas atribuíram isso à necessidade de descanso de sua mulher. Nathaniel era tão atencioso com Alma, ela dependia tanto dele e havia entre os dois tanta confiança e tanto bom humor que somente Lillian desconfiava de alguma anormalidade.

— Como vão as coisas entre você e meu filho? — perguntou a Alma na segunda semana deles em casa, depois da lua de mel, quando a gravidez já estava no quarto mês.

— Por que essa pergunta, tia Lillian?

— Porque vocês se amam como antes, nada mudou. O casamento sem paixão é como comida sem sal.

— Quer que façamos alarde de paixão em público? — riu Alma.

— Meu amor com Isaac é o que eu tenho de mais precioso, Alma, mais do que filhos e netos. O mesmo desejo para vocês: que vivam apaixonados, como Isaac e eu.

— O que a faz supor que não estamos apaixonados, tia Lillian?

— Você está no melhor momento de sua gravidez, Alma. Entre o quarto e o sétimo mês a mulher se sente forte, cheia de energia e sensualidade. Ninguém fala disso, os médicos não o mencionam, mas é como estar no cio. Foi assim quando eu esperava meus três filhos: vivia perseguindo Isaac. Era escandaloso! Não vejo esse entusiasmo entre Nathaniel e você.

— Como a senhora pode saber o que acontece entre nós, a portas fechadas?

— Não me responda com perguntas, Alma!

No outro lado da baía de São Francisco, Ichimei estava fechado em um silêncio prolongado, abstraído na inquietação do amor traído. Entregara-se ao seu trabalho com as flores, que brotavam mais coloridas e perfumadas do que nunca para consolá-lo. Soube do casamento de Alma porque Megumi estava folheando uma revista frívola no cabeleireiro e viu na coluna social uma fotografia de Alma e Nathaniel Belasco, vestidos de gala, presidindo o banquete anual da fundação da família. O texto-legenda informava que eles tinham retornado recentemente de sua lua de mel na Itália e descrevia a esplêndida festa, além do elegante vestido de Alma, inspirado nas túnicas drapeadas da Grécia antiga. Eram o casal mais comentado do ano, segundo a revista. Sem desconfiar que cravaria uma lança no peito do irmão, Megumi recortou a página e a levou para ele. Ichimei a examinou sem manifestar nenhuma emoção. Havia várias semanas estava tentando, em vão, compreender o que havia acontecido ao longo daqueles meses com Alma no motel dos amores extremos. Acreditava ter vivido algo absolutamente extraordinário, uma paixão digna da literatura, o reencontro de duas almas destinadas a estar juntas uma e outra vez através dos tempos, mas, enquanto ele abraçava essa magnífica certeza, ela planejava se casar com outro. A desilusão era tão monumental que não lhe cabia no peito; custava-lhe respirar. No meio de Alma e Nathaniel Belasco o casamento era mais do que a união entre dois indivíduos, era uma estratégia social, econômica e de família. Era impossível que Alma tivesse realizado os preparativos sem deixar transparecer a mais tênue de suas intenções; a evidência estava ali, e ele, cego e surdo, não a percebera. Agora podia ligar os fios soltos e explicar a si mesmo as incoerências de Alma nos últimos tempos; seu ânimo errático, suas hesitações, seus artifícios para eludir perguntas, suas sinuosas artimanhas para distraí-lo, suas contorções para fazer amor sem fitá-lo nos olhos. A falsidade era tão completa, a rede de mentiras tão intrincada e tortuosa, o dano cometido tão irreparável, que só lhe restava aceitar que não conhecia Alma nem um pouco, que era uma estranha. A mulher amada nunca existira; ele a construíra com sonhos.

Farta de ver seu filho ausente de espírito como um sonâmbulo, Heideko Fukuda decidiu que chegara a hora de levá-lo ao Japão para buscar suas raízes e, com alguma sorte, arrumar-lhe uma noiva. A viagem o ajudaria a se livrar do peso que o esmagava, cuja causa nem ela nem Megumi conseguiram descobrir. Ichimei era muito jovem para iniciar uma família, mas tinha maturidade de ancião; convinha intervir o mais depressa possível para escolher a futura nora, antes que o pernicioso costume americano de se casar por euforia amorosa se apoderasse do seu filho. Megumi estava totalmente dedicada aos seus estudos, mas aceitou supervisionar alguns compatriotas contratados para manter funcionando o negócio das flores. Pensara em pedir a Boyd Anderson, como prova final de amor, que ele largasse tudo no Havaí e se mudasse para Martínez a fim de cultivar flores, mas Heideko continuava se negando a pronunciar o nome do tenaz apaixonado e se referia a ele como o guarda do campo de concentração. Teriam que se passar cinco anos para que nascesse seu primeiro neto, Charles Anderson, filho de Megumi e Boyd, e ela dirigisse a palavra ao demônio branco. Heideko organizou a viagem sem pedir a opinião de Ichimei. Anunciou-lhe que deviam cumprir o dever ineludível de honrar os antepassados de Takao, tal como ela lhe prometera em sua agonia, para que se fosse tranquilo. Em vida, Takao não pudera fazer isso, e agora a peregrinação cabia a eles. Teriam que visitar cem templos para fazer oferendas e espalhar um pouquinho das cinzas de Takao em cada um. Ichimei apresentou uma oposição meramente retórica, porque, no fundo, tanto lhe fazia aqui ou lá; o lugar geográfico não afetaria o processo de limpeza no qual estava embarcado.

No Japão, Heideko anunciou ao filho que seu primeiro dever não era com seu falecido marido, mas sim com seus velhos pais, caso estivessem vivos, e com seus irmãos, a quem não via desde 1922. Não convidou Ichimei para acompanhá-la. Despediu-se com leveza, como se fosse às compras no armazém, ignorando como seu filho pensava se arranjar em sua ausência. Ichimei havia entregado à mãe todo o dinheiro que levavam. Viu-a partir no trem e, abandonando sua mala na estação, começou a andar levando apenas a roupa do corpo, uma escova de dentes e a bolsa de lona com as cinzas do pai. Não precisava de mapa, porque havia memorizado seu itinerário. Caminhou durante todo o primeiro dia com o estômago vazio e ao anoitecer chegou a um pequeno santuário xintoísta, onde se deitou junto a uma parede. Estava quase adormecendo quando se aproximou dele um monge mendicante e lhe informou que no santuário sempre havia chá e bolos de arroz para os peregrinos. Assim seria sua vida nos quatro meses seguintes. Caminhava durante o dia até ser vencido pela fadiga, jejuava até que alguém lhe oferecesse alguma comida, dormia onde caísse a noite. Nunca teve que pedir, nunca precisou de dinheiro. Ia com a mente em branco, deleitando-se nas paisagens e na própria fadiga, enquanto o esforço de avançar arrancava-lhe a dentadas as más lembranças de Alma. Quando deu por concluída sua missão de visitar cem templos, a bolsa de lona estava vazia, e ele, despojado dos sentimentos sombrios que o agoniavam no início da viagem.

2 de agosto de 1994

Viver na incerteza, com dúvidas, sem segurança, sem planos nem metas, deixando-me levar como uma ave sustentada pela brisa, isso eu aprendi em minhas peregrinações. Você estranha que aos sessenta e dois anos eu ainda possa partir da noite para o dia e vagar sem itinerário nem bagagem, como um rapaz pedindo carona, que vá embora por tempo indefinido e não lhe telefone nem lhe escreva, e que ao voltar não saiba lhe dizer onde estive. Não há nenhum segredo, Alma. Em caminho, isso é tudo. Para sobreviver preciso de muito pouco, quase nada. Ah, a liberdade!
    Estou indo, mas sempre levo você na lembrança.

Ichi

Outono

Lenny Beal foi procurar Alma no apartamento de Lark House no segundo dia depois que ela faltou ao encontro com ele no banco do parque. Quem abriu a casa foi Irina, que, antes de começar seu horário na residência, tinha ido ajudá-la a se vestir.

— Fiquei à sua espera, Alma. Você se atrasou — disse Lenny.

— A vida é muito curta para sermos pontuais — replicou ela, com um suspiro.

Fazia vários dias que Irina chegava cedo para lhe dar o desjejum, vigiá-la no banho e vestir-lhe a roupa, mas nenhuma das duas mencionava o fato, porque isso significaria admitir que Alma não podia continuar vivendo sem acompanhante e devia passar ao segundo nível ou então voltar a viver com a família em Sea Cliff. Prefeririam pensar nessa súbita debilidade como um inconveniente temporário. Seth havia pedido a Irina que renunciasse ao emprego em Lark House e deixasse seu quarto, que apelidara toca de ratos, para ir definitivamente morar com ele, mas a jovem mantinha um pé em Berkeley para evitar a armadilha da dependência, que a assustava tanto quanto a hipótese de passar ao segundo nível de Lark House assustava Alma. Quando tentou explicar isso a Seth, ele se ofendeu com a comparação.

A ausência de Neko afetara Alma como um infarto: seu peito doía. O gato lhe aparecia a cada instante sob uma nova forma: de uma almofada no sofá, de um canto franzido do tapete, de seu casaco malpendurado, da sombra da árvore na janela. Neko havia sido seu confidente por dezoito anos. Para não falar sozinha, falava com ele, com a tranquilidade de que o bichano não ia lhe responder e entendia tudo, com sua felina sabedoria. Eram de temperamentos parecidos: arrogantes, preguiçosos, solitários. Ela amava não só sua feiura de animal ordinário como também os estragos do tempo que havia sofrido: as quedas de pelo, a cauda torta, os olhos remelentos, a pança de *bon vivant*. Sentia falta dele na cama; sem o peso de Neko no flanco ou nos pés era-lhe difícil dormir. Afora Kirsten, esse animal era o único ser que a acariciava. Irina gostaria de fazer isso, de lhe dar uma massagem, lavar-lhe o cabelo, lixar-lhe as unhas, enfim, encontrar uma maneira de se aproximar fisicamente de Alma e fazê-la sentir que não estava sozinha, mas a mulher não dava abertura para a intimidade com ninguém. Para Irina esse tipo de contato com outras anciãs de Lark House ocorria naturalmente, e aos poucos ela começava a desejá-lo com Seth. Tentou aliviar a ausência de Neko com uma bolsa de água quente na cama de Alma, mas, como esse recurso absurdo agravava a dor do luto, ofereceu-se para ir à Sociedade Protetora dos Animais e conseguir outro gato. Alma, porém, a fez ver que não podia adotar um animal que viveria mais do que ela. Neko havia sido seu último gato.

Sofia, a cachorrinha de Lenny, esperava no umbral, como fazia quando Neko estava vivo e defendia seu território, e bateu no solo com a cauda diante da perspectiva de sair a passeio, mas Alma se esgotara com o esforço de se vestir e não conseguiu se levantar do sofá. "Deixo-a em boas mãos, Alma", despediu-se Irina. Lenny notou, preocupado, as mudanças no aspecto dela e no do apartamento, que não tinha sido arejado e cheirava a ambiente fechado e gardênias agonizantes.

— O que você tem, minha amiga?

— Nada grave. Talvez algum probleminha no ouvido, por isso perco o equilíbrio. Às vezes, sinto patadas de elefante no peito.

— O que seu médico diz?

— Não quero médicos nem exames nem hospitais. Depois que a pessoa começa nisso, não para mais. E nada de Belascos! Eles gostam de drama e fariam um estardalhaço.

— Nem pense em morrer antes de mim. Lembre-se do que combinamos, Alma. Eu vim aqui para morrer nos seus braços, e não o contrário — brincou Lenny.

— Não me esqueci. Mas, se eu falhar, você pode recorrer a Cathy.

Essa amizade, descoberta tarde e saboreada como um vinho de reserva, coloria uma realidade que inexoravelmente ia perdendo o brilho para ambos. Alma tinha um temperamento tão solitário que nunca percebera a própria solidão. Tinha vivido inserida na família Belasco, protegida pelos tios, na ampla casa de Sea Cliff, que outros administravam — sua sogra, o mordomo, sua nora —, com a atitude de uma visita. Em todos os lados sentia-se desconectada e diferente, mas, longe de ser um problema, isso era motivo de certo orgulho, porque contribuía para a ideia que tinha de si mesma como uma artista retraída e misteriosa, vagamente superior ao resto dos mortais. Não precisava se misturar à humanidade em geral, que lhe parecia um tanto estúpida, cruel, se tinha oportunidade e sentimental na melhor das hipóteses, opiniões que ela evitava expressar em público, mas que na velhice haviam se fortalecido. Fazendo as contas, em seus oitenta e tantos anos tinha amado muito poucas pessoas, mas amara-as intensamente, idealizara-as com um romantismo feroz que desafiava qualquer investida da realidade. Não sofrera aquelas paixonites devastadoras da infância e da adolescência, passara isolada pela universidade, viajara e trabalhara sozinha, não tivera sócios ou colegas, mas somente subordinados; substituíra tudo isso pelo amor obsessivo por Ichimei Fukuda e pela amizade exclusiva com Nathaniel

Belasco, a quem não recordava como marido, mas como seu amigo mais íntimo. Na última etapa de sua vida, contava com Ichimei, seu amante lendário, com o neto Seth e com Irina, Lenny e Cathy, o mais semelhante a amigos que tivera em muitos anos; graças a eles estava a salvo do tédio, um dos flagelos da velhice. O resto da comunidade de Lark House era como a paisagem da baía: ela a apreciava de longe, sem molhar os pés. Durante meio século havia figurado no mundinho da classe alta de São Francisco, aparecendo na ópera, em cerimônias beneficentes e em eventos sociais obrigatórios, resguardada pela intransponível distância que estabelecia desde a primeira saudação. Comentou com Lenny Beal como a incomodavam o ruído, a conversa trivial e as peculiaridades do próximo; como só uma difusa empatia pela humanidade sofredora a salvava de ser uma psicopata. Era fácil sentir compaixão pelos infelizes que não conhecia. Não gostava de gente, preferia os gatos. Quanto aos humanos, engolia-os em doses pequenas; mais de três lhe davam indigestão. Sempre havia evitado os grupos, clubes e partidos políticos, não militara em nenhuma causa, mesmo que em princípio a aprovasse, como o feminismo, os direitos civis ou a paz. "Não saio em defesa das baleias para não me misturar com os ecologistas." Nunca se sacrificara por outra pessoa ou por um ideal; a abnegação não era uma de suas virtudes. À exceção de Nathaniel durante sua doença, não tivera que cuidar de ninguém, nem mesmo de seu filho. A maternidade não fora o cataclismo de adoração e ansiedade que supostamente as mães experimentam, mas um carinho tranquilo e duradouro. Larry era uma presença sólida e incondicional em sua existência; amava-o com uma mistura de absoluta confiança e longo costume, um sentimento cômodo que exigia muito pouco de sua parte. Havia admirado e amado Isaac e Lillian Belasco, a quem continuara a chamar de tio e tia depois que se tornaram seus sogros, mas não foi contagiada em nada pela bondade e pela vocação de servir deles.

— Por sorte a Fundação Belasco se dedica a plantar áreas verdes em vez de socorrer mendigos ou órfãos; assim, pude fazer algum bem sem me aproximar dos beneficiados — comentou ela com Lenny.

— Cale-se, mulher. Se eu não a conhecesse, pensaria que você é um monstro de narcisismo.

— Se não sou, é graças a Ichimei e a Nathaniel, que me ensinaram a dar e receber. Sem eles, eu teria sucumbido à indiferença.

— Muitos artistas são introvertidos, Alma. Precisam se isolar para criar.

— Não procure desculpas. A verdade é que, quanto mais velha fico, mais gosto dos meus defeitos. A velhice é o melhor momento para ser e fazer o que nos agrada. Daqui a pouco, ninguém vai me suportar. Diga para mim, Lenny, você se arrepende de algo?

— Claro. Das loucuras que não fiz, de ter abandonado o cigarro e o coquetel margarita, de ser vegetariano e ter me matado fazendo exercícios. Vou morrer do mesmo jeito, mas em boa forma — riu Lenny.

— Não quero que você morra...

— Eu também não, mas não é opcional.

— Quando o conheci, você bebia como um cossaco.

— Estou sóbrio há trinta anos. Acho que bebia tanto para não pensar. Eu era hiperativo, mal conseguia ficar sentado para cortar as unhas dos pés. Quando jovem fui um animal gregário, sempre rodeado de ruído e de gente, mas, ainda assim, me sentia só. O medo da solidão definiu meu caráter, Alma. Eu precisava ser aceito e amado.

— Você está falando no passado. Não é mais assim?

— Mudei. Passei a juventude em busca de aprovação e de aventuras, até que me apaixonei de verdade. Depois meu coração ficou partido, e passei uma década tentando colar os pedaços.

— Conseguiu?

— Digamos que sim, graças a um *smörgåsbörd* de psicologia: terapia individual, em grupo, *gestalt*, biodinâmica, enfim, o que houvesse à disposição, inclusive terapia do grito.

— Que diabos é isso?

— Eu me trancava com a psicóloga para gritar como um endemoniado e golpear uma almofada a socos por cinquenta e cinco minutos.

— Não acredito.

— Sim. E pagava por isso, imagine. Fiz terapia durante anos. Foi um caminho pedregoso, Alma, mas aprendi a me conhecer e a encarar minha solidão. Ela já não me assusta.

— Algo desse tipo teria ajudado muito a mim e a Nathaniel, mas a ideia não nos ocorreu. Em nosso meio, não se fazia isso. Quando a psicologia entrou na moda, já era tarde para nós.

De repente pararam de chegar as caixas anônimas de gardênias que Alma recebia às segundas-feiras, justamente quando mais a teriam alegrado; ela, porém, não deu sinais de ter percebido. Desde sua última escapada, saía muito pouco. Se não fossem Irina, Seth, Lenny e Cathy, que abalavam sua imobilidade, ficaria recolhida como um anacoreta. Perdeu o interesse pela leitura, pelos seriados de televisão, pelo ioga, pela horta de Victor Vikashev e por outras atividades que antes preenchiam suas horas. Comia sem vontade e, se Irina não tivesse ficado de olho, poderia ter sobrevivido vários dias com maçãs e chá verde. Não contou a ninguém que com frequência seu coração disparava, sua vista se nublava e ela se confundia com as tarefas mais simples. O apartamento, que antes se ajustava como uma luva às suas necessidades, aumentou de tamanho, a disposição dos espaços se alterou, e, quando ela acreditava estar em frente ao banheiro, saía para o corredor do edifício, que havia se alongado e se enrolado de tal modo que lhe era difícil achar sua própria porta, eram todas iguais; o piso ondulava, e ela precisava se apoiar nas paredes para se manter de pé; os interruptores mudavam de lugar, era impossível encontrá-los no escuro; brotavam novas gavetas e prateleiras, nas quais se perdiam os objetos cotidianos; as fotografias se desarrumavam nos álbuns, sem intervenção humana. Ela não encontrava nada, como se a moça da limpeza ou Irina lhe escondessem as coisas.

Compreendia que dificilmente o universo estaria lhe dando rasteiras; o mais provável era que estivesse faltando oxigênio em seu cérebro. Postava-se diante da janela para fazer exercícios respiratórios de acordo com um manual tomado de empréstimo na biblioteca, mas postergava a consulta ao cardiologista, recomendada por Cathy, porque continuava fiel à crença de que, dando-lhes tempo, quase todos os mal-estares se curam sozinhos.

Ia completar oitenta e dois anos, estava velha, mas se negava a cruzar o portal da ancianidade. Não pretendia se postar à sombra dos anos, com os olhos fixados no vazio e a mente num passado hipotético. Havia caído algumas vezes, sem maiores consequências afora umas manchas-roxas; chegara a hora de aceitar que, às vezes, a segurassem pelo cotovelo para ajudá-la a caminhar, mas alimentava com migalhas os restos de sua vaidade e lutava contra a tentação de se abandonar à preguiça fácil. Tinha horror à possibilidade de passar ao segundo nível, onde não teria privacidade e cuidadores mercenários a assistiriam em suas necessidades mais pessoais. "Boa noite, Morte", dizia antes de adormecer, com a vaga esperança de não acordar; seria a maneira mais elegante de ir embora, comparável somente a adormecer para sempre nos braços de Ichimei depois de fazer amor. Na realidade, não acreditava merecer essa dádiva; tivera uma vida boa, não havia razão para que seu fim também o fosse. Fazia trinta anos que havia perdido o medo da morte, quando esta chegara como uma amiga para levar Nathaniel. Ela mesma a tinha chamado, e lhe entregou nos braços o marido. Não falava do assunto com Seth, porque o neto a acusava de morbidez, mas com Lenny era tema recorrente; passavam um bom tempo especulando sobre as possibilidades do outro lado, a eternidade do espírito e os inofensivos espectros que os acompanhavam.

Com Irina podia falar de qualquer coisa, a jovem sabia escutar, mas em sua idade ainda tinha a ilusão da imortalidade e não podia se relacionar cabalmente com os sentimentos de quem já havia percorrido quase todo o próprio caminho. A moça não podia imaginar a coragem necessária para envelhecer sem se assustar demais; seu conhecimento sobre a idade era teórico. Também era teórico o que se publicava sobre a chamada terceira idade, todos aqueles livrecos sabichões e manuais de autoajuda da biblioteca, escritos por gente que não era velha. Inclusive as duas psicólogas de Lark House eram jovens. O que sabiam, por mais diplomas que tivessem, de tudo o que se perde? Capacidades, energia, independência, lugares, gente. Embora, na verdade, ela não sentisse falta de gente, só mesmo de Nathaniel. Via a família o suficiente e agradecia que não a visitassem demais. Sua nora era da opinião de que Lark House era um depósito de anciãos comunistas e maconheiros. Alma preferia se comunicar com os parentes por telefone e vê-los no terreno mais cômodo de Sea Cliff ou dos passeios aos quais achavam por bem levá-la. Não podia se queixar; sua pequena família, composta somente de Larry, Doris, Pauline e Seth, nunca lhe faltara. Ela não podia ser incluída entre os velhos abandonados, como tantos que a rodeavam em Lark House.

Não pôde continuar adiando a decisão de fechar o ateliê de pintura, que mantivera em funcionamento por causa de Kirsten. Explicou a Seth que sua assistente sofria de algumas limitações intelectuais, mas havia trabalhado com ela por muitos anos, que aquele era o único emprego que Kirsten tivera na vida, e que sempre cumprira seus deveres de modo irrepreensível. "Devo protegê-la, Seth, é o mínimo que posso fazer por ela, mas não tenho forças para lidar com os detalhes; isso cabe a você, para algo deve servir ser advogado", disse. Kirsten recebia benefícios, uma pensão e uma poupança; Alma abrira uma conta para ela e a cada ano depositara uma quantia para emergências, mas nenhuma havia se apresentado e esses fundos estavam bem-investidos. Seth se entendeu com o irmão de Kirsten para assegurar a ela seu futuro financeiro e com Hans Voigt para que a empregasse como ajudante de Catherine Hope na clínica da dor. As dúvidas do diretor quanto a contratar uma pessoa com síndrome de Down se dissiparam assim que foi esclarecido que ele não teria de lhe pagar um salário; em Lark House, Kirsten seria bancada pelos Belasco.

Gardênias

Na segunda semana sem gardênias, Seth chegou de visita trazendo três em uma caixa, em memória de Neko, como disse. A morte recente do gato contribuía para a relutância dos ossos de Alma, e o aflitivo perfume das flores não ajudou a aliviá-lo. Seth colocou as flores numa vasilha com água, preparou chá para dois e se instalou com a avó no sofá da saleta.

— O que aconteceu com as flores de Ichimei Fukuda, vovó? — perguntou, em tom casual.

— O que você sabe de Ichimei, Seth? — respondeu Alma, alarmada.

— Bastante. Suponho que esse seu amigo tenha a ver com as cartas, com as gardênias que a senhora recebe e com suas escapadas. A senhora pode fazer o que quiser, claro, mas me parece que não tem idade para andar por aí sozinha ou mal-acompanhada.

— Você andou me espiando! Como se atreve a meter o nariz em minha vida?

— Estou preocupado, vovó. Deve ser porque me afeiçoei à senhora, embora seja tão resmungona. Não precisa me esconder nada; pode confiar em Irina e em mim. Somos seus cúmplices, em qualquer maluquice que lhe der na telha.

— Não é nenhuma maluquice!

— Claro. Desculpe. Sei que é um amor de toda a vida. Irina escutou por acaso uma conversa sua com Lenny Beal.

A essa altura, Alma e o resto dos Belasco sabiam que Irina estava morando no apartamento de Seth, se não em tempo integral, pelo menos vários dias por semana. Doris e Larry se abstiveram de fazer comentários negativos, na esperança de que a patética imigrante da Moldávia fosse uma travessura passageira do filho, mas recebiam Irina com gélida cortesia, de modo que ela evitava comparecer aos almoços dominicais em Sea Cliff, para onde Alma e Seth insistiam em arrastá-la. Em contraposição, Pauline, que se opusera sem exceções às namoradas atléticas de Seth, abrira-lhe os braços. "Meus parabéns, irmão. Irina é revigorante e tem mais personalidade do que você. Saberá manejá-lo na vida."

— Por que não me conta tudo, vovó? Não tenho vocação para detetive nem desejo de espiá-la — pediu Seth.

A xícara de chá ameaçava derramar nas mãos trêmulas de Alma. O neto pegou-a e a colocou sobre a mesa. A ira inicial da mulher havia se dissipado e em seu lugar invadiu-a uma grande lassidão, um desejo medular de desafogar e confessar ao neto seus erros, contar que estava se corroendo por dentro e morrendo aos poucos e em boa hora, porque não aguentava mais de cansaço e morreria contente e apaixonada; aos oitenta e tantos anos, depois de muito viver e amar e engolir as lágrimas, o que mais se poderia pedir?

— Chame Irina. Não quero ter que repetir a história — disse ela a Seth.

Irina recebeu o torpedo em seu celular quando estava no escritório de Hans Voigt, com Catherine Hope, Lupita Farías e as duas chefes de assistência e enfermagem, discutindo o assunto do falecimento eletivo, eufemismo que substituía o termo suicídio, proibido pelo diretor. Na recepção haviam interceptado um pacote fatídico, vindo da Tailândia, que jazia como uma prova sobre a escrivaninha de Voigt. Destinava-se a Helen Dempsey, residente do terceiro nível, de oitenta e nove anos, com câncer recorrente, sem família nem ânimo para suportar de novo a quimioterapia. As instruções indicavam que o conteúdo devia ser ingerido com álcool, e que o fim viria tranquilamente durante o sono. "Devem ser barbitúricos", disse Cathy. "Ou veneno para ratos", acrescentou Lupita. O diretor queria saber como diabos Helen Dempsey encomendara aquilo sem que ninguém soubesse; supunha-se que os funcionários estivessem atentos. Seria muito inconveniente que se espalhasse o boato de que em Lark House havia suicidas, um desastre para a imagem da instituição. No caso de mortes suspeitas, como a de Jacques Devine, evitava-se realizar uma investigação minuciosa demais; era melhor ignorar os detalhes. Os empregados culpavam os fantasmas de Emily e seu filho, que levavam consigo os desesperados, porque, sempre que alguém falecia, fosse por causa natural ou ilegal, Jean Daniel, o cuidador haitiano, topava com a jovem dos véus cor-de-rosa e seu desafortunado menino. A visão o deixava de cabelos em pé. Ele havia pedido que contratassem uma compatriota sua, cabeleireira por necessidade e sacerdotisa vudu por vocação, para que os enviasse ao reino do outro mundo, onde lhes cabia ficar, mas o orçamento de Hans Voigt não dava para esse tipo de gasto; a duras penas ele mantinha a comunidade funcionando, fazendo malabarismos financeiros. O assunto era pouco oportuno para Irina, que andava chorosa porque alguns dias antes havia segurado Neko nos braços, enquanto aplicavam nele a injeção misericordiosa que acabou com os mal-estares de sua ancianidade. Alma e Seth foram incapazes de acompanhar o gato nesse transe, a primeira por pena e o segundo por covardia. Deixaram Irina sozinha no apartamento para receber o veterinário. Não viera o doutor Kallet, que na última hora tivera um problema de família, mas uma jovem míope e nervosa, com aspecto de recém-formada. Contudo, revelara-se eficiente e compassiva; o gato se foi ronronando, sem se dar conta de nada. Seth devia levar o cadáver para o crematório de animais, mas por enquanto Neko estava num saco plástico dentro do refrigerador de Alma. Lupita Farías conhecia um taxidermista mexicano que podia deixá-lo como vivo, recheado de estopa e com olhos de vidro, ou então limpar e polir a caveira, que, colocada em um pequeno pedestal, serviria de adorno. Propôs a Irina e Seth que fizessem essa surpresa a Alma, mas eles acharam que o gesto não seria devidamente apreciado pela avó. "Em Lark House temos o dever de desestimular qualquer intenção de falecimento eletivo, fui claro?", repetiu Hans Voigt pela terceira ou quarta vez, com um firme olhar de advertência a Catherine Hope, porque a ela recorriam os pacientes com dores crônicas, os mais vulneráveis. Ele suspeitava, e com razão, que aquelas mulheres soubessem mais do que estavam dispostas a lhe dizer. "Desculpe, senhor Voigt, é uma emergência", interrompeu-o Irina ao ver a mensagem de Seth no celular, e isso deu às cinco a possibilidade de escapulir, deixando o diretor no meio de uma frase.

A moça encontrou Alma com um xale sobre as pernas, sentada na cama, onde o neto a colocara ao vê-la bambear. Pálida e sem batom, era uma anciã diminuta. "Abram a janela. Este ar rarefeito da Bolívia está me matando", pediu. Irina explicou a Seth que a avó não estava delirando; referia-se à sensação de sufoco, de zumbido nos ouvidos e de desfalecimento do corpo semelhante à que experimentara quando passou mal em La Paz, a três mil e seiscentos metros de altitude, muitos anos antes. Seth suspeitou que os sintomas não se devessem ao ar boliviano, mas ao gato na geladeira.

Alma começou por fazê-los jurar que guardariam seus segredos até depois de sua morte e passou a repetir o que já lhes havia contado, porque decidiu que era melhor fiar esse tecido desde o princípio. Começou pela despedida de seus pais no cais de Danzig, a chegada a São Francisco e como se agarrou à mão de Nathaniel, talvez pressentindo que nunca a soltaria; prosseguiu com o instante preciso em que conhecera Ichimei Fukuda, o mais memorável dos instantes acumulados em sua memória, e dali foi avançando pelo caminho do passado com uma claridade tão diáfana como se lesse em voz alta. As dúvidas de Seth sobre o estado mental de sua avó se evaporaram. Durante os três anos anteriores, nos quais ele tinha lhe surrupiado material para o romance que queria escrever, Alma havia demonstrado seu virtuosismo de narradora, seu senso de ritmo e sua habilidade para manter o suspense, sua capacidade de contrastar os fatos alegres com os mais trágicos, luz e sombra, como as fotografias de Nathaniel Belasco, mas até aquela tarde não lhe dera oportunidade de admirá-la numa maratona de esforço continuado. Com algumas pausas para beber chá e mordiscar alguns biscoitos, Alma falou durante horas. A noite caiu sem que nenhum dos três percebesse, a avó falando e os jovens atentos. Contou-lhes de seu reencontro com Ichimei aos vinte e dois anos, depois de doze sem se verem; de como o amor adormecido da infância os nocauteou com força irresistível, embora soubessem que era um amor condenado, tanto que, de fato, durou menos de um ano. A paixão é universal e eterna através dos séculos, disse ela, mas as circunstâncias e os costumes mudam o tempo todo, e tornava-se difícil entender, sessenta anos mais tarde, os obstáculos intransponíveis que eles enfrentaram naquela época. Se pudesse ser jovem de novo, com o que sabia de si mesma agora na velhice, repetiria o que fez; não se teria atrevido a dar um passo definitivo com Ichimei, teria sido impedida pelas convenções. Nunca havia sido valente, acatava as normas. Cometeu seu único ato de desafio aos setenta e oito anos, quando abandonou a casa de Sea Cliff para se instalar em Lark House. Aos seus vinte e dois, desconfiando que tinham o tempo contado, Ichimei e ela se empanturraram de amor para consumi-lo inteiro, porém quanto mais tentavam esgotá-lo, mais imprudente era o desejo, e quem disser que mais cedo ou mais tarde todo fogo se apaga sozinho está enganado: há paixões que são incêndios até que o destino, de súbito, as afogue, e mesmo assim restam brasas quentes, prontas para arder assim que se lhes der oxigênio. Contou-lhes de Tijuana e do casamento com Nathaniel e de como haveriam de transcorrer outros sete anos para que ela visse Ichimei no funeral do sogro, pensando nele sem ansiedade, porque não esperava voltar a encontrá-lo, e outros sete até que finalmente pudessem levar a cabo o amor que ainda compartilhavam.

— Então, vovó, meu pai não é filho de Nathaniel? Nesse caso, eu sou neto de Ichimei! Diga para mim se sou Fukuda ou Belasco! — exclamou Seth.

— Se você fosse Fukuda, teria algo de japonês, não acha? Você é Belasco.

O menino que não nasceu

Nos primeiros meses de casada, Alma esteve tão absorta na gravidez que a raiva por haver renunciado ao amor de Ichimei se transformou num incômodo suportável, como uma pedrinha no sapato. Afundou numa placidez de ruminante, refugiada no carinho solícito de Nathaniel e no ninho proporcionado pela família. Lillian e Isaac, embora Martha e Sarah já tivessem lhes dado netos, esperaram esse bebê como se ele fosse um rei, porque usaria o sobrenome Belasco. Atribuíram-lhe um aposento ensolarado da casa, decorado com móveis infantis e com os personagens de Walt Disney pintados nas paredes por um artista trazido de Los Angeles. Dedicaram-se a cuidar de Alma, satisfazendo até seus mínimos desejos. No sexto mês ela havia engordado demais, tinha a pressão alta, a cara manchada, as pernas pesadas, vivia com dor de cabeça e usava chinelos de praia porque os pés não entravam nos sapatos, mas desde o primeiro lampejo de vida em seu ventre apaixonou-se pela criatura que estava gestando, que não era de Nathaniel nem de Ichimei, era somente sua. Queria um menino, para chamá-lo Isaac e dar ao sogro o descendente que prolongaria o sobrenome Belasco. Ninguém jamais saberia que a criança não tinha o mesmo sangue, como havia prometido a Nathaniel. Pensava, com espasmos de culpa, que, se seu agora marido não tivesse impedido o aborto, esse menino teria terminado em um esgoto de Tijuana. Enquanto seu carinho pelo bebê aumentava, também aumentava seu horror pelas mudanças em seu corpo, mas Nathaniel lhe assegurava que estava deslumbrante, mais bonita do que nunca, e contribuía para seu sobrepeso com chocolates recheados de laranja e outras guloseimas. A relação de bons irmãos continuou como sempre. Ele, elegante e pulcro, usava o banheiro perto de seu gabinete, na outra extremidade da casa, e não se despia diante dela, mas Alma perdeu todo o pudor com ele e se abandonou à deformidade de sua situação, compartilhando os detalhes prosaicos e suas indisposições, as crises de nervos e os terrores da maternidade, entregue como nunca estivera. Nesse período violou as normas fundamentais impostas por seu pai de não se queixar, não pedir e não confiar em ninguém. Nathaniel se tornou o centro de sua existência, e sob suas asas Alma se sentia contente, a salvo e aceita. Isso criou entre ambos uma intimidade desequilibrada que lhes parecia natural, porque se ajustava ao temperamento de cada um. Se alguma vez mencionaram essa distorção, foi para combinar que, depois que o bebê nascesse e Alma se recuperasse do parto, tratariam de viver como um casal normal, mas nenhum dos dois parecia ansioso para que esse momento chegasse. Até lá, ela havia descoberto o lugar perfeito em seu ombro, embaixo do queixo, para apoiar a cabeça e cochilar. "Você é livre para sair com outras mulheres, Nat. Só lhe peço que seja discreto, para me evitar a humilhação", repetia, e a cada vez ele respondia com um beijo e uma brincadeira. Embora não conseguisse se livrar da marca deixada por Ichimei em sua mente e em seu corpo, Alma sentia ciúmes de Nathaniel; havia meia dúzia de mulheres perseguindo-o, e ela supunha que vê-lo casado não seria um impedimento, mas talvez até um incentivo, para mais de uma delas.

Estavam na casa da família no Lago Tahoe, onde os Belasco iam esquiar no inverno, bebendo sidra quente às onze da manhã e esperando que o tempo abrisse para irem lá fora, quando Alma apareceu na sala cambaleando, de camisola e descalça. Lillian correu para servir-lhe de apoio, e ela a repeliu, tentando enfocar a visão. "Digam ao meu irmão Samuel que minha cabeça está explodindo", murmurou. Isaac tentou levá-la até um sofá, chamando Nathaniel aos gritos, mas Alma parecia presa ao solo, pesada como um móvel, agarrando a cabeça com ambas as mãos e falando incoerências sobre Samuel, a Polônia e diamantes no forro de um casaco. Nathaniel chegou a tempo de ver sua mulher desabar em convulsões.

O ataque de eclâmpsia ocorreu às vinte e oito semanas de gravidez e durou um minuto e quinze segundos. Nenhuma das três pessoas que estavam presentes entendeu do que se tratava, acharam que era epilepsia. Apenas Nathaniel atinou para a ideia de deitá-la de lado, segurá-la para evitar que se machucasse e manter-lhe a boca aberta com uma colher. Os terríveis abalos se acalmaram logo, e Alma ficou exaurida e desorientada; não sabia onde se encontrava nem quem estava com ela, gemia de dor de cabeça e espasmos no ventre. Colocaram-na dentro do carro embrulhada em cobertores e, patinando no gelo do caminho, levaram-na à clínica, onde o médico de plantão, especializado em fraturas e contusões de esquiadores, não pôde fazer muito mais do que tratar de lhe baixar a pressão. A ambulância demorou sete horas entre Tahoe e São Francisco, desafiando a tormenta e os obstáculos da estrada. Quando por fim um obstetra examinou Alma, alertou à família do risco iminente de novas convulsões ou um ataque cerebral. Aos cinco meses e meio de gestação, as possibilidades de sobrevivência do bebê eram nulas; deviam esperar cerca de seis semanas antes de induzir o parto, mas nesse tempo podiam morrer mãe e filho. Como se o tivesse escutado, minutos depois o coração do bebê parou de bater dentro do útero, poupando Nathaniel de uma trágica decisão. Alma foi conduzida às pressas ao pavilhão de cirurgia.

Nathaniel foi o único que viu o menino. Tremendo de cansaço e tristeza, recebeu-o nas mãos, abriu as dobras da manta e encontrou um ser minúsculo, encolhido e azul, de pele fina e translúcida como casca de cebola, totalmente formado e com os olhos entreabertos. Aproximou-o do rosto e o beijou longamente na cabeça. O frio lhe queimou os lábios e ele sentiu o rumor profundo dos soluços silenciados subindo-lhe desde os pés, sacudindo-o inteiro e derramando-se em lágrimas. Chorou acreditando que chorava pelo menino morto e por Alma, mas o fazia por si mesmo, por sua vida comedida e convencional, pelo peso das responsabilidades das quais nunca poderia se livrar, pela solidão que o agoniava desde o nascimento, pelo amor que desejava e nunca teria, pelos papéis enganosos que lhe couberam e por todas as malditas armadilhas de seu destino.

Sete meses depois do aborto espontâneo, Nathaniel levou Alma a um passeio pela Europa, a fim de distraí-la da opressiva nostalgia que se apoderara de sua disposição. Ela agora havia cismado de falar do irmão Samuel na época em que ambos viviam na Polônia, de uma tutora que a rondava em seus pesadelos, de um certo vestido de veludo azul, de Vera Neumann com seus óculos de coruja, de algumas colegas detestáveis da escola, de livros que havia lido e cujos títulos não recordava, mas cujos personagens lhe davam pena, e de outras recordações inúteis. Uma viagem cultural poderia ressuscitar a inspiração de Alma e lhe devolver o entusiasmo por seus tecidos pintados, pensava Nathaniel, e, se isso acontecesse, ele lhe proporia que estudasse por um tempo na Royal Academy of Art, a mais antiga escola de arte da Grã-Bretanha. Acreditava que a melhor terapia para Alma seria afastar-se de São Francisco, dos Belasco em geral e dele em particular. Não tinham voltado a mencionar Ichimei, e Nathaniel presumia que ela, fiel à sua promessa, não mantivesse contato com ele. Dispôs-se a passar mais tempo com sua mulher, reduziu as horas de trabalho e, quando possível, estudava os casos e preparava suas alegações em casa. Os dois continuavam dormindo em cômodos separados, mas pararam de fingir que o faziam juntos. A cama de Nathaniel foi instalada definitivamente em seu quarto de solteiro, entre paredes forradas de papel com cenas de caça, cavalos, cães e raposas. Compartilhando a insônia, haviam sublimado toda tentação de sensualidade. Ficavam lendo até depois da meia-noite num dos salões, ambos no mesmo sofá, agasalhados pela mesma manta. Em alguns domingos nos quais o clima o impedia de navegar, Nathaniel conseguia que Alma o acompanhasse ao cinema ou dormiam a sesta lado a lado no sofá da insônia, o qual substituía a cama de casal que eles não tinham.

A viagem abarcaria desde a Dinamarca até a Grécia, incluindo um cruzeiro pelo Danúbio e outro na Turquia. Devia durar dois meses e culminar em Londres, onde se separariam: ela ficaria lá e ele retornaria a São Francisco. Na segunda semana, passeando de mãos dadas pelas ruelas de Roma, depois de um jantar memorável e duas garrafas do melhor *chianti*, Alma se deteve embaixo de um poste, agarrou Nathaniel pela camisa, puxou-o para si com fúria e o beijou na boca. "Quero que você durma comigo", declarou. Nessa noite, no decadente palácio transformado em hotel onde estavam alojados, fizeram amor embriagados do vinho e do verão romanos, descobrindo o que já sabiam de cada um, com a sensação de cometer um ato proibido. Alma devia seus conhecimentos sobre o amor carnal e sobre seu próprio corpo a Ichimei, que compensava sua falta de experiência com insuperável intuição, a mesma que lhe servia para reanimar uma planta melancólica. No motel das baratas, Alma havia sido um instrumento musical nas mãos amorosas de Ichimei. Nada disso ela viveu com Nathaniel. Fizeram amor com pressa, perturbados, desajeitados, como dois estudantes com saudades, sem se dar tempo de se esquadrinhar mutuamente, de se farejar, rir ou suspirar juntos; depois os invadiu uma inexplicável aflição que tentaram disfarçar fumando em silêncio, cobertos com o lençol sob a luz amarelada da lua que os espiava pela janela.

No dia seguinte, esgotaram-se passeando por ruínas, subindo escadarias de pedras milenares, avistando catedrais, perdendo-se entre estátuas de mármore e fontes desmesuradas. Ao anoitecer, voltaram a beber demais e chegaram cambaleantes ao palácio decadente e de novo fizeram amor com pouco desejo, mas com mais vontade. E assim, dia a dia, noite a noite, percorreram as cidades e navegaram as águas na excursão programada e foram estabelecendo a rotina de casados da qual tão cuidadosamente haviam se esquivado, até que a eles se tornou natural compartilhar o banheiro e acordar no mesmo travesseiro.

Alma não ficou em Londres. Voltou a São Francisco com pilhas de folhetos e cartões-postais de museus, livros de arte e fotografias de locais pitorescos tiradas por Nathaniel, com ânimo para recomeçar suas pinturas; tinha a cabeça cheia de cores, esboços e desenhos do que havia visto, tapetes turcos, jarros gregos, tapeçarias belgas, quadros de todas as épocas, ícones enfeitados de pedrarias, madonas lânguidas e santos famélicos; mas também mercados de frutas e verduras, barquinhos de pesca, roupas penduradas em sacadas de becos estreitos, homens jogando dominó em tabernas, crianças nas praias, matilhas de cães sem dono, burros tristes e telhados antigos em aldeias adormecidas por rotina e tradição. Tudo haveria de terminar retratado em suas sedas com grandes pinceladas em cores radiantes. Já então Alma possuía na zona industrial de São Francisco um ateliê de oitocentos metros quadrados, que estivera sem uso durante meses e que ela resolveu revitalizar. Mergulhou no trabalho. Passava semanas sem pensar em Ichimei nem no menino que havia perdido. A intimidade com o marido se reduziu a quase nada quando voltaram da Europa; cada um tinha seus afazeres, passavam as noites de insônia lendo no sofá, mas continuavam unidos pela ternura amistosa da qual sempre haviam desfrutado. Muito raramente Alma cochilava no lugar preciso entre o ombro e o queixo do marido, onde antes se sentia segura. Não voltaram a dormir sob os mesmos lençóis nem a usar o mesmo banheiro; Nathaniel ocupava a cama de seu gabinete, e Alma ficou sozinha no quarto azul. Se alguma vez faziam amor, era por casualidade e excesso de álcool nas veias.

— Quero liberá-la de sua promessa de me ser fiel, Alma. Não é justo com você — disse Nathaniel, numa noite em que estavam na pérgula do jardim admirando uma chuva de estrelas cadentes e fumando maconha. — Você é jovem e está cheia de vida, merece mais romance do que eu sou capaz de lhe dar.

— E você? Existe alguém por aí lhe oferecendo romance, e você quer ser livre? Nunca o impedi, Nat.

— Não se trata de mim, Alma.

— Você me libera de minha promessa em um momento pouco oportuno, Nat. Estou grávida, e desta vez o único que pode ser o pai é você. Eu pretendia lhe contar quando tivesse certeza.

Isaac e Lillian Belasco receberam a notícia dessa gravidez com o mesmo entusiasmo da primeira vez. Reformaram o aposento que haviam preparado para o outro bebê e se prepararam para mimar este. "Se for menino e eu tiver morrido quando ele nascer, suponho que lhe darão meu nome, mas, se eu estiver vivo, não podem, porque isso lhe traria azar. Nesse caso, quero que se chame Lawrence Franklin Belasco, como o meu pai e o grande presidente Roosevelt, que descansem em paz", pediu o patriarca. Estava se enfraquecendo lenta e inexoravelmente, mas continuava de pé porque não podia deixar Lillian, que se transformara em sua sombra. Estava quase surda, mas não precisava ouvir. Tinha aprendido a decifrar os silêncios alheios com precisão, tornando impossível lhe ocultar algo ou enganá-la, e havia desenvolvido uma pavorosa habilidade em adivinhar o que os outros pretendiam lhe dizer e responder antes que o enunciassem. Tinha duas ideias fixas: melhorar a saúde do marido e conseguir que Nathaniel e Alma se apaixonassem como era devido. Em ambos os casos recorria a terapias alternativas, que incluíam desde colchões magnetizados até elixires curativos ou afrodisíacos. A Califórnia, na vanguarda da bruxaria naturalista, contava com uma notável variedade de vendedores de esperança e consolo. Isaac se resignara a pendurar cristais no pescoço e a beber suco de alfafa e xarope de escorpião, assim como Alma e Nathaniel suportavam as esfregadelas com óleo passional de ilangue-ilangue, as sopas chinesas de barbatana de tubarão e outras estratégias de alquimista com que Lillian procurava avivar o tíbio amor dos dois.

Lawrence Franklin Belasco nasceu na primavera sem nenhum dos problemas que os médicos anteciparam, considerando a eclâmpsia que a mãe sofrera na gravidez anterior. Desde o primeiro dia no mundo, seu nome soou longo demais e chamaram-no Larry. Cresceu saudável, gordo e autossuficiente, sem requerer nenhum cuidado especial, tão tranquilo e discreto que às vezes adormecia embaixo de um móvel e ninguém sentia sua falta durante horas. Seus pais o confiaram aos avós e às sucessivas babás que haveriam de criá-lo e não lhe prestavam muita atenção, já que em Sea Cliff havia meia dúzia de adultos fazendo isso. Larry não dormia em sua cama, alternava-se entre a de Isaac e a de Lillian, a quem chamava Papi e Mami; quanto aos progenitores, chamava-os formalmente de mãe e pai. Nathaniel passava pouco tempo em casa, tornara-se o advogado mais notável da cidade, ganhava dinheiro a rodo, e em suas horas livres praticava esportes e explorava a arte da fotografia; estava esperando que o filho crescesse um pouco para iniciá-lo nos prazeres da navegação a vela, sem imaginar que esse dia não chegaria. Alma, como seus sogros haviam se apoderado do neto, começou a viajar em busca de temas para seu trabalho, sem sentir culpa por deixar o filho. Nos primeiros anos planejava viagens relativamente curtas para não se separar de Larry por muito tempo, mas constatou que dava no mesmo, porque a cada regresso, quer fosse após uma ausência prolongada ou uma breve, o filho a recebia com o mesmo cortês aperto de mão, em vez do abraço eufórico tão esperado. Concluiu, aborrecida, que Larry gostava mais do gato do que dela, e então pôde ir ao Extremo Oriente, à América do Sul e a outros lugares remotos.

O patriarca

Larry Belasco passou seus três primeiros anos de vida sendo celebrado pelos avós e pelos empregados da casa, tratado com o cuidado que se dedica a uma orquídea, com todos os seus caprichos satisfeitos. Esse sistema, que arruinaria irremediavelmente o caráter de um menino menos centrado, tornou-o amável, prestimoso e tranquilo. Seu temperamento pacífico não mudou quando, em 1962, morreu seu avô Isaac, um dos dois pilares que sustentavam o universo de fantasia onde vivera o garoto até aquele momento. A saúde de Isaac havia melhorado quando seu neto favorito nasceu. "Por dentro me sinto com vinte anos, Lillian, que diabos aconteceu com o meu corpo?" Tinha energia para levar Larry a passeios diários, ensinava-lhe os segredos botânicos de seu jardim, brincava de engatinhar no chão com o menino e lhe comprava os bichos de estimação que ele mesmo havia desejado na infância: um papagaio barulhento, peixes num aquário, um coelho, que desapareceu para sempre entre os móveis assim que Larry abriu a gaiola, e um cachorro orelhudo, o primeiro de várias gerações de *cocker spaniels* que a família teria nos anos vindouros. Os médicos não achavam explicação para a notável melhora de Isaac, mas Lillian a atribuía às artes curativas e às ciências esotéricas nas quais havia chegado a ser especialista. Naquela noite Larry dormiria na cama do avô, depois de um dia feliz. Havia passado a tarde no parque da Golden Gate em um cavalo alugado, Isaac na sela e ele na frente, seguro entre os braços do avô. Voltaram corados de sol, cheirando a suor e entusiasmados com a ideia de comprar um cavalo e um pônei para montarem juntos. Lillian os esperava com a churrasqueira do jardim pronta para assar salsichas e marshmallows, o jantar preferido do avô e do neto. Depois deu um banho em Larry, deitou-o no quarto do marido e leu para ele uma história, até que o menino dormiu. Tomou seu copinho de xerez com láudano e foi para a cama. Despertou às sete da manhã com a mãozinha de Larry sacudindo-lhe o ombro. "Mami, Mami, o Papi caiu." Encontraram Isaac no chão do banheiro. Foi necessário o esforço combinado de Nathaniel e do motorista para mover o corpo gelado e rígido, que parecia de chumbo, e estendê-lo sobre a cama. Quiseram evitar o espetáculo a Lillian, mas esta colocou todos para fora do aposento, fechou a porta e só voltou a abri-la depois que terminou de lavar lentamente seu marido e de nele passar loção e colônia, passando em revista cada detalhe daquele corpo que ela conhecia melhor do que o próprio e que tanto amava, surpresa por ele não ter envelhecido nada; mantinha-se tal qual ela sempre o enxergara, era o mesmo jovem alto e forte que podia levantá-la nos braços sem esforço, bronzeado por seu trabalho no jardim, com seus abundantes cabelos negros dos vinte e cinco anos e suas belas mãos de homem bom. Quando abriu a porta do quarto, estava serena. A família temeu que, sem ele, Lillian definhasse de dor em pouco tempo; ela, porém, demonstrou que a morte não é um impedimento intransponível para a comunicação entre os que se amam de verdade.

Anos mais tarde, na segunda sessão de psicoterapia, quando sua mulher ameaçava abandoná-lo, Larry se lembraria daquela imagem do avô caído no banheiro como o momento mais significativo de sua infância, e a imagem do pai falecido como o fim de sua juventude e a aterrissagem forçada na maturidade. Tinha quatro anos no primeiro evento e vinte e seis no segundo. O psicólogo lhe perguntou, com uma pontinha de dúvida na voz, se ele tinha outras recordações dos quatro anos, Larry citou desde os nomes de cada um dos empregados da casa e dos bichos de estimação até os títulos das histórias que sua avó lia para ele, além da cor do robe que ela usava quando ficou cega, horas depois da morte do marido. Aqueles primeiros três anos sob o amparo dos avós foram a época mais feliz de sua existência, e ele conservava os detalhes como tesouros.

Lillian foi diagnosticada com uma cegueira temporária histérica, mas nenhum dos adjetivos se revelou correto. Larry foi seu guia até os seis anos, quando entrou para o jardim de infância, e depois ela se arranjou sozinha, porque não quis depender de outra pessoa. Conhecia de cor a casa de Sea Cliff e o que continha, deslocava-se com desenvoltura e até frequentava a cozinha a fim de assar bolos para o neto. Além disso, Isaac a conduzia pela mão, como ela assegurava meio de brincadeira e meio a sério. Para agradar ao invisível marido, começou a se vestir só de lilás, porque era a cor que usava quando o conhecera em 1914 e porque isso resolvia o problema de escolher às cegas a roupa de cada dia. Não permitiu que a tratassem como inválida nem deu sinais de se sentir isolada pela falta da audição e da visão. Segundo Nathaniel, sua mãe tinha faro de perdigueiro e radar de morcego para se orientar e reconhecer as pessoas. Até a morte de Lillian, em 1973, Larry recebeu amor incondicional e, segundo o psicólogo que o salvou do divórcio, não podia esperar de sua esposa esse amor; no casamento não há nada incondicional.

O viveiro de flores e plantas ornamentais dos Fukuda figurava no catálogo telefônico, e Alma de vez em quando comprovava que o endereço continuava o mesmo, mas nunca cedeu à curiosidade de ligar para Ichimei. Recuperar-se do amor frustrado lhe custara muito, e ela temia, caso ouvisse a voz dele por um instante, voltar a naufragar na mesma paixão obstinada de antes. Nos anos que se passaram desde então, seus sentidos tinham adormecido; ao superar a obsessão por Ichimei, ao mesmo tempo havia transferido para os pincéis a sensualidade que tivera com ele e nunca com Nathaniel. Isso mudou no segundo funeral de seu sogro, quando ela distinguiu na multidão o rosto inconfundível de Ichimei, que se mantinha igual ao do jovem que ela recordava. Ele seguiu o cortejo acompanhado por três mulheres, duas que Alma reconheceu vagamente, embora não as visse havia muitos anos, e uma moça que se destacava, porque não estava vestida totalmente de preto, como o resto dos presentes. O pequeno grupo se manteve a uma certa distância, mas, ao término da cerimônia, quando as pessoas começaram a se dispersar, Alma se soltou do braço de Nathaniel e os seguiu até a avenida, onde estavam enfileirados os carros. Deteve-os gritando o nome de Ichimei, e os quatro se voltaram.

— Senhora Belasco — disse Ichimei como saudação, inclinando-se formalmente.

— Ichimei — repetiu ela, paralisada.

— Minha mãe, Heideko Fukuda, minha irmã, Megumi Anderson, e minha esposa, Delphine — apresentou ele.

As três mulheres a saudaram, inclinando-se. Alma sentiu uma dor brutal no estômago, e o ar ficou preso em seu peito, enquanto ela, sem disfarçar, examinava Delphine, que nada percebeu, porque mantinha os olhos no chão, em respeitosa cortesia. Era jovem, bonita, viçosa, sem a pesada maquiagem da moda, vestida de cinza-perolado, com um tailleur e um chapéu redondo, no estilo de Jacqueline Kennedy, e com o mesmo penteado da primeira-dama. Seu aspecto era tão americano que seu rosto asiático parecia até incongruente.

— Obrigada por terem vindo — conseguiu balbuciar Alma, quando recuperou o fôlego.

— O senhor Isaac Belasco foi nosso benfeitor, sempre lhe seremos gratos. Possibilitou-nos voltar à Califórnia, financiou o viveiro e nos ajudou a seguir adiante — disse Megumi, emocionada.

Alma já sabia disso, porque Nathaniel e o próprio Ichimei haviam lhe contado, mas a solenidade daquela família reiterou sua certeza de que o sogro havia sido um homem excepcional. Amou-o mais do que teria amado seu pai, se a guerra não o houvesse tirado dela. Isaac Belasco era o oposto de Baruj Mendel: bondoso, tolerante e sempre disposto a se doar. Golpeou-a violentamente a dor de tê-lo perdido, que até aquele momento ela não sentira completamente, porque estava atordoada, como todos na família Belasco. Sentiu os olhos ficarem marejados, mas engoliu as lágrimas e o soluço que lutavam para escapar havia dias. Notou que Delphine a observava com a mesma intensidade com que ela o fizera minutos antes. Acreditou ver uma expressão de inteligente curiosidade nos olhos límpidos da mulher, como se esta soubesse exatamente o papel que Alma desempenhara no passado de seu marido. Sentiu-se exposta e um pouco ridícula.

— Nossas mais sinceras condolências, senhora Belasco — disse Ichimei, tomando novamente o braço da mãe para se afastar.

— Alma. Ainda sou Alma — murmurou ela.

— Adeus, Alma — disse ele.

Esperou durante duas semanas que Ichimei entrasse em contato com ela; examinava o correio com ansiedade e se sobressaltava cada vez que o telefone tocava, imaginando mil motivos para esse silêncio, menos o único razoável: ele estava casado. Negou-se a pensar em Delphine, pequena, magra, refinada, mais jovem e mais bonita do que ela, com seu olhar inquisitivo e a mão enluvada no braço de Ichimei. Num sábado foi de carro a Martínez, usando um grande par de óculos escuros e um lenço na cabeça. Passou três vezes diante do estabelecimento dos Fukuda, mas não se atreveu a descer. Na segunda semana, não aguentou mais o tormento da expectativa e ligou para o número que, de tanto vê-lo no catálogo, havia memorizado. "Fukuda, Flores e Plantas Ornamentais, em que podemos servi-la?" Era uma voz de mulher, e Alma não teve dúvida de que pertencia a Delphine, embora esta não tivesse dito uma só palavra na única ocasião em que estiveram juntas. Desligou. Voltou a telefonar várias vezes, torcendo para que Ichimei atendesse, mas sempre ouvia a voz cordial de Delphine e desligava. Numa dessas chamadas as duas mulheres ficaram em silêncio durante quase um minuto, até que Delphine perguntou suavemente: "Em que posso servi-la, senhora Belasco?" Assustada, Alma bateu o fone e jurou para sempre abrir mão de se comunicar com Ichimei. Três dias depois, o correio lhe trouxe um envelope escrito em tinta preta com a caligrafia dele. Ela se trancou no quarto, apertando ao peito o envelope e tremendo de angústia e esperança.

Na carta Ichimei lhe dava novamente os pêsames por Isaac Belasco e revelava sua emoção por voltar a vê-la depois de tantos anos, embora soubesse de seus êxitos profissionais e de sua filantropia e tivesse visto muitas vezes sua fotografia nos periódicos. Contava que Megumi era parteira, estava casada com Boyd Anderson e tinha um menino, Charles, e que Heideko fora algumas vezes ao Japão, onde aprendera a arte do *ikebana*. No último parágrafo dizia que se casara com Delphine Akimura, nipo-americana de segunda geração, como ele. Delphine tinha um ano quando sua família foi aprisionada em Topaz, mas ele não se lembrava de tê-la visto lá; conheceram-se muito depois. Era professora, mas deixara a escola para administrar o viveiro, que sob sua direção havia prosperado; logo abririam uma loja em São Francisco. Despedia-se sem indicar a possibilidade de se encontrarem e sem dizer se esperava receber resposta. Não havia nenhuma referência ao passado que os dois tinham compartilhado. Era uma carta informativa e formal, sem as digressões poéticas ou as divagações filosóficas de outras que ela recebera durante a breve temporada do amor entre os dois; nem sequer trazia um dos desenhos de Ichimei, que outrora acompanhavam às vezes suas cartas. O único alívio de Alma foi que não havia menção aos seus telefonemas, que sem dúvida Delphine comentara com o marido. Alma interpretou a missiva como o que realmente era: uma despedida e uma advertência tácita de que Ichimei não desejava outros contatos.

Na cotidianidade dos sete anos seguintes, a vida seguiu sem marcos significativos para Alma. Suas viagens, interessantes e frequentes, acabaram por se misturar em sua memória como uma só aventura de Marco Polo, como dizia Nathaniel, que nunca demonstrou o menor ressentimento pelas ausências da mulher. Sentiam-se tão visceralmente à vontade um com o outro como se fossem gêmeos que nunca tivessem se separado. Podiam adivinhar seus pensamentos, adiantar-se aos humores ou desejos do outro, terminar a frase que o outro começava. O carinho entre eles era inquestionável; não precisavam falar disso, davam-se por garantidos, assim como sua amizade extraordinária. Compartilhavam as obrigações sociais, o gosto pela arte e pela música, o refinamento para bons restaurantes, a coleção de vinhos que iam formando aos poucos, a alegria das férias familiares com Larry. O garoto tornara-se tão dócil e afetuoso que às vezes seus pais se perguntavam se ele seria totalmente normal. Longe dos ouvidos de Lillian, que não admitia críticas ao seu neto, brincavam em segredo que no futuro Larry lhes daria uma surpresa assustadora, metendo-se em algum culto ou assassinando alguém; era impossível que fosse passar a vida sem um único susto, como um golfinho satisfeito. Assim que Larry teve idade para apreciar o mundo, levaram-no a excursões anuais inesquecíveis. Foram às ilhas Galápagos, ao Amazonas, a vários safáris na África, que depois Larry repetiria com seus próprios filhos. Um dos momentos mais mágicos de sua infância foi quando deu comida a uma girafa numa reserva do Quênia; o animal tinha uma comprida língua áspera e azul, olhos doces de pestanas operísticas e intenso odor de capim recém-cortado. Nathaniel e Alma dispunham de seu próprio espaço na mansão de Sea Cliff, onde viviam como num hotel de luxo, sem preocupações, porque Lillian se encarregava de manter funcionando a maquinaria doméstica. A boa mulher continuava se imiscuindo na vida deles e perguntando regularmente se por acaso estavam apaixonados, mas, longe de incomodá-los, essa peculiaridade lhes parecia encantadora. Quando Alma estava em São Francisco, o casal se comprometia a passar um tempo juntos à noite, para tomar um drinque e contar os pormenores do dia. Comemoravam os sucessos mútuos, e nenhum dos dois fazia perguntas além das estritamente necessárias, como se adivinhassem que o delicado equilíbrio de sua relação poderia se acabar em um instante com uma confidência inadequada. Aceitavam de bom grado que cada um tivesse seu mundo secreto e suas horas privadas, das quais não havia obrigação de prestar contas. As omissões não eram mentiras. Como, entre eles, os encontros amorosos eram tão raros que podiam ser considerados inexistentes, Alma imaginava que o marido tivesse outras mulheres, porque a ideia de que ele vivesse em castidade era absurda, mas Nathaniel havia respeitado o acordo de ser discreto e de lhe evitar humilhações. Quanto a ela, permitira-se algumas infidelidades nas viagens, nas quais sempre houvera oportunidades, bastando que se insinuasse para em geral obter êxito; esses alívios, no entanto, lhe davam menos prazer do que o esperado e a deixavam desconcertada. Estava em idade de ter vida sexual ativa, pensava, isso era tão importante para o bem-estar e a saúde quanto exercícios e uma dieta equilibrada; não devia permitir que seu corpo secasse. Com esse critério, a sexualidade acabava sendo uma tarefa a mais, em vez de um presente para os sentidos. Para ela o erotismo requeria tempo e confiança, não despertando facilmente numa noite de romance falso ou afetado com um desconhecido a quem não voltaria a ver. Em plena revolução sexual, na era do amor livre, quando na Califórnia havia troca de casais e meio mundo se deitava indiscriminadamente com a outra metade, ela continuava pensando em Ichimei. Em mais de uma ocasião, se perguntou se isso não seria uma desculpa para encobrir sua frigidez, mas quando por fim se reencontrou com ele não tornou a se fazer essa pergunta nem a procurar consolo nos braços de estranhos.

12 de setembro de 1978

Você me explicou que da tranquilidade nasce a inspiração, e do movimento surge a criatividade. A pintura é movimento, Alma, e por isso seus desenhos recentes me agradam tanto; parecem ter sido feitos sem esforço, embora eu saiba quanta calma interior é necessária para dominar o pincel como você domina. Gosto especialmente de suas árvores outonais, que deixam cair as folhas com graça. Assim, desejo me desprender de minhas folhas neste outono da vida, com facilidade e elegância. Para que nos apegar àquilo que de todo modo vamos perder? Suponho que me refiro à juventude, que esteve tão presente em nossas conversas.

Na quinta-feira lhe prepararei um banho com sais e algas marinhas, que me enviaram do Japão.

Ichi

Samuel Mendel

Alma e Samuel Mendel se encontraram em Paris, na primavera de 1967. Para Alma era a penúltima etapa de uma viagem de dois meses a Kyoto, onde praticou pintura sumi-ê, tinta de obsidiana sobre papel artesanal branco, sob a estrita direção de um mestre de caligrafia, que a obrigava a repetir mil vezes o mesmo traço, até conseguir a combinação perfeita entre leveza e força; só então podia passar a outro movimento. Tinha ido ao Japão várias vezes. O país a fascinava, sobretudo Kyoto e algumas aldeias das montanhas, onde encontrava pegadas de Ichimei por toda parte. Os traços livres e fluidos do sumi-ê, com o pincel vertical, permitiam-lhe se expressar com grande economia e originalidade; nada de detalhes, só o essencial, um estilo que Vera Neumann já desenvolvera em pássaros, borboletas, flores e desenhos abstratos. Nessa época Vera já mantinha uma indústria internacional: vendia milhões, empregava centenas de artistas, existiam galerias de arte com seu nome e vinte mil lojas ao redor do mundo que ofereciam suas linhas de roupa, objetos de decoração e utensílios domésticos; essa produção em massa não era o objetivo de Alma, no entanto, que continuava fiel à sua opção pela exclusividade. Depois de dois meses de pinceladas negras, estava se preparando para voltar a São Francisco e experimentar com cores.

Quanto ao seu irmão Samuel, era a primeira vez que ele voltava a Paris desde a guerra. Alma, em sua pesada bagagem, levava um baú com os rolos de seus desenhos e centenas de negativos de caligrafia e pintura para tirar ideias. A bagagem de Samuel era mínima. Ele vinha de Israel, com calça camuflada e jaqueta de couro, botas militares e uma mochila leve com duas mudas de roupa íntima. Aos cinquenta e cinco anos, continuava vivendo como soldado, com a cabeça raspada e a pele curtida como sola de sapato pelo sol. Para os irmãos esse encontro seria uma volta ao passado. Com o tempo e uma farta correspondência, tinham cultivado a amizade; os dois eram inspirados para escrever. Alma possuía o treinamento de sua juventude, quando se lançava por inteiro em seus diários. Samuel, de poucas palavras e desconfiado pessoalmente, podia ser loquaz e amável por escrito.

Em Paris alugaram um carro, e Samuel dirigiu até a aldeia onde morrera na primeira vez, guiado por Alma, que não havia esquecido o caminho feito com os tios nos anos 1950. Desde então a Europa se reerguera das cinzas, e ela teve dificuldade para encontrar o lugar, que antes era uma aglomeração de ruínas, escombros e casas desmoronadas, e agora estava reconstruído, rodeado de vinhedos e campos de lavanda, resplandecente na mais luminosa estação do ano. Até o cemitério desfrutava de prosperidade. Havia lápides e anjos de mármore, cruzes e grades de ferro, árvores frondosas, pardais, pombos, silêncio. A cuidadora, uma jovem amistosa, guiou-os por trilhas estreitas entre os túmulos, buscando a placa instalada pelos Belasco muitos anos antes. Estava intacta: *Samuel Mendel, 1922-1944, piloto da Força Aérea Real da Grã-Bretanha.* Embaixo havia outra placa menor, também de bronze: *Morto em combate pela França e pela liberdade.* Samuel tirou a boina e coçou a cabeça, divertido.

— O metal parece recém-polido — observou.

— Meu avô o limpa e mantém os túmulos dos soldados. Foi ele quem colocou a segunda placa. Meu avô lutou na Resistência, sabe?

— Não diga! Como se chama?
— Clotaire Martinaux.
— Temo não tê-lo conhecido — disse Samuel.
— O senhor também esteve na Resistência?
— Sim, por um tempo.
— Então tem que vir tomar uma bebida em nossa casa, meu avô ficará feliz em vê-lo, senhor...
— Samuel Mendel.

A jovem hesitou um momento, aproximou-se para ler de novo o nome na placa e se voltou, perplexa.

— Sim, sou eu. Não estou completamente morto, como pode ver — disse Samuel.

Os três acabaram na cozinha de uma casa próxima, bebendo Pernod e comendo baguetes com salame. Clotaire Martinaux, baixo e rechonchudo, com uma risada estrepitosa e bafo de alho, abraçou-os com força, contente por responder ao interrogatório de Samuel, chamando-o *mon frère* e enchendo-lhe o copo várias vezes. Não era um dos heróis fabricados depois do Armistício, como Samuel pôde comprovar. Sabia do avião inglês derrubado em sua aldeia, do resgate de um dos tripulantes, conhecia dois dos homens que o esconderam e os nomes dos outros. Escutou a história de Samuel enxugando os olhos e assoando o nariz com o mesmo lenço que atava ao pescoço e que usava para limpar o suor da testa e a gordura das mãos. "Meu avô sempre foi muito chorão", comentou a neta como explicação.

Samuel contou ao anfitrião que seu nome na Resistência judaica era Jean Valjean e que passara meses com a mente confusa pelo traumatismo na cabeça, sofrido quando caíra de avião, mas que aos poucos havia começado a recuperar algumas das lembranças. Tinha imagens imprecisas de uma casa grande e empregadas com aventais pretos e toucas brancas, mas nenhuma cena de sua família. Achava que, se algo continuasse de pé quando a guerra terminasse, iria procurar suas raízes na Polônia, porque era na língua de lá que somava, diminuía, xingava e sonhava; em algum lugar daquele país devia existir a casa gravada em sua mente.

— Eu tinha que esperar o fim da guerra para averiguar meu próprio nome e o destino de minha família. Em 1944 já se vislumbrava a derrota dos alemães, lembra-se, *monsieur* Martinaux? A situação começou a mudar inesperadamente na Frente do Leste, onde os britânicos e os americanos menos imaginavam. Achavam que o Exército Vermelho se compunha de bandos de camponeses indisciplinados, malnutridos e mal-armados, incapazes de enfrentar Hitler.

— Eu me lembro muito bem, *mon frère* — disse Martinaux. — Depois da batalha de Stalingrado, o mito de que Hitler era invencível começou a se enfraquecer, e pudemos ter alguma esperança. Devemos reconhecer: foram os russos que quebraram o moral e a espinha dos alemães em 1943.

— A derrota de Stalingrado os obrigou a recuar até Berlim — acrescentou Samuel.

— Depois veio o desembarque dos aliados na Normandia, em junho de 1944, e, dois meses depois, a libertação de Paris. Ah! Que dia inesquecível!

— Eu acabei prisioneiro. Meu grupo foi dizimado pelas SS e meus camaradas que permaneceram vivos foram executados com um tiro na nuca assim que se renderam. Eu escapei por acaso, estava procurando comida. Ou melhor, rondando as propriedades dos arredores para ver o que podia furtar. Comíamos até cães e gatos, o que houvesse.

Contou o que haviam sido aqueles meses, os piores da guerra, para ele. Sozinho, desorientado, faminto, sem contato com a Resistência, saía apenas à noite, alimentando-se de terra cheia de bichos e comida roubada, até que foi preso no final de setembro. Passou os quatro meses seguintes em trabalhos forçados, primeiro em Monowitz e depois em Auschwitz-Birkenau, onde já tinham perecido um milhão e duzentos mil homens, mulheres e crianças. Em janeiro, perante o avanço iminente dos russos, os nazistas receberam ordem de se desfazer das evidências do que haviam cometido ali. Expulsaram os detidos em marcha forçada pela neve, sem alimento nem abrigo, rumo à Alemanha. Os que ficaram para trás, porque estavam fracos demais, teriam sido executados, mas, na pressa para fugir dos russos, os SS não conseguiram acabar com tudo e deixaram vivos sete mil prisioneiros. Samuel estava entre eles.

— Não creio que os russos tenham chegado com o propósito de nos libertar — explicou. — A Frente Ucraniana ia passando por perto e abriu os portões do campo. Os que ainda podíamos nos mover saímos nos arrastando. Ninguém nos deteve. Ninguém nos ajudou. Ninguém nos ofereceu um pedaço de pão. Por toda parte éramos repelidos.

— Eu sei, *mon frère*. Aqui na França ninguém ajudava os judeus, digo isso com muita vergonha. Mas considere que eram tempos terríveis, todos passávamos fome, e, nessas circunstâncias, perde-se a humanidade.

— Os sionistas da Palestina também não queriam os sobreviventes dos campos de concentração; éramos o resíduo inútil da guerra — disse Samuel.

Explicou que os sionistas buscavam gente jovem, forte, saudável; guerreiros valentes, para enfrentar os árabes, e trabalhadores obstinados, para lavrar aquela terra árida. Mas uma das poucas coisas que ele recordava de sua vida anterior era como fazer voar um avião, e isso lhe facilitou a imigração. Transformou-se em soldado, piloto e espião. Integrou a escolta de David Ben-Gurion durante a criação do Estado de Israel, em 1948, e um ano mais tarde tornou-se um dos primeiros agentes do Mossad, a agência de inteligência do país.

Os dois irmãos passaram a noite em uma estalagem da aldeia e no dia seguinte retornaram a Paris a fim de tomar um avião para Varsóvia. Na Polônia buscaram inutilmente as pegadas de seus pais, encontrando somente os nomes deles numa lista da Agência Judaica das vítimas de

Treblinka. Juntos percorreram os restos de Auschwitz, onde Samuel pretendia se reconciliar com o passado, mas foi uma peregrinação aos seus mais horrendos pesadelos, o que apenas renovou sua certeza de que os seres humanos são as bestas mais cruéis do planeta.

— Os alemães não são uma raça de psicopatas, Alma. São gente normal, como você e eu. Mas, com fanatismo, poder e impunidade, qualquer pessoa pode se transformar em um monstro, como os SS de Auschwitz — disse à irmã.

— Acha que, dependendo da ocasião, você também se comportaria como um monstro, Samuel?

— Não é que eu ache, Alma, eu sei. Fui militar por toda a minha vida. Fiz a guerra. Interroguei prisioneiros, muitos prisioneiros. Mas suponho que você não queira conhecer os detalhes.

Nathaniel

O mal sorrateiro que haveria de acabar com Nathaniel Belasco foi espreitando-o aos poucos, com anos de antecedência, sem que ninguém, nem ele mesmo, soubesse. Os primeiros sintomas se confundiram com os da gripe, que naquele inverno atacou em massa a população de São Francisco, e desapareceram em poucas semanas. Não reapareceram até anos mais tarde, quando então deixaram nele uma sequela de tremenda fadiga; em alguns dias ele andava arrastando os pés e encolhendo os ombros, como se carregasse às costas um saco de areia. Continuou trabalhando o mesmo número de horas diárias, mas rendia pouco; em sua escrivaninha se acumulavam documentos, que pareciam se multiplicar sozinhos durante a noite; confundia-se, perdia a pista dos casos que estudava cuidadosamente e que antes podia resolver de olhos fechados; de repente, não recordara o que acabara de ler. Havia sofrido de insônia a vida inteira, e isso se agravou, com episódios de febre e suor. "Nós dois estamos sofrendo os males da menopausa", comentava com Alma, rindo, mas ela não achava graça. Abandonou os esportes, e o veleiro ficou ancorado na marina, servindo de ninho para as gaivotas. Tinha dificuldade de engolir, começou a perder peso, não tinha apetite. Alma lhe preparava vitaminas com proteína em pó, que ele bebia com dificuldade e depois vomitava escondido para que ela não se alarmasse. Quando lhe apareceram feridas na pele, o médico da família, uma relíquia tão antiga quanto alguns dos móveis comprados por Isaac Belasco em 1914, e que havia tratado sucessivamente de seus sintomas, como anemia, infecção intestinal, enxaqueca e depressão, mandou-o a um oncologista.

Aterrorizada, Alma compreendeu o quanto amava Nathaniel e o quanto precisava dele, e se preparou para lutar contra a enfermidade, contra o destino, contra os deuses e os diabos. Abandonou quase tudo para se concentrar nos cuidados com o marido. Deixou de pintar, dispensou os empregados do ateliê, indo lá apenas uma vez por mês para vigiar o serviço de limpeza. O enorme estúdio, iluminado pela luz difusa através do vidro opaco das janelas, mergulhou num silêncio de catedral. O trabalho acabou de um dia para outro e o ateliê ficou parado no tempo, como um truque cinematográfico, pronto para recomeçar no próximo instante, as compridas mesas protegidas por panos, os tecidos enrolados e guardados em pé, como esbeltos guardiães, e outros já pintados pendendo de bastidores, as amostras de desenhos e cores nas paredes, os potes e frascos, os rolos, pincéis e brochas, o murmúrio fantasmagórico da ventilação espalhando eternamente a fragrância permanente da tinta e do solvente. Acabaram suas viagens, que durante anos haviam lhe trazido inspiração e liberdade. Longe de seu meio, Alma se libertava da própria pele e renascia revigorada, curiosa, disposta à aventura, aberta ao que o dia lhe oferecesse, sem planos nem temores. Essa nova Alma transumante era tão real que, às vezes, ela se surpreendia ao se ver nos espelhos dos hotéis pelos quais passava, porque não esperava encontrar o mesmo rosto que tinha em São Francisco. Também deixou de ver Ichimei.

Tinham se reencontrado por acaso, sete anos depois do funeral de Isaac Belasco e quatorze antes que se manifestasse plenamente a enfermidade de Nathaniel, na exposição anual da Sociedade de Orquídeas, entre milhares de visitantes. Ichimei a viu primeiro e se aproximou para cumprimentá-la. Estava sozinho. Comentaram as orquídeas — havia dois exemplares do viveiro dele na exposição — e depois foram almoçar num restaurante próximo. Começaram falando disto e daquilo, Alma de suas viagens recentes, seus novos desenhos e seu filho Larry; Ichimei de suas plantas e seus filhos, Miki, de dois anos, e Peter, um bebê de oito meses. Não mencionaram Nathaniel nem Delphine. O almoço se prolongou por três horas sem uma pausa; tinham tudo a dizer um ao outro e o fizeram com incerteza e cautela, sem falar do passado, como que deslizando sobre gelo quebradiço, estudando-se, notando as mudanças, tentando adivinhar as intenções, conscientes da ardente atração que permanecia intacta. Ambos haviam completado trinta e sete anos; ela aparentava mais, suas feições tinham mais rugas, estava mais magra, angulosa e segura de si, mas Ichimei não havia mudado; tinha o mesmo aspecto de adolescente sereno de antes, a mesma voz baixa e maneiras delicadas, a mesma capacidade de invadi-la até a última célula com sua intensa presença. Alma podia ver o menino de oito anos na estufa de Sea Cliff, o de dez que lhe entregara um gato antes de desaparecer, o amante incansável do hotel das baratas, o homem de luto no funeral de seu sogro, todos iguais, como imagens superpostas em papel transparente. Ichimei era imutável, eterno. O amor e o desejo por ele lhe queimavam a pele, ela queria estender as mãos por sobre a mesa e tocá-lo, aproximar-se, afundar o nariz em seu pescoço e comprovar que ele ainda cheirava a terra e plantas, dizer-lhe que sem ele vivia sonâmbula, que nada nem ninguém podia preencher o vazio terrível de sua ausência, que daria tudo para voltar a ficar nua em seus braços, nada lhe importava, só ele. Ichimei acompanhou-a até o carro. Foram caminhando lentamente, fazendo rodeios para retardar o momento da separação. Tomaram o elevador para o terceiro piso do estacionamento, ela pegou a chave e se ofereceu para levá-lo até o veículo dele, que estava apenas a uma quadra de distância, e ele aceitou. Na íntima penumbra do carro, beijaram-me, reconhecendo-se.

Nos anos seguintes, haveriam de manter seu amor num compartimento separado do restante de suas vidas e o viveriam a fundo, sem permitir que ferisse Nathaniel e Delphine. Quando estavam juntos, nada mais existia, e ao se despedirem no hotel onde acabavam de saciar-se ficava implícito que até a próxima vez não voltariam a ter contato, a não ser por carta. Alma colecionava essas cartas como tesouros, embora nelas Ichimei mantivesse o tom reservado próprio de sua raça, que contrastava com suas delicadas provas de amor e seus impulsos de paixão quando se encontravam. O sentimentalismo o aborrecia profundamente; sua maneira de se declarar era organizando um piquenique para ela em preciosas caixas de madeira, enviando-lhe gardênias, porque ela gostava dessa fragrância, que jamais usaria em uma colônia, preparando-lhe chá cerimoniosamente, dedicando-lhe poemas e desenhos. Às vezes, em particular, chamava-a "minha pequena", mas não escrevia isso. Alma não precisava dar explicações ao marido, porque ambos levavam vidas independentes, e nunca perguntou a Ichimei como ele se arranjava para que Delphine não descobrisse, já que sua convivência era intensa e trabalhavam juntos. Sabia que ele amava a mulher, que era bom pai e homem de família, que desfrutava de uma situação especial na comunidade japonesa, na qual as pessoas o consideravam um mestre e o chamavam para aconselhar os desorientados, reconciliar inimigos e servir de árbitro justo nas disputas. O homem do amor escaldante, das invenções eróticas, do riso, das brincadeiras e dos jogos entre os lençóis, da urgência e da voracidade e da alegria, das confidências sussurradas na pausa entre dois abraços, dos beijos intermináveis e da intimidade mais delirante, esse homem só existia para ela.

As cartas começaram depois do encontro na exposição de orquídeas e se intensificaram quando Nathaniel adoeceu. Por um tempo interminável para eles, as correspondências substituíram os encontros clandestinos. As de Alma eram as cartas expostas e angustiadas de uma mulher afligida pela separação; as de Ichimei eram como águas tranquilas e cristalinas, mas em cujas entrelinhas palpitava a paixão compartilhada. Para Alma, essas cartas revelavam a primorosa tapeçaria interior de Ichimei, suas emoções, seus sonhos, saudades e ideais; ela pôde conhecê-lo e amá-lo e desejá-lo mais por essas missivas do que pelos embates amorosos. Chegaram a ser-lhe tão indispensáveis que, quando ela enviuvou e tornou-se livre, fase em que os dois podiam se telefonar, ver-se com frequência e até viajar juntos, continuaram se escrevendo. Ichimei cumpriu rigorosamente o acordo de destruir as cartas, mas Alma guardou as dele para relê-las amiúde.

18 de julho de 1984

Sei como você está sofrendo e me dói não poder ajudá-la. Enquanto lhe escrevo, sei que está angustiada, lidando com a doença de seu marido. Você não pode controlar isso, Alma; pode apenas fazer-lhe companhia com muita coragem.

Nossa separação é muito dolorosa. Estamos acostumados às nossas quintas-feiras sagradas, aos jantares privados, aos passeios no parque, às breves aventuras de um fim de semana. Por que o mundo me parece descolorido? Os sons são distantes, como à surdina, a comida tem gosto de sabão. Tantos meses sem nos vermos! Comprei sua colônia para sentir seu cheiro. Consolo-me escrevendo poesia, que um dia lhe darei, porque é para você. E depois me acusa de não ser romântico!

Pouco me serviram os anos de prática espiritual, se não consegui me despojar do desejo. Espero suas cartas e sua voz no telefone, imagino-a chegar correndo... Às vezes o amor dói.

Ichi

* * *

Nathaniel e Alma ocupavam os dois quartos que haviam sido de Lillian e Isaac, comunicados por uma porta que, de tanto permanecer aberta, já não podia ser fechada. Voltaram a compartilhar a insônia como nos primeiros tempos de casados, muito juntos num sofá ou na cama; ela lendo, com o livro em uma das mãos e acariciando Nathaniel com a outra, enquanto ele descansava com os olhos fechados, respirando com um borbulhar no peito. Numa dessas noites longas, surpreenderam-se mutuamente chorando em silêncio, para não incomodar um ao outro. Primeiro Alma sentiu as faces molhadas de seu marido, e imediatamente ele notou as lágrimas dela, tão raras que se ergueu para verificar se eram reais. Não se lembrava de tê-la visto chorar, nem mesmo nos momentos mais amargos.

— Você está morrendo, não é? — murmurou ela.

— Sim, Alma, mas não chore por mim.

— Não choro só por você, mas também por mim. E por nós, por tudo o que eu não lhe disse, pelas omissões e mentiras, pelas traições e pelo tempo que roubei de você.

— Deus do céu, não diga isso! Você não me traiu por amar Ichimei, Alma. Há omissões e mentiras necessárias, tal como há verdades que é melhor calar.

— Você sabe de Ichimei? Desde quando? — surpreendeu-se ela.

— Desde sempre. O coração é grande, pode-se amar mais de uma pessoa.

— Conte-me de você, Nat. Nunca investiguei seus segredos, que imagino serem muitos, para não ter que lhe revelar os meus.

— Nós sempre nos amamos tanto...! Todo homem devia se casar com a melhor amiga. Conheço você como ninguém. O que você não me diz eu posso adivinhar, mas você não me conhece. E tem direito de saber quem sou verdadeiramente.

Então lhe falou de Lenny Beal. Durante o resto dessa longa noite em claro, os dois contaram tudo um ao outro, com a urgência de saber que lhes restava pouco tempo juntos.

* * *

Até onde podia recordar, Nathaniel havia sentido uma mistura de fascinação, temor e desejo pelos de seu mesmo sexo: primeiro pelos colegas de escola, depois por outros homens e finalmente por Lenny, que havia sido seu parceiro durante oito anos. Tinha lutado contra esses sentimentos, dilacerado entre os impulsos do coração e a voz implacável da razão. Na escola, quando ainda nem ele mesmo podia identificar o que sentia, os outros meninos sabiam em seu íntimo que ele era diferente e o castigavam com golpes, zombarias e exclusão. Aprisionado entre valentões, aqueles anos foram os piores de sua vida. Quando concluiu a escola, dividido entre os escrúpulos e a fogosidade incontrolável da juventude, percebeu que não era excepcional, como acreditava; por todos os lados topava com homens que o fitavam nos olhos com um convite ou uma súplica. Foi iniciado por outro aluno de Harvard. Descobriu que a homossexualidade era um mundo paralelo, coexistente com a realidade aceita. Conheceu indivíduos de muitas classes. Na universidade: professores, intelectuais, estudantes, um rabino e um jogador de futebol; na rua: marinheiros, operários, burocratas, políticos, comerciantes e delinquentes. Era um mundo inclusivo, promíscuo e ainda discreto, porque enfrentava o julgamento estrito da sociedade, da moral e da lei. Os gays não eram admitidos em hotéis, clubes e igrejas, não conseguiam ser servidos nos bares e podiam ser expulsos de lugares públicos, acusados com ou sem motivo de conduta inconveniente; os bares e clubes gay pertenciam à máfia. De volta a São Francisco, levando embaixo do braço o diploma de advogado, encontrou os primeiros sinais de uma nascente cultura gay, que só chegaria a se manifestar abertamente vários anos mais tarde. Quando começaram os movimentos sociais da década de 1960, entre eles a Liberação Gay, Nathaniel estava casado com Alma e seu filho Larry tinha dez anos. "Não me casei com você para esconder minha homossexualidade, mas por amizade e por amor", disse ele a Alma naquela noite. Foram anos de esquizofrenia: uma vida pública irrepreensível e bem-sucedida, outra vida ilícita e escondida. Conheceu Lenny Beal em 1976, num banho turco para homens, o lugar mais propício para excessos e menos propício para iniciar um amor como o deles.

    Nathaniel ia completar os cinquenta e Lenny era seis anos mais novo do que ele, bonito como as divindades masculinas das estátuas romanas, irreverente, exaltado e pecaminoso, o oposto de Nathaniel em temperamento. A atração física foi instantânea. Fecharam-se em um dos cubículos e ficaram até o amanhecer perdidos em prazer, atracando-se como lutadores e envolvendo-se no enredo e no delírio dos corpos. Marcaram encontro para o dia seguinte em um hotel, aonde chegaram separados. Lenny levou maconha e cocaína, mas Nathaniel pediu que não as usassem; desejava viver aquela experiência em plena consciência. Uma semana mais tarde, já sabiam que a labareda do desejo havia sido apenas o início de um amor colossal, sucumbindo sem resistência ao imperativo de vivê-lo em sua plenitude. Alugaram um estúdio no centro da cidade, onde colocaram um mínimo de móveis e o melhor equipamento de som, com o compromisso de que somente eles poriam os pés ali dentro. Nathaniel encerrou a busca que iniciara trinta e cinco anos antes, mas aparentemente nada mudou em sua existência: continuou sendo o mesmo modelo de homem burguês, sem que ninguém suspeitasse do acontecido ou notasse que suas horas no escritório e seu fanatismo pelo esporte haviam sofrido uma redução drástica. Lenny, por sua vez, transformou-se sob a influência do amante. Deteve-se pela primeira vez em sua turbulenta existência e se atreveu a substituir o ruído e a atividade insana pela contemplação da felicidade recém-descoberta. Quando não estava com Nathaniel, estava pensando nele. Não voltou aos banhos turcos nem aos clubes gay; seus amigos raramente conseguiam deixá-lo tentado com alguma festa, e não lhe interessava conhecer mais ninguém, porque Nathaniel lhe bastava, era o seu sol, o centro dos seus dias. Instalou-se no sossego desse amor com devoção de puritano. Adotou a música, a comida e os drinques preferidos de Nathaniel, seus suéteres de caxemira, seu casaco de pele de camelo, sua loção de barbear. Nathaniel mandou instalar uma linha telefônica pessoal em seu escritório, cujo número só Lenny usava, e assim se comunicavam; passeavam no veleiro, faziam excursões, encontravam-se em cidades distantes, onde ninguém os conhecia.

No começo, a incompreensível doença de Nathaniel não atrapalhou o vínculo com Lenny; os sintomas eram diversos e esporádicos, iam e vinham sem causa nem relação aparente. Depois, quando Nathaniel começou a definhar e se reduzir num espectro do que havia sido, momento em que teve que aceitar suas limitações e pedir ajuda, acabaram-se as diversões. Ele perdeu o ânimo, sentiu que tudo ao seu redor se tornava pálido e sem importância, abandonou-se à nostalgia do passado, como um ancião, arrependido de algumas coisas que fizera e de muitas que não chegara a fazer. Sabia que sua vida se encurtava rapidamente e tinha medo. Lenny não o deixava cair na depressão, sustentava-o com bom humor fingido e com a firmeza de seu amor, que nesses tempos de provação não fez mais do que crescer e crescer. Encontravam-se no pequeno apartamento para se consolar mutuamente. Nathaniel não tinha forças nem desejo para fazer amor, mas Lenny não lhe pedia isso; contentava-se com os momentos de intimidade em que podia acalmá-lo se ele tremesse de febre, dar-lhe iogurte com uma colherinha de bebê, deitar-se ao seu lado para ouvir música, passar bálsamos em suas feridas, servir-lhe de apoio no sanitário. Por fim, Nathaniel já não pôde sair de casa, e Alma assumiu o papel de enfermeira com a mesma ternura perseverante de Lenny, mas ela era só sua amiga e esposa, ao passo que o outro era seu grande amor. Assim entendeu Alma, nessa noite das confidências.

Ao amanhecer, quando enfim Nathaniel conseguiu dormir, ela procurou o número de Lenny Beal no catálogo e lhe telefonou para pedir que viesse ajudá-la. Juntos, poderiam superar melhor a angústia dessa agonia, disse. Lenny chegou em menos de quarenta minutos. Alma, ainda de pijama e roupão, abriu-lhe a porta. Ele se encontrou diante de uma mulher devastada pela insônia, pela fadiga e pelo sofrimento; ela viu um homem bonito, com o cabelo molhado pela ducha recente e os olhos mais azuis do mundo, avermelhados.

— Eu sou Lenny Beal, senhora — balbuciou, comovido.

— Por favor, me chame de Alma. Esta casa é sua, Lenny — replicou ela.

Ele quis lhe estender a mão, mas não conseguiu completar o gesto e se abraçaram, trêmulos.

Lenny começou a visitar diariamente a casa de Sea Cliff, depois de suas horas de trabalho na clínica odontológica. Disseram a Larry e Doris, aos empregados, aos amigos e conhecidos que chegavam de visita, que Lenny era um enfermeiro. Ninguém fez perguntas. Alma chamou um carpinteiro, que consertou a porta emperrada do quarto, e os deixava sozinhos. Sentia um alívio imenso quando o olhar de seu marido se iluminava, ao ver Lenny aparecer. Ao anoitecer, os três tomavam chá com *scones* e, às vezes, se Nathaniel estivesse animado, jogavam cartas. A essa altura havia um diagnóstico, o mais temível de todos: aids. Fazia somente alguns anos que aquele mal tinha um nome, mas já se sabia que era uma condenação à morte; alguns pareciam antes, outros depois, era apenas questão de tempo. Alma não quis averiguar por que Nathaniel contraíra a doença e Lenny, não, mas, se o tivesse feito, ninguém teria podido lhe dar uma resposta categórica. Os casos se multiplicavam a uma tal velocidade que já se falava de epidemia mundial e de castigo de Deus pela infâmia da homossexualidade. Pronunciava-se "aids" aos sussurros; não se podia admitir sua presença numa família ou numa comunidade, porque equivalia a proclamar perversões imperdoáveis. A explicação oficial, inclusive para a família, foi que Nathaniel tinha câncer. Como a ciência tradicional nada podia oferecer, Lenny foi ao

México para buscar drogas misteriosas, que de nada serviram, enquanto Alma recorreu a todas as promessas da medicina alternativa que conseguiu, desde acupuntura, ervas e unguentos de Chinatown até banhos de lodo mágico nas termas de Calistoga. Então pôde entender os recursos malucos de Lillian para tratar de Isaac e lamentou haver jogado no lixo a estatueta do Barão Samedi.

Nove meses mais tarde, o corpo de Nathaniel se reduzira a um esqueleto pela enfermidade: o ar mal penetrava no labirinto entupido de seus pulmões, ele sofria de uma sede insaciável e de chagas na pele, não tinha voz e sua mente divagava em terríveis delírios. Então, num domingo sonolento em que estavam sozinhos na casa, Alma e Lenny, de mãos dadas na penumbra do quarto fechado, imploraram a Nathaniel que parasse de lutar e partisse tranquilo. Não podiam continuar presenciando aquele martírio. Em um instante milagroso de lucidez, Nathaniel abriu os olhos, anuviados pela dor, e moveu os lábios formando uma só palavra muda: obrigado. Interpretaram-na como o que na verdade era uma ordem. Lenny o beijou nos lábios antes de injetar a superdosagem de morfina no soro intravenoso. Alma, de joelhos no outro lado da cama, ficou repetindo baixinho ao seu marido o quanto ela e Lenny o amavam e o quanto ele dera a ambos e a tantas outras pessoas, que seria recordado sempre, que nada poderia separá-los...

Em Lark House, compartilhando chá de manga e recordações, Alma e Lenny se perguntaram por que haviam deixado passar três décadas sem fazer nenhuma tentativa de conectar-se de novo. Depois de fechar os olhos de Nathaniel, de ajudar Alma a arrumar o corpo, para apresentá-lo o melhor possível a Larry e Doris, e de eliminar as pistas delatoras do acontecido, Lenny se despediu de Alma e foi embora. Tinham passado meses juntos na intimidade absoluta do sofrimento e na incerteza da esperança e nunca se haviam visto à luz do dia, só dentro daquela alcova com cheiro de mentol e de morte muito antes de que esta viesse levar Nathaniel. Haviam compartilhado noites em claro, bebendo uísque aguado ou fumando maconha para aliviar a angústia, durante as quais falaram de suas vidas, desenterraram anseios e segredos e chegaram a se conhecer a fundo. Nessa calma agonia não cabiam pretensões de nenhum tipo; os dois se revelaram como eram a sós consigo mesmos, abertamente. Apesar disso, ou talvez por isso, chegaram a se gostar com um carinho diáfano e desesperado que requeria uma separação, porque não resistiria ao desgaste irremediável do cotidiano.

— Tivemos uma amizade única — disse Alma.

— Nathaniel estava tão agradecido que nós dois o acompanhássemos que uma vez pediu que eu me casasse com você quando ele morresse. Não queria deixá-la desamparada.

— Que ideia genial! Por que não me propôs casamento, Lenny? Teríamos formado um bom casal. Faríamos companhia um ao outro e nos protegeríamos, como Nathaniel e eu.

— Eu sou gay, Alma.

— Nathaniel também. Teríamos tido um casamento branco, sem cama; você com sua vida amorosa e eu com Ichimei. Muito conveniente, já que não poderíamos expor nossos amores em público.

— Ainda está em tempo. Quer se casar comigo, Alma Belasco?

— Mas você não disse que vai morrer logo? Não quero enviuvar pela segunda vez.

Caíram na gargalhada com vontade, e o riso os animou a ir ao refeitório para ver se o cardápio incluía algo tentador. Lenny ofereceu o braço a Alma, e saíram pelo corredor envidraçado até a casa principal, a antiga mansão do magnata do chocolate, sentindo-se envelhecidos e contentes, perguntando-se por que se fala tanto de tristezas e mal-estares e não da felicidade. "O que fazer com esta felicidade que nos chega sem motivo especial, esta felicidade que não requer nada para existir?", perguntou Alma. Avançavam com passos curtos e vacilantes, apoiando-se um no outro, friorentos, porque o outono estava terminando, aturdidos pela torrente de recordações persistentes, recordações de amor, invadidos por essa felicidade compartilhada. Alma apontou a Lenny a visão fugaz de alguns véus cor-de-rosa no parque, mas estava escurecendo, e talvez não fosse Emily anunciando uma desgraça, mas uma miragem, como tantas em Lark House.

O amante japonês

Na sexta-feira Irina Bazili chegou cedo a Lark House a fim de dar uma olhada em Alma antes de começar sua jornada de trabalho. A mulher já não precisava dela para se vestir, mas agradecia que a moça aparecesse em seu apartamento para tomarem juntas a primeira xícara de chá do dia. "Case-se com meu neto, Irina; faria um favor a todos os Belasco", repetia. Irina deveria ter esclarecido a ela que não conseguia vencer o terror do passado, mas não podia mencionar nada daquilo sem morrer de vergonha. Como iria dizer a Alma que os monstros de sua memória, habitualmente encolhidos em suas tocas, assomavam as cabeças de lagarto quando ela se dispunha a fazer amor com Seth? Ele entendia que ela não estava preparada para falar e parou de pressioná-la para que consultassem um psiquiatra; por enquanto, bastava que ele fosse seu confidente. Podiam esperar. Irina lhe propusera um tratamento de choque: verem juntos os vídeos filmados por seu padrasto, que ainda circulavam pelo mundo e continuariam a maltratá-la até o fim dos seus dias, mas Seth temia que, uma vez soltos, aqueles monstros se tornassem incontroláveis. Ele preferia que fossem aos poucos, com amor e humor, e, assim, avançassem numa dança de dois passos à frente e um atrás; já dormiam na mesma cama e, às vezes, amanheciam abraçados.

especial, esta felicidade que não requer nada para existir?", perguntou Alma. Avançavam com passos curtos e vacilantes, apoiando-se um no outro, friorentos, porque o outono estava terminando, aturdidos pela torrente de recordações persistentes, recordações de amor, invadidos por essa felicidade compartilhada. Alma apontou a Lenny a visão fugaz de alguns véus cor-de-rosa no parque, mas estava escurecendo, e talvez não fosse Emily anunciando uma desgraça, mas uma miragem, como tantas em Lark House.

O amante japonês

Na sexta-feira Irina Bazili chegou cedo a Lark House a fim de dar uma olhada em Alma antes de começar sua jornada de trabalho. A mulher já não precisava dela para se vestir, mas agradecia que a moça aparecesse em seu apartamento para tomarem juntas a primeira xícara de chá do dia. "Case-se com meu neto, Irina; faria um favor a todos os Belasco", repetia. Irina deveria ter esclarecido a ela que não conseguia vencer o terror do passado, mas não podia mencionar nada daquilo sem morrer de vergonha. Como iria dizer a Alma que os monstros de sua memória, habitualmente encolhidos em suas tocas, assomavam as cabeças de lagarto quando ela se dispunha a fazer amor com Seth? Ele entendia que ela não estava preparada para falar e parou de pressioná-la para que consultassem um psiquiatra; por enquanto, bastava que ele fosse seu confidente. Podiam esperar. Irina lhe propusera um tratamento de choque: verem juntos os vídeos filmados por seu padrasto, que ainda circulavam pelo mundo e continuariam a maltratá-la até o fim dos seus dias, mas Seth temia que, uma vez soltos, aqueles monstros se tornassem incontroláveis. Ele preferia que fossem aos poucos, com amor e humor, e, assim, avançassem numa dança de dois passos à frente e um atrás; já dormiam na mesma cama e, às vezes, amanheciam abraçados.

Naquela manhã Irina não encontrou Alma no apartamento nem a bolsa de suas saídas secretas ou suas camisolas de seda. Desta vez, o retrato de Ichimei também não estava lá. Então teve certeza de que o automóvel dela não se encontraria no estacionamento e não se alarmou, porque Alma já voltara a se firmar sobre as próprias pernas, e a jovem imaginou que Ichimei estaria aguardando-a. Alma não ficaria sozinha.

No sábado Irina não tinha trabalho em Lark House e ficou cochilando até as nove, luxo que podia se dar nos finais de semana desde que havia passado a viver com Seth e parado de dar banho em cães. Ele a despertou levando-lhe uma xícara grande de café com leite e se sentou ao seu lado na cama para planejar o dia. Vinha da academia, depois de uma chuveirada, com o cabelo úmido e ainda agitado pelo exercício, sem imaginar que naquele dia não haveria planos com Irina; seria um dia de despedida. O telefone tocou nesse momento com a chamada de Larry Belasco para anunciar ao filho que o carro da avó havia derrapado numa estrada rural e despencado quinze metros por um barranco.

— Está na UTI do Hospital Geral de Marin — disse.

— É grave? — perguntou Seth, apavorado.

— Sim. O carro ficou totalmente destruído. Não sei o que minha mãe estava fazendo por aqueles lados.

— Estava sozinha, papai?

— Sim.

No hospital encontraram Alma consciente e lúcida, apesar das drogas que gotejavam em sua veia e que, segundo o médico, teriam nocauteado um cavalo. Havia recebido sem atenuantes o impacto do acidente. Em um veículo mais pesado, talvez o estrago tivesse sido menor, mas o pequeno SmartCar verde-limão se desmontou em mil pedaços, e ela, presa ao assento pelo cinto de segurança, foi esmagada. Enquanto o resto da família Belasco se lamentava na sala de espera, Larry explicou a Seth que havia a possibilidade de uma medida extrema: abrir Alma, colocar os órgãos deslocados nos lugares correspondentes e mantê-la aberta por vários dias, até que a inflamação diminuísse e fosse possível operar. Depois se poderia pensar em consertar os ossos quebrados. O risco, enorme em uma pessoa jovem, era muito pior em alguém de mais de oitenta anos, como Alma; o cirurgião que a recebera no hospital não se atrevia a tentar. Catherine Hope, que chegou de imediato com Lenny Beal, opinou que uma intervenção de tal magnitude seria cruel e inútil; cabia apenas manter Alma o mais confortável possível e esperar seu fim, que não ia demorar. Irina deixou a família discutindo com Cathy a ideia de transferi-la para São Francisco, onde havia mais recursos, e entrou sigilosamente no quarto de Alma.

— Sente dor? — perguntou em um sussurro. — Quer que eu chame Ichimei?

Alma estava recebendo oxigênio, mas respirava sozinha, e fez um gesto leve para que ela se aproximasse. Irina não quis pensar no corpo ferido sob a armação e coberto por um lençol; concentrou-se em seu rosto, que estava intacto e parecia embelezado.

— Kirsten — balbuciou Alma.

— Quer que eu procure Kirsten? — perguntou Irina, surpresa.

— E diga a eles que não me toquem — acrescentou Alma claramente, antes de fechar os olhos, exausta.

Seth telefonou ao irmão de Kirsten e naquela mesma tarde este a levou ao hospital. A mulher se sentou na única cadeira do quarto de Alma, aguardando instruções sem pressa, como havia feito pacientemente no ateliê durante os meses anteriores, antes de se empregar com Catherine Hope na clínica da dor. Em algum momento, com os últimos raios de luz na janela, Alma retornou da letargia das drogas. Percorreu com os olhos os que estavam ao seu redor, esforçando-se para reconhecê-los: sua família, Irina, Lenny, Cathy, e pareceu se animar quando se deteve em Kirsten. Esta se aproximou da cama, tomou-lhe a mão que não estava conectada ao gotejar de fluidos e começou a lhe dar beijos úmidos desde os dedos até o cotovelo, perguntando, angustiada, se ela estava doente, se ia melhorar, repetindo que a amava muito. Larry tentou afastá-la, mas Alma lhe indicou fracamente que as deixassem sozinhas.

Na primeira e na segunda noites de vigília, revezaram-se Larry, Doris e Seth, mas, na terceira, Irina compreendeu que a família estava no limite de suas forças e se ofereceu para acompanhar Alma, que não tinha voltado a falar desde a visita de Kirsten e permanecia adormecida, ofegando como um cão cansado, desprendendo-se da vida. Não é fácil viver nem é fácil morrer, pensou Irina. O médico assegurava que Alma não sentia dor, que estava sedada até a medula.

A certa hora foram se acabando os ruídos do andar. No quarto reinava uma penumbra aprazível, mas os corredores estavam sempre iluminados por lâmpadas poderosas e pelo reflexo azul dos computadores da central de enfermagem. O murmúrio do ar-condicionado, a respiração esforçada da mulher na cama e, de vez em quando, alguns passos ou vozes discretas do outro lado da porta eram os únicos sons que chegavam a Irina. Tinham-lhe dado uma manta e uma almofada para que se acomodasse o melhor possível, mas fazia calor e era impossível dormir na cadeira. Sentou-se no chão, encostada à parede, pensando em Alma, que três dias antes ainda era uma mulher apaixonada que saíra às pressas para se encontrar com o amante, e agora jazia moribunda em seu último leito. Em um breve despertar, antes de se perder novamente no torpor alucinante das drogas, Alma pediu que ela lhe pintasse os lábios, porque Ichimei viria buscá-la. Irina sentiu um terrível desconsolo, uma onda de amor por essa velha maravilhosa, um carinho de neta, de filha, de irmã, de amiga, enquanto as lágrimas lhe corriam pelas faces e lhe molhavam o pescoço e a blusa. Desejava que Alma se fosse de uma vez para acabar com o sofrimento e também que não se fosse nunca, que por obra divina se arrumassem seus órgãos deslocados e os ossos quebrados, que ela ressuscitasse e pudessem as duas retornar juntas a Lark House e continuar com suas vidas como antes. Iria lhe dedicar mais tempo, acompanhá-la mais, arrancaria seus segredos do esconderijo onde ela os guardava, conseguiria outro gato igual a Neko e daria um jeito para que ela recebesse gardênias frescas todas as semanas, sem lhe dizer quem as enviava. Seus ausentes acudiram em tropel para fazer-lhe companhia em seu sofrimento: os avós cor de terra, Jacques Devine e seu escaravelho de topázio, os anciãos falecidos em Lark House nos três anos em que ela trabalhara ali, Neko com seu rabo torto e seu ronronar satisfeito, e até a mãe dela, Radmila, a quem já perdoara e de quem não tinha notícias havia muitos anos. Quis ter Seth ao seu lado naquele momento, para lhe apresentar os personagens que ele não conhecia desse elenco e descansar segurando sua mão. Adormeceu na saudade e na tristeza, encolhida em um canto. Não ouviu a enfermeira que entrava regularmente para checar o estado de Alma, ajustar o soro e a agulha, medir temperatura e pressão, administrar os sedativos.

Na hora mais escura da noite, a hora misteriosa do tempo fino, quando o véu entre este mundo e o dos espíritos costuma se abrir, chegou por fim o visitante que Alma estava esperando. Entrou sem ruído, com chinelos de borracha, tão tranquilamente que Irina não teria despertado sem o gemido rouco de Alma ao senti-lo perto. Ichi! Estava junto à cama, inclinado sobre ela, mas Irina, que só podia ver seu perfil, conseguiria reconhecê-lo em qualquer lugar, a qualquer momento, porque também o estava esperando. Era como ela o imaginara quando estudava o retrato dele na moldura de prata: de estatura mediana e ombros fortes, o cabelo liso e grisalho, a pele esverdeada à luz do monitor, o rosto nobre e sereno. Ichimei! Pareceu-lhe que Alma abria os olhos e repetia o nome, mas não tinha certeza, e compreendeu que nessa despedida eles deviam estar sozinhos. Levantou-se com prudência, para não os incomodar, e deslizou para fora do quarto, fechando a porta atrás de si. Esperou no corredor, passeando para desinchar as pernas dormentes, tomou dois copos d'água do garrafão perto do elevador e depois retornou ao seu posto de sentinela junto à porta de Alma.

Às quatro da madrugada, chegou a enfermeira de plantão, uma negra alta que cheirava a pão quentinho, e topou com Irina bloqueando a entrada. "Por favor, deixe-os sozinhos mais um pouco", suplicou a jovem, e começou a contar atropeladamente sobre o amante que viera acompanhar Alma neste último instante. Não podiam interrompê-los. "A esta hora não há visitantes", replicou a enfermeira, intrigada, e sem mais delongas afastou Irina e abriu a porta. Ichimei tinha ido embora, e o ar do quarto estava cheio de sua ausência.

Alma havia partido com ele.

Velaram Alma em privado por algumas horas na mansão de Sea Cliff, onde ela havia passado quase toda a sua vida. Seu ataúde simples de pinho foi colocado na sala dos banquetes, iluminado por dezoito velas nas mesmas menorás de prata maciça que a família usava nas celebrações tradicionais. Embora não fossem judeus praticantes, os Belasco se cingiram aos ritos funerários de acordo com as instruções do rabino. Alma havia dito em muitas ocasiões que queria sair da cama direto para o cemitério, nada de ritos na sinagoga. Duas mulheres piedosas da Chevra Kadisha lavaram o corpo e o vestiram com a humilde mortalha de linho branco sem bolsos, que simboliza a igualdade na morte e o abandono de todos os bens materiais. Irina, como uma sombra invisível, participou do luto atrás de Seth, que parecia atordoado de dor, incrédulo perante o súbito abandono de sua avó imortal. Alguém da família ficou junto de Alma até o momento de ela ser levada para o sepultamento, a fim de dar tempo ao espírito de se desprender e se despedir. Não houve flores, que são consideradas frívolas, mas Irina levou uma gardênia para o cemitério, onde o rabino dirigiu uma breve oração: *Dayan Ha'met,* Bendito é o Juiz da Verdade. Desceram ao solo o ataúde, junto do túmulo de Nathaniel Belasco, e, quando os familiares se aproximaram para cobri-lo com punhados de terra, Irina deixou cair a gardênia sobre sua amiga. Naquela noite iniciou-se o Shivá, o período de sete dias de luto e reclusão. Em um gesto inesperado, Larry e Doris pediram a Irina que ficasse com eles para consolar Seth. Como os demais membros da família, Irina colocou no peito um pedaço de pano rasgado, símbolo do luto.

No sétimo dia, depois de receberem a fila de visitantes que chegavam todas as tardes para apresentar suas condolências, os Belasco retomaram o ritmo habitual e cada um voltou à sua vida. Quando se completasse um mês do funeral, acenderiam uma vela em nome de Alma e dentro de um ano haveria uma cerimônia simples para instalar uma lápide com seu nome no túmulo. Já então a maior parte das pessoas que a tinham conhecido pensaria pouco nela; Alma viveria em seus tecidos pintados, na memória obsessiva de seu neto Seth e nos corações de Irina Bazili e de Kirsten, que nunca chegaria a compreender para onde ela fora. Durante o Shivá, Irina e Seth aguardaram com impaciência que Ichimei Fukuda aparecesse, mas os sete dias passaram e ele não veio.

A primeira coisa que Irina fez depois dessa semana de luto ritual foi ir a Lark House para retirar as coisas de Alma. Havia obtido permissão de Hans Voigt para se ausentar por alguns dias, mas logo deveria retornar ao trabalho. O apartamento estava tal como Alma o deixara, porque Lupita Farías tinha decidido não fazer a limpeza enquanto a família não o entregasse. A escassa mobília, comprada para esse espaço reduzido com intenção utilitária, mais do que decorativa, seria dada à Loja de Objetos Esquecidos, exceto a poltrona cor de damasco, onde se passaram os últimos anos do gato e que Irina decidiu dar a Cathy, porque esta sempre gostara do móvel. Arrumou a roupa em malas, as calças largas, as túnicas de linho, os casacos compridos de lã de vicunha, as echarpes de seda, perguntando-se quem herdaria tudo aquilo, desejando ser alta e forte como Alma para usar suas roupas, ser como era ela para pintar os lábios de vermelho e se perfumar com sua colônia viril de bergamota e laranja. Colocou o resto em caixas, que o motorista dos Belasco recolheria mais tarde. Ali estavam os álbuns que resumiam a vida de Alma, documentos, alguns livros, o quadro lúgubre de Topaz e muito pouco mais. Percebeu que Alma havia preparado sua partida com a seriedade que a definia, desprendendo-se do supérfluo para ficar somente com o indispensável, colocando em ordem seus pertences e suas recordações. Na semana do Shivá, Irina tivera tempo de chorar por ela, mas, nessa tarefa de varrer sua presença de Lark House, tornou a se despedir; foi como enterrá-la de novo. Pesarosa, sentou-se no meio das caixas e malas e abriu a bolsa que Alma sempre levava em suas escapadas, que a polícia havia recuperado do SmartCar destroçado, e que ela trouxera do hospital. Dentro estavam as camisolas finas, a loção, os cremes, duas mudas de roupa e o retrato de Ichimei na moldura de prata. O vidro estava quebrado. Com cuidado, Irina removeu os pedaços e tirou a fotografia, despedindo-se também desse enigmático amante. E então lhe caiu no colo uma carta, que Alma havia guardado atrás da fotografia.

Nesse momento alguém empurrou a porta entreaberta e enfiou timidamente a cabeça. Era Kirsten. Irina ficou de pé e a mulher abraçou-a com o entusiasmo que sempre imprimia às suas saudações.

— Onde está Alma? — perguntou.
— No céu — foi a única resposta que ocorreu a Irina.
— Quando volta?
— Não vai voltar, Kirsten.
— Nunca mais?
— Não.

Uma sombra de tristeza ou preocupação passou fugazmente pelo rosto inocente de Kirsten. Ela tirou os óculos, limpou-os com a borda da camiseta, voltou a colocá-los e aproximou o rosto do de Irina, para vê-la melhor.

— Jura que ela não vai voltar?

— Juro. Mas aqui você tem muitos amigos, Kirsten, todos gostamos muito de você.

A mulher lhe indicou que esperasse e se afastou pelo corredor com seu gingado de pés chatos em direção à casa do magnata do chocolate, onde ficava a clínica da dor. Voltou após quinze minutos com sua mochila nas costas, ofegando por causa da pressa, que seu coração demasiado grande não suportava bem. Fechou a porta do apartamento, trancou-a, fechou as cortinas sigilosamente e indicou a Irina que fizesse silêncio, pousando um dedo sobre os lábios. Finalmente lhe passou sua mochila, aguardando com as mãos nas costas, dando um sorriso de cumplicidade e balançando-se nos calcanhares. "Para você", disse.

Irina abriu a mochila, viu os pacotes presos com elásticos e soube de imediato que eram as cartas que Alma havia recebido regularmente, que ela e Seth tanto haviam procurado: as cartas de Ichimei. Não estavam perdidas para sempre no porão de um banco, como temeram, mas no lugar mais seguro do mundo, a mochila de Kirsten. Irina compreendeu que Alma, ao se ver doente, havia liberado Kirsten da responsabilidade de guardá-las e indicado a quem entregá-las. Por que a ela? Por que não ao filho ou ao neto? Interpretou isso como a mensagem póstuma de Alma, seu modo de lhe dizer o quanto a amava, o quanto confiava nela. Sentiu que algo dentro de seu peito se rompia com o som de um cântaro de barro ao se quebrar e que seu coração agradecido crescia, dilatava-se, palpitava como uma anêmona translúcida no mar. Diante dessa prova de amizade, sentiu-se respeitada como nos tempos de sua inocência; os monstros de seu passado começaram a retroceder e o assustador poder dos vídeos de seu padrasto foi se reduzindo à real dimensão: carniça para seres anônimos, sem identidade nem alma, impotentes.

— Meu Deus, Kirsten. Imagine, levei mais da metade da vida com medo de nada.

— Para você — repetiu Kirsten, apontando o conteúdo de sua mochila jogado no chão.

Nessa tarde, quando Seth voltou ao seu apartamento, Irina jogou os braços em volta de seu pescoço e o beijou com uma alegria nova, que naqueles dias de luto parecia inapropriada.

— Tenho uma surpresa para você, Seth — anunciou.

— Eu também. Mas me diga a sua primeiro.

Impaciente, Irina o guiou até a mesa de granito da cozinha, onde estavam os pacotes da mochila.

— São as cartas de Alma. Eu estava à sua espera para abri-las.

Os pacotes estavam marcados de um a onze e continham dez envelopes cada um, exceto o primeiro, que continha seis cartas e alguns desenhos. Os dois se sentaram no sofá e os examinaram na ordem em que a dona os deixara. Eram cento e quatorze no total, algumas breves, outras mais extensas, umas mais informativas do que outras, assinadas simplesmente "Ichi". As do primeiro envelope, escritas a lápis em folhas de caderno, com letra infantil, eram de Tanforan e de Topaz, e estavam tão censuradas que o significado se perdia. Nos desenhos já se vislumbrava o estilo depurado, de traços firmes, do quadro que havia acompanhado Alma em Lark House. Seriam necessários vários dias para ler essa correspondência, mas, na olhada breve que eles conseguiram dar, viram que o resto das cartas estava datado de diferentes momentos a partir de 1969; eram quarenta anos de correspondência irregular, com uma constante: eram mensagens de amor.

— Também encontrei uma datada de janeiro de 2010 atrás do retrato de Ichimei. Mas todas estas cartas são antigas e foram endereçadas à casa dos Belasco em Sea Cliff. Onde estão as que ela recebeu em Lark House nos últimos três anos?

— Acho que são estas, Irina.

— Não entendi.

— Minha avó colecionou durante a vida inteira as cartas de Ichimei, que recebia em Sea Cliff, porque sempre morou ali. Depois, quando se mudou para Lark House, começou a enviar essas cartas a si mesma de vez em quando, uma a uma, nos envelopes amarelos que nós vimos. Ela as recebia, lia e guardava como se fossem novas.

— Por que Alma faria algo assim, Seth? Ela estava lúcida. Nunca deu sinais de senilidade.

— O extraordinário é justamente isso, Irina. Ela fez isso em plena consciência e com senso prático, para manter viva a ilusão do grande amor de sua vida. Aquela velha, que parecia feita de material blindado, no fundo era uma romântica incurável. Tenho certeza de que também se enviava as gardênias semanais, de que suas escapadas não eram com o amante; ia sozinha à cabana de Point Reyes para reviver encontros do passado, para sonhá-los, já que não podia compartilhá-los com Ichimei.

— Por que não? Ela estava vindo de lá, depois de se encontrar com ele, quando aconteceu o acidente. Ichimei foi ao hospital para se despedir dela; eu o vi beijá-la, sei que se amavam, Seth.

— Você não pode tê-lo visto, Irina. Estranhei que esse homem não tivesse tomado conhecimento da morte de minha avó, já que a notícia saiu nos jornais. Se a amava tanto, como acreditamos, ele teria comparecido ao funeral ou nos dado suas condolências durante o Shivá. Decidi procurá-lo hoje mesmo, pois queria conhecê-lo e esclarecer algumas dúvidas sobre minha avó. Foi muito fácil: só precisei me apresentar no viveiro dos Fukuda.

— Ainda existe?

— Sim. É dirigido por Peter Fukuda, um dos filhos de Ichimei. Quando lhe falei meu sobrenome, ele me recebeu muito bem, porque sabia da família Belasco, e foi chamar a mãe, Delphine. É uma senhora muito amável e bonita; tem um daqueles rostos asiáticos que parecem não envelhecer.

— É a esposa de Ichimei. Alma nos contou que a conheceu no funeral do seu bisavô.

— Não é a esposa de Ichimei, Irina, é a viúva. Ichimei morreu de infarto, três anos atrás.

— Isso é impossível, Seth! — exclamou ela.

— Morreu mais ou menos na época em que minha avó foi viver em Lark House. Talvez as duas coisas estejam relacionadas de algum modo. Creio que essa carta de 2010, a última que Alma recebeu, foi a despedida dele.

— Eu vi Ichimei no hospital!

— Você viu o que desejava ver, Irina.

— Não, Seth. Tenho certeza de que era ele. Foi isto que aconteceu: de tanto amar Ichimei, Alma conseguiu que ele viesse buscá-la.

8 de janeiro de 2010

Como o universo é exuberante e alvoroçado, Alma! Gira sem parar. A única constante é que tudo muda. É um mistério que só podemos apreciar de dentro da tranquilidade.

Estou vivendo uma etapa muito interessante. Meu espírito contempla com fascinação as mudanças em meu corpo, mas essa contemplação não se faz a partir de um ponto distante, e sim de dentro. Meu espírito e meu corpo estão juntos nesse processo. Ontem você me dizia que sente saudade da ilusão de imortalidade da juventude. Eu, não. Estou desfrutando minha realidade de homem maduro, para não dizer velho. Se eu fosse morrer dentro de três dias, o que faria nesses dias? Nada! Eu me esvaziaria de tudo, menos do amor.

Muitas vezes dissemos que nos amar é nosso destino, que nos amamos em vidas anteriores e continuaremos nos encontrando em vidas futuras. Ou talvez não haja passado nem futuro, e tudo aconteça simultaneamente nas infinitas dimensões do universo. Nesse caso, estamos juntos constantemente, para sempre.

É fantástico estar vivo. Ainda temos dezessete anos, Alma minha.

Ichi

Impresso no Brasil pelo Sistema Digital Instant Duplex da Divisão Gráfica da
DISTRIBUIDORA RECORD DE SERVIÇOS DE IMPRENSA S.A.